VOCÊ

VOCÊ

CAROLINE KEPNES

TRADUÇÃO
Alexandre Martins

Rocco

Título original
YOU

Esta é uma obra de ficção. Qualquer referência a acontecimentos históricos, pessoas reais ou lugares foram usados de forma ficcional. Nomes, personagens, lugares e acontecimentos são produtos da imaginação da autora, e qualquer semelhança com acontecimentos atuais ou lugares ou pessoas, vivas ou não, é mera coincidência.

Copyright © 2014 *by* Alloy Entertainment and Caroline Kepnes

Todos os direitos reservados incluindo o de
reprodução no todo ou em parte sob qualquer forma.

The Choice Is Yours (remixada)
Letra e música de William McLean e Andres Titus
Copyright © 1991 UNIVERSAL – POLYGRAM INTERNATIONAL PUBLISHING, INC. e PEEP BO MUSIC. Todos os direitos controlados e administrados pela UNIVERSAL – POLYGRAM INTERNATIONAL PUBLISHING, INC. Todos os direitos reservados usados com autorização. Reproduzido com autorização de Hal Leonard Corporation.

Someone Saved My Life Tonight
Letra e música de Elton John e Bernie Taupin
Copyright © 1975 HST MGT.LTD e ROUGE BOOZE, INC. *Copyright* renovado.
Todos os direitos para HST MGT.LTD. nos Estados Unidos e Canadá controlados e administrados pela UNIVERSAL – SONGS OF POLYGRAM INTERNATIONAL, INC.
Todos os direitos para ROUGE BOOZE, INC. nos Estados Unidos e Canadá controlados e administrados pela UNIVERSAL – POLYGRAM INTERNATIONAL PUBLISHING, INC. Todos os direitos reservados usados com autorização. Reproduzido com autorização de Hal Leonard Corporation.

I'm in Love Again (de "Greenwich Village Follies of 1924")
Letra e música de Cole Porter. *Copyright* © 1925 (Renovado) WB MUSIC CORP.
Todos os direitos reservados. Usado com autorização de Alfred Music.

Killing the Blues
Letra e música de Rowland J. Salley. *Copyright* © 2005.
Usado com autorização de Telechrome Music.

Direitos para a língua portuguesa reservados
com exclusividade para o Brasil à
EDITORA ROCCO LTDA.
Rua Evaristo da Veiga, 65 – 11º andar
Passeio Corporate – Torre 1
20031-040 – Rio de Janeiro, RJ
Tel.: (21) 3525-2000 – Fax: (21) 3525-2001
rocco@rocco.com.br/www.rocco.com.br

Printed in Brazil/Impresso no Brasil

Preparação de originais
ANA ISSA DE OLIVEIRA

CIP-Brasil. Catalogação na fonte.
Sindicato Nacional dos Editores de Livros, RJ.

K46v
Kepnes, Caroline
 Você / Caroline Kepnes; tradução de Alexandre Martins.
– 1ª ed. – Rio de Janeiro: Rocco, 2018.

 Tradução de: You
 ISBN 978-85-325-3094-3
 ISBN 978-85-8122-722-1 (e-book)

 1. Romance americano. I. Martins, Alexandre. II. Título.

17-46837
CDD-813
CDU-821.111(73)-3

O texto deste livro obedece às normas do
Acordo Ortográfico da Língua Portuguesa.

Para você, papai

"Para começar, queira Deus eu veja você amanhã."
Harold Samuel Kepnes
29 de janeiro de 1947 – 13 de novembro de 2012

1

VOCÊ entra na livraria e mantém a mão na porta para garantir que ela não bata. Sorri, constrangida por ser uma garota legal. Suas unhas estão sem esmalte, seu suéter de gola em V bege torna impossível saber se está usando sutiã, mas não acho que esteja. Você é tão limpa que chega a ser suja e murmura sua primeira palavra para mim — "olá" — quando a maioria das pessoas simplesmente passaria por mim, mas não você, em seu jeans rosa largo, um rosa saído de *A menina e o porquinho*. De onde você veio?

Clássica e compacta, é minha própria Natalie Portman quase no final do filme *Closer — Perto demais*, quando está de rosto lavado, se cansou dos caras britânicos maus e segue para os Estados Unidos. Você veio para mim, finalmente entregue em uma terça-feira, 10:06. Todo dia, eu me transporto da minha casa em Bed-Stuy para esta loja no Lower East Side. Todo dia, fecho sem encontrar alguém como você. Veja você, nascida em meu mundo hoje. Estou tremendo e tomaria um lorazepam, mas o remédio está lá embaixo, e eu não quero tomar um. Não quero ficar mal. Quero ficar aqui, por inteiro, vendo você roer suas unhas sem esmalte, virar a cabeça para a esquerda, não, morder o mindinho, arregalar seus olhos, cabeça para a direita, não, rejeitar biografias, autoajuda (graças a Deus) e desacelerar ao chegar à ficção.

Isso!

Deixo você desaparecer nas prateleiras — Ficção F-K — e você não é a ninfa insegura padrão caçando um Faulkner que nunca vai terminar, nunca vai começar; Faulkner que irá endurecer e calcificar, se é que livros podem calcificar, em sua mesinha de cabeceira; Faulkner servindo apenas para convencer aventuras de uma noite de que você falou sério quando jurou que não fazia esse tipo de coisa.

Não, você não é como aquelas garotas. Você não encena Faulkner, seu jeans é largo, você é bronzeada demais para Stephen King e desligada demais da moda para Heidi Julavits, e quem, quem você irá comprar? Você espirra, alto, e imagino como é quando goza.

— Deus a abençoe! — digo.

Você ri e grita de volta, garota safada.

— Você também, camarada.

Camarada. Você está flertando, e se eu fosse o tipo de babaca que faz Instagram, fotografaria a placa F-K, filtraria a coisa e colocaria a legenda:

"F-K sim, eu a encontrei."

Calma, Joe. Elas não gostam quando um cara chega assim, lembro a mim mesmo. Graças a Deus por um cliente, e é difícil escanear o previsível Salinger dele — mas sempre é difícil fazer isso. Esse cara tem o quê, 36, e só agora está lendo *Franny e Zooey*? Fala sério. Ele não está lendo. É só uma cobertura para os Dan Brown no fundo da cesta. Trabalhe em uma livraria e aprenda que a maioria das pessoas no mundo se sente culpada por ser quem é.

Coloco na sacola primeiro o Dan Brown, como se fosse pornografia infantil, digo que *Franny e Zooey* é do cacete, ele concorda, e você ainda está em F-K, pois consigo ver, ligeiramente, seu suéter bege através das prateleiras. Se você se esticar um pouco mais para cima, verei sua barriga. Mas você não faz isso. Você pega um livro e se senta no corredor, e talvez passe a noite toda ali. Talvez seja como o filme de Natalie Portman, *Onde mora o coração*, adaptado sem qualquer fidelidade do livro de Billie Letts — melhor que a média para aquele tipo de lixo —, e a encontrarei no meio da noite. Só que você não estará grávida e eu não serei o homem submisso do filme. Eu me inclinarei sobre você e direi

"Desculpe, senhorita, mas estamos fechados", e você erguerá os olhos e sorrirá. "Bem, eu não estou fechada." Um respiro. "Estou totalmente aberta. Camarada."

— Ei — corta Salinger-Brown. Ele ainda está aqui? Sim, ainda está. — Consigo um recibo?

— Sinto muito.

Ele o arranca da minha mão. Ele não me odeia. Odeia a si mesmo. Se as pessoas conseguissem lidar com o ódio a si mesmas, o atendimento ao cliente seria mais suave.

— Quer saber, garoto? Quem pensa que é? Você trabalha em uma livraria. Você não faz os livros. Não escreve os livros e, se fosse bom em ler os livros, provavelmente não trabalharia em uma livraria. Então tire essa expressão de superioridade do rosto e me deseje um bom dia.

Aquele homem poderia me dizer qualquer coisa no mundo e ainda seria o cara que sente vergonha por ler Dan Brown. Você aparece, agora, após ouvir o babaca, com seu sorriso íntimo de Portman. Eu olho para você. Você olha para ele, que ainda está me encarando, esperando.

— Tenha um bom dia, senhor — digo, e ele sabe que não falo a sério, odeia ansiar por platitudes de um estranho. Quando ele vai embora, eu grito novamente porque você está escutando. — Aproveite o Dan Brown, babaca!

Você se aproxima, rindo, e graças a Deus que é de manhã, não acontece nada de manhã e ninguém vai se meter no nosso caminho. Você pousa a cesta de livros no balcão e provoca.

— Também vai me julgar?

— Que babaca, não é?

— Ah, provavelmente só está de mau humor.

Você é um doce. Você vê o melhor nas pessoas. Você me complementa.

— Bem — digo, e me calo, e quero me calar, mas você me faz querer falar. — Aquele cara é a razão pela qual a Blockbuster não devia ter quebrado.

Você olha para mim. Está curiosa e eu quero saber de você, mas não posso perguntar, então apenas continuo a falar.

— Todo mundo está sempre lutando para melhorar, perder três quilos, ler três livros, ir a um museu, comprar um disco de clássicos, escutar e gostar. O que realmente querem é comer doces, ler revistas, comprar discos de pop. E livros? Fodam-se os livros. Arrume um Kindle. Sabe por que os Kindles fazem tanto sucesso?

Você ri, sacode a cabeça e está me escutando até o ponto em que a maioria das pessoas diverge e pega o celular. E você é bonita, e pergunta:

— Por quê?

— Vou lhe dizer. A internet leva pornô até sua casa...

Acabei de dizer *pornô*, que idiota, mas você ainda está escutando, que bonequinha.

— E você não precisa sair para conseguir. Não tem de fazer contato visual com o cara na loja que sabe que você gosta de ver garotas sendo espancadas. O contato visual é o que nos mantém civilizados.

Seus olhos são amêndoas, e eu continuo.

— Expostos.

Você não usa aliança, e eu continuo.

— Humanos.

Você é paciente e eu preciso calar a boca, mas não consigo.

— E o Kindle, o Kindle elimina toda a integridade de nossa leitura, exatamente o que a internet fez com o pornô. Os controles desaparecem. Você pode ler seu Dan Brown em público e privadamente ao mesmo tempo. É o fim da civilização. Mas...

— Sempre há um mas — você diz, e aposto que vem de uma grande família de pessoas saudáveis e amorosas que abraçam muito e cantam músicas ao redor da fogueira.

— Mas sem lugares para comprar filmes ou discos, sobraram os livros. Não há mais locadoras de vídeo, então não há mais nerds que trabalham em locadoras de vídeo e citam Tarantino, brigam por causa de Dario Argento e odeiam pessoas que alugam filmes de Meg Ryan. Aquele ato, a interação entre vendedor e comprador, é a rua de mão dupla mais importante que tínhamos. E você não pode simplesmente eliminar ruas de mão dupla assim e não esperar um efeito ruim, sabe?

Não sei se você sabe, mas não me manda parar de falar como as pessoas algumas vezes fazem, e assinto.

— Hã-hã.

— Veja, a loja de discos era o grande equalizador. Dava poder aos nerds. *Você realmente está comprando Taylor Swift?* Mesmo que todos aqueles nerds fossem para casa e tocassem uma para Taylor Swift.

Pare de falar Taylor Swift. Você está rindo de mim ou comigo?

— Enfim... — digo, e vou parar caso você mande.

— Enfim — repete, e quer que eu termine.

— A questão é que comprar coisas é uma das poucas atividades honestas que fazemos. Aquele cara não entrou aqui por causa de Dan Brown ou Salinger. Aquele cara entrou aqui para se confessar.

— Você é padre?

— Não. Sou uma igreja.

— Amém.

Você olha para sua cesta, eu pareço um solitário perturbado e olho para sua cesta. Seu celular. Você não o vê, mas eu sim. Está rachado. Tem uma capa amarela. Significa que você só cuida de si mesma quando está além da redenção. Aposto que toma zinco no terceiro dia de um resfriado. Pego seu telefone e tento fazer uma piada.

— Você roubou isso daquele cara?

Você pega o celular e fica corada.

— Eu e este telefone... — você diz. — Sou uma mamãe ruim.

Mamãe. Você é uma safada, se é.

— Não.

Você sorri, e decididamente não está usando sutiã. Tira os livros da cesta, coloca a cesta no chão e olha para mim como se fosse completamente impossível, para mim, criticar algo que você fizesse. Seus mamilos endurecem. Você não os cobre. Percebe os Twizzlers que guardo ao lado da registradora. Aponta, com fome.

— Posso?

— Sim — respondo, e já a estou alimentando. Pego seu primeiro livro, *Impossible Vacation*, de Spalding Gray. — Interessante. A maioria das pessoas leva os monólogos. Este é um grande livro, mas não um livro que costumam comprar, particularmente mulheres jovens que não parecem pensar em suicídio, considerando o destino do autor.

— Bem, algumas vezes a gente quer algo mais sombrio, sabe?

— É mesmo.

Se fôssemos adolescentes, eu poderia beijar você. Mas estou em uma plataforma atrás de um balcão com uma plaqueta de identificação, e somos velhos demais para sermos jovens. Movimentos noturnos não funcionam de manhã, e a luz penetra pelas vitrines. Livrarias não deveriam ser escuras?

Lembrete: dizer ao sr. Mooney para colocar venezianas. Cortinas. Alguma coisa.

Pego seu segundo livro, *Desesperados*, de uma de minhas autoras preferidas, Paula Fox. É um bom sinal, mas você poderia estar comprando por ter lido em algum blog idiota que ela é a mãe biológica de Courtney Love. Não tem como ter certeza de que você está comprando Paula Fox por ter chegado a ela pelo caminho certo, um ensaio de Jonathan Franzen.

Você enfia a mão na carteira.

— Ela é a melhor, certo? Fico arrasada por não ser mais famosa, mesmo com Franzen babando por ela, sabe?

Graças a Deus. Eu sorrio.

— *A Costa Oeste.*

Você desvia os olhos.

— Ainda não fui lá — comenta. Eu olho e você ergue as mãos, se rendendo. — Não atire.

Você dá um risinho e eu desejo que seus mamilos ainda estivessem duros.

— Vou ler *A Costa Oeste* algum dia, e *Desesperados* eu já li zilhões de vezes. Este é para um amigo.

— Hã-hã — digo, e as luzes vermelhas de perigo piscam. *Para um amigo.*

— Provavelmente é perda de tempo. Ele nem sequer vai ler. Mas pelo menos ela vende um livro, certo?

— Verdade.

Talvez ele seja seu irmão, ou seu pai, ou um vizinho gay, mas sei que é um *amigo*, e bato na calculadora.

— São 31,51.

— Deus do céu. Olha, é por isso que os Kindles mandam — diz enquanto abre a carteira rosa-porco de Zuckerman e me dá o cartão de crédito, embora tenha dinheiro suficiente nela para pagar. Quer que eu saiba seu nome, eu não sou maluco, pego o cartão e o silêncio entre nós está ficando mais alto, não coloquei música hoje e não consigo pensar em nada a dizer.

— Aí vamos nós — digo, e ofereço o recibo.

— Obrigada — murmura. — Esta é uma ótima livraria.

Você está assinando, e é Guinevere Beck. Seu nome é um poema e seus pais são cretinos, provavelmente, como a maioria dos pais. *Guinevere*. Qual é.

— Obrigado, Guinevere.

— Prefiro apenas Beck. Guinevere é meio que comprido e ridículo, sabe?

— Bem, Beck, você parece diferente pessoalmente. E *Midnite Vultures* é impressionante.

Você pega sua sacola de livros e não rompe o contato visual porque quer que eu a veja me olhando.

— Legal, Goldberg.

— Não, apenas Joe. Goldberg é meio que comprido e ridículo, sabe?

Estamos rindo, e você queria saber meu nome tanto quanto eu queria saber o seu, ou não teria lido meu crachá.

— Tem certeza de que não quer levar *A Costa Oeste* enquanto está aqui?

— Isso pode parecer maluquice, mas estou guardando. Para a lista da casa de repouso.

— Quer dizer o que fazer antes de morrer.

— Ah, não, é totalmente diferente. Uma lista de casa de repouso é uma lista de coisas que você planeja ler e ver quando estiver na casa de repouso. Uma lista do que fazer antes de morrer é mais como... Visitar a Nigéria, pular de um avião. Uma lista de casa de repouso é como ler *A Costa Oeste*, ver *Pulp Fiction* e escutar o último álbum do Daft Punk.

— Não consigo imaginar você em uma casa de repouso.

Você enrubesce. Você é *A menina e o porquinho* e eu poderia amar você.

— Não vai me desejar um bom dia?

— Tenha um bom dia, Beck.

Você sorri.

— Obrigada, Joe.

Você não entrou aqui por causa dos livros, Beck. Você não precisava dizer meu nome. Não precisava sorrir, escutar ou me dar atenção. Mas fez isso. Sua assinatura está no recibo. Essa não foi uma transação em dinheiro e não no débito. Isso foi real. Eu aperto o polegar na tinta fresca de seu recibo e a tinta de Guinevere Beck suja minha pele.

2

EU conheci e.e. cummings da forma mais sensível e inteligente pela qual homens da minha idade chegam a e.e. cummings: por intermédio de uma das cenas mais românticas de uma das histórias de amor mais românticas de todos os tempos, *Hannah e suas irmãs*, na qual um nova-iorquino inteligente, sofisticado e casado, chamado Elliot (Michael Caine) se apaixona pela cunhada (Barbara Hershey). Ele precisa ter cuidado. Não pode fazer um avanço descontraído. Ele espera perto do apartamento dela e encena um encontro fortuito. Brilhante, romântico. O amor demanda trabalho. Ela fica surpresa de se deparar com ele e o leva à Pageant Bookstore — estão sacando a coisa aqui? —, onde ele compra para ela um livro de poemas de e.e. cummings e a remete ao poema da página 112.

Ela se senta sozinha na cama, lendo o poema, enquanto ele está em pé no banheiro pensando nela, e nós a ouvimos ler. Meu trecho preferido do poema:

"Ninguém, nem mesmo a chuva, tem mãos tão pequenas."

Exceto você, Beck. Nos últimos dias aprendi muito. Você usa suas mãozinhas em si mesma quando entra no clima, o que acontece com frequência, me lembrando de outra piada em *Hannah*, onde Mia Farrow provoca Woody Allen por ter se arruinado com masturbação excessiva. Você está bem, espero.

O problema da sociedade é que se a pessoa mediana soubesse sobre nós — você, sozinha, chegando ao orgasmo três vezes por noite, e eu, do outro lado da rua, vendo você chegar ao orgasmo, sozinho —, diriam que sou perturbado. Bem, não é segredo que a maioria das pessoas é idiota. A maioria das pessoas é como mistérios baratos e nunca ouviu falar de Paula Fox ou *Hannah*, então, sinceramente, Beck, foda-se a maioria das pessoas, certo?

Além disso, gosto de você cuidar de si mesma em vez de encher a casa e a xoxota com uma série de homens inadequados. Você é a resposta a todos os artigos banais e reducionistas sobre a "cultura do ficar". Tem parâmetros e *é* Guinevere, uma história de amor esperando pelo certo, e aposto que você coloca em maiúsculas o Cara Certo, quando sonha com ele. Comigo. Todos querem tudo exatamente agora, mas você é capaz de esperar com...

... *mãos tão pequenas.*

Seu nome foi um ponto de partida glorioso. Sorte nossa não haver muitas Guinevere Beck no mundo — apenas uma. A primeira coisa que tive de descobrir foi sua casa, e a internet foi projetada tendo em mente o amor. Seu perfil no Twitter me deu muito sobre você, Beck:

Guinevere Beck

@TheUnRealBeck

"Nunca tive um pensamento não dito. Escrevo histórias. Leio histórias. Falo com estranhos. Nantucket é meu namoradinho, mas Nova York é minha puta."

Suas biografias reveladoras em vários periódicos on-line que publicam seus posts (a não ser que você queira chamá-los de ensaios), suas anotações de diário levemente veladas (a não ser que queira chamá-las de contos) e os poemas que às vezes escreve a expuseram. Você é uma escritora nascida e criada em Nantucket, e brinca sobre a consanguinidade na ilha (embora não seja fruto de), sobre velejar (tem pânico de barcos) e alcoolismo (perdeu seu pai para a garrafa e escreve muito sobre isso). Sua família é tão unida quanto desunida. Você não sabe como viver aqui, na cidade onde ninguém conhece ninguém, embora tenha quatro anos de prática como aluna da Brown. Foi aceita a partir da lista de espera e continua convencida de que houve algum equívoco. Gosta de polenta e barra de cereais de cereja Lärabars. Não tira fotos de comida ou concertos, mas usa Instagram (na verdade apenas coisas velhas, retratos de seu pai falecido, fotografias de dias na praia de que não tem como se lembrar). Tem um irmão, Clyde. Seus pais realmente foram cretinos nos nomes. Você tem uma irmã, Anya (cretinos graves, mas não do tipo que eu acharia). Registros imobiliários mostram que sua casa está desde sempre na família. Você tem antepassados fazendeiros e gosta de dizer que não tem "um lugar" em Nantucket, mas que lá sua família criou *um lar*. Cheia de alertas, é como um selo de perigo em um maço de cigarros.

Anya é uma insulana, e nunca sairá de lá. Ela é o bebê que não quer nada além de caminhar na praia e uma clara distinção entre verão e a desolação endêmica de uma armadilha de turistas sazonal. É perturbada por causa do pai. Você escreve sobre ela em suas histórias e a transforma em um garotinho ou numa velha cega ou, uma vez, num esquilo perdido, mas é óbvio que está escrevendo sobre sua irmã. Você a inveja. Como ela pode não ter o peso da ambição? Você sente pena dela. Como ela pode não ter ambição?

Clyde é o mais velho e comanda a empresa de táxis da família na ilha. É casado, tem dois filhos e é o pai de família modelo. Isso fica evidente por sua fotografia no jornal local: bombeiro voluntário, homem norte-americano padrão de pele curtida. Seu pai tem o histórico de qualquer bêbado de cidade pequena e não está acima de dirigir alcoolizado ou tomar um porre público, mas seu irmão reagiu sendo o oposto — sóbrio, extremamente sóbrio. Se você tivesse nascido primeiro, cuidar dos negócios da família poderia ter sido uma opção. Mas você foi uma filha do meio clássica, se saiu bem na escola e a vida toda foi classificada como "a esperança", aquela que iria escapar.

A internet é uma coisa bonita, e você enviou um tuíte uma hora após termos nos conhecido naquele dia:

"Farejo cheeseburguers. #CornerBistroEstaMeEngordando"

E deixe-me dizer, por um momento fiquei preocupado. Talvez você não fosse especial. Você não mencionou a mim, nossa conversa. "Eu falo com estranhos" é uma frase de sua bio no Twitter. "Eu falo com estranhos". Que porra é essa, Beck? Crianças não devem falar com estranhos, mas você é adulta. Ou nossa conversa não é nada para você? Eu sou apenas outro *estranho*? Sua bio no Twitter é sua forma sutil de anunciar que é louca por atenção, que não tem padrões e que dará audiência a qualquer cretino que diga olá? Eu não fui nada para você? Você nem sequer mencionou o cara na livraria? *Cacete*, pensei, *talvez eu estivesse errado*. Talvez não tivéssemos nada. Mas então comecei a explorar, e você não escreve sobre o que realmente importa. Você não me partilha com seus *seguidores*. Sua vida on-line é um programa de variedades, então, se significa algo, o fato de que não me colocou em sua encenação significa que você me deseja. Talvez ainda mais do que eu me dê conta, já que neste instante sua mão está novamente descendo para sua xoxota.

A coisa seguinte que a internet me deu foi o endereço. Bank Street, 51. Está de sacanagem comigo? Este não é um quarteirão agitado de Midtown onde abelhas operárias ansiosas correm de e para o escritório; é um imóvel elegante, entediado, ridiculamente seguro e caro de West Village. Não posso simplesmente me deixar ficar no seu quarteirão; tenho de combinar com o pessoal pretensioso. Vou ao brechó. Compro um terno (empresário, ou motorista, ou gigolô), calça de carpinteiro e um tipo de cinto de ferramentas (operário de folga), e uma bosta de um agasalho de corrida (babaca cuidando de seu corpinho precioso). Visto o terno em minha primeira visita e adoro aqui, Beck. É a velha Nova York refinada, e espero que Edith Wharton e Truman Capote atravessem a rua de mãos dadas, cada um levando um copo de papel de café grego, com a aparência que tinham quando no auge, como se tivessem sido conservados em formol. Princesas moram neste quarteirão e Sid Vicious morreu nesta quadra há muito tempo, quando as princesas gestavam, quando Manhattan ainda era legal. Fico do outro lado da rua, suas janelas estão abertas (nada de cortinas) e a vejo servir cereal em uma tigela Tupperware. Você não é uma princesa. Seu Twitter confirma que ganhou algum tipo de loteria imobiliária:

"Ah, sem querer soar como @AnnaKendrick47, mas eu adoro vocês, nerds impressionantes da @BrownBiasedNYC, e mal posso esperar para me mudar para a Bank St."

Eu me sento no patamar e entro no Google. A Brownstone Biased Lottery é um concurso de ensaios para alunos da universidade Brown que precisam de alojamento para estudar em Nova York. O apartamento passou anos na *família Brown* (seja lá o que isso signifique). Você é uma candidata a mestrado em redação de ficção, então não surpreende que tenha ganhado uma loteria que na verdade é um concurso de ensaios. E Anna Kendrick é uma atriz que fez o filme *A escolha perfeita*, sobre universitárias que cantam em concursos a capela. Você se identifica com essa garota, o que não faz nenhum sentido. Eu assisti ao filme. Aquela garota nunca viveria do modo como você vive.

As pessoas passam por seu apartamento térreo, ligeiramente acima da rua, e não param para olhar, embora você esteja se exibindo. Suas duas janelas estão escancaradas, e você tem sorte de esta não ser uma rua movimentada. Isso deve explicar a ilusória sensação de privacidade que tem. Eu retorno na noite seguinte (mesmo terno, não consigo evitar), e você circula *nua* diante das janelas abertas. Nua! Fico novamente na escada do outro lado da rua, e você não me percebe, e ninguém percebe você *ou* eu, e todo mundo aqui está cego, cacete?

Dias se passam e fico ansioso. Você desfila demais, é inseguro, só é preciso *um* esquisitão para ver você do lado de dentro e decidir pegá-la. Alguns dias depois visto meu disfarce de carpinteiro e fantasio sobre colocar grades em suas janelas, proteger essa vitrine que você chama de *lar*. Considero esta vizinhança segura, e ela é, mas há mortalidade no silêncio daqui. Eu provavelmente poderia estrangular um velho no meio da rua e ninguém sairia para me deter.

Volto no meu terno (muito melhor que o traje de carpinteiro) e uso um boné dos Yankees que encontrei em outro brechó (eu sou babaca assim!), para confundir só no caso de você notar, o que não faz. Um homem que mora no seu prédio sobe a escada muito pequena (apenas três degraus) que leva a uma porta exterior (não está trancada!), e aquela porta fica muito perto do seu apartamento. Se ele quisesse (e quem não iria querer), poderia se curvar sobre as grades, bater os nós dos dedos em sua tela e chamar seu nome.

    Eu venho de dia, de noite, e toda vez suas janelas estão abertas. É como se você nunca tivesse visto o noticiário noturno ou um filme de terror, e eu me sento nos degraus da casa do outro lado da pequena rua limpa, em frente ao seu prédio, e finjo ler o *Pobre George* de Paula Fox, escrever para meus colegas de trabalho (rá!) ou telefonar para um amigo atrasado e concordar em voz alta esperar mais vinte minutos. (Isso é para o vizinho que sempre pode estar escondido, desconfiado do homem nos degraus; eu vi muitos filmes.) Com sua política de portas abertas, sou autorizado a entrar em seu mundo. Sinto o cheiro de sua comida congelada se o vento ajuda e ouço seu Vampire Weekend, e, se finjo bocejar e olho para cima, posso ver você passando o tempo, bocejando, respirando. Você sempre foi assim? Fico pensando se foi assim em Providence, desfilando como se quisesse que os poucos vizinhos a soubessem nua, seminua, viciada em comida de micro-ondas e se masturbando a plenos pulmões. Espero que não, espero que haja uma lógica nisso, e que você me explique quando chegar o momento. E você com seu computador, como se precisasse lembrar à sua plateia imaginária que é uma escritora quando nós (eu) sabemos o que realmente é: uma atriz, uma exibicionista.

    E o tempo todo tenho de ficar vigilante. Estico os cabelos para trás um dia e os uso desgrenhados no seguinte. Não devo ser notado pelas pessoas que não notam pessoas. Afinal, se a pessoa comum soubesse de uma garota frequentemente nua desfilando diante de uma janela aberta e um cara apaixonado do outro lado da rua observando com discrição, diria que eu sou o maluco. Mas é você a maluca. Você só não é chamada de maluca porque sua xoxota é uma coisa sobre o que todas essas pessoas querem saber, enquanto todo o meu ser é repulsivo para seus vizinhos. Eu moro em um prédio de seis andares sem elevador em Bed-Stuy. Não permito que meu saco seja vasculhado pela Sociedade de Empréstimo Universitário de Babaquice. Recebo por baixo dos panos e tenho uma TV com antena. As pessoas não querem tocar no meu pau com uma vara de três metros. Sua xoxota, por outro lado, é ouro.

Tomo meu café nos degraus do outro lado da rua, agarro meu *Wall Street Journal* enrolado, respiro e olho para você. Nunca vesti o agasalho de corrida porque você faz com que eu queira me vestir bem, Beck. Duas semanas se passam até que uma viúva rica corpulenta saia de seus aposentos. Eu me levanto, puto, mas um cavalheiro.

— Olá, madame — digo, e ofereço ajuda.

Ela aceita.

— Já é hora de vocês jovens aprenderem a se comportar — comenta, roufenha.

— Concordo plenamente — respondo, e o motorista de seu sedã abre a porta. Ele faz um gesto de cabeça para mim, irmãos. Eu poderia fazer isso para sempre, e volto a me acomodar em meu degrau.

É por isso que as pessoas gostam de reality shows? Seu mundo é uma maravilha para mim, vendo onde você se acomoda (em calcinhas de algodão compradas no atacado da Victoria's Secret pela internet; eu a vi rasgar o pacote outro dia), e onde não dorme (você se senta naquele sofá e lê lixo na internet). Você me faz pensar; talvez esteja procurando aquele cara tesudo de quem falou na livraria, talvez. Por isso escreve sentada tão ereta com os cabelos em coque e digitando em velocidade de coelho, até não conseguir mais e agarrar aquele travesseiro verde-limão, o mesmo travesseiro no qual apoia a cabeça quando cochila, e montar na coisa como um animal. Alívio. É quando você dorme, finalmente.

Seu apartamento também é pequeno pra cacete. Você estava certa quando tuitou:

"Vivo numa caixa de sapatos. E tudo bem, pq não torro notas de cem em Manolos. @BrownBiasedNYC #Rebelde"

"Minha caneca da #BrownUniversity é maior que meu apartamento. @BrownBiasedNYC #imovel #NYC"

Não há cozinha, apenas uma área onde utensílios são jogados como amostras de piso na Bed Bath & Beyond. Mas há uma verdade enterrada em seu tuíte. Você odeia aqui. Cresceu em uma casa grande com quintal e jardim. Gosta de espaço. Por isso deixa as janelas abertas. Não sabe como ficar sozinha consigo mesma. E se bloquear o mundo, é assim que estará.

Seus vizinhos seguem em frente, como crianças — sedãs os pegam em suas enormes casas próximas e os depositam de novo, no final do dia —, enquanto você sofre em um espaço projetado para uma empregada ou um golden retriever com a pata machucada. Mas não a culpo por ficar aqui. Você e eu partilhamos um amor pelo West Village, e se eu pudesse me mudar para cá o faria, mesmo que significasse enlouquecer lentamente de claustrofobia. Você fez a escolha certa, Beck. Sua mãe estava errada.

"Mamãe diz que nenhuma 'dama' deveria morar em uma caixa de sapatos. @BrownBiasedNYC #logicamaterna #nãoumadama"

Você tuita com mais frequência do que escreve, e pode ser por isso que esteja fazendo mestrado na New School e não na Columbia. A Columbia a rejeitou.

"A rejeição é uma comida que se come em prato de papel, porque você pode rasgá-lo ou queimá-lo. #nãoemColumbia #vidaquesegue"

E você está certa. A vida continua. Embora a New School não tenha tanto prestígio, os professores e alunos gostam bastante de você. Muitas das oficinas podem ser seguidas pela internet. Muito da faculdade está na internet, o que é mais um golpe no sistema elitista crescentemente irrelevante a que chamam de faculdade. Seu texto está fluindo, e se você passasse menos tempo tuitando e tocando siririca... Mas honestamente, Beck, se eu fosse você, nunca colocaria roupas.

Você gosta de dar nome às coisas, e fico pensando em qual nome me dará.

Você está tentando fazer um concurso pelo Twitter para o nome do seu apartamento:

"Que tal #Caixamenorqueminhacaixa"

"Ou #CamaParaOlharEscolhaPerfeita"

"Ou #Armáriodetapetedeiogaconfundidocomapartamento"

"Ou #Lugardeondevoceolhapelajanelaeveocaradalivrariaobservando-voceevoceacena"

Um taxista aperta a buzina porque algum babaca de banho recém--tomado, que saiu de um rascunho de Bret Easton Ellis e que nunca viu a luz do dia, está atravessando a rua sem olhar. Ele pede desculpas, mas não é sincero e está passando a mão pelos cabelos louros.

Ele tem cabelo demais.

E está subindo aqueles degraus como se fosse dono deles, como se fossem construídos para ele, a porta se abre antes que ele chegue, é você abrindo a porta e agora você está lá, conduzindo-o para dentro e beijando-o antes que a porta se feche lentamente, e agora suas mãos...

... *mãos tão pequenas*

... estão nos cabelos dele e não posso ver nenhum dos dois até estarem na sala e ele senta no sofá e você arranca sua camiseta e monta nele e se esfrega como uma stripper, e isso está tudo errado, Beck. Ele arranca sua calcinha de algodão e está batendo em você, e você está gritando e atravesso a rua e me apoio na porta do prédio porque preciso ouvir.

— Desculpe, papai! Desculpe!

— Diga de novo, garotinha.

— Eu lamento, papai.

— Você é uma menina má.

— Eu sou uma menina má.

— Você quer uma surra, não é?

— Sim, papai, eu quero uma surra.

Ele está na sua boca. Ele rosna para você. Ele bate em você. De vez em quando Truman Capote passa e olha, reage e desvia os olhos. Ninguém vai denunciar isso à polícia porque ninguém quer admitir que olha. Esta é a Bank Street, cacete. E agora você está trepando com ele e volto para o meu lado da rua, onde vejo que ele não está fazendo amor com você. Você está agarrando os cabelos dele — cabelo demais — como se pudesse salvar você e suas histórias. Você merece mais, e não pode ser bom o modo como ele agarra você, grandes mãos fracas que nunca trabalharam, o modo como ele bate na sua bunda quando termina. Você salta e se inclina sobre ele, e ele a empurra e você o deixa fumar em seu apartamento e ele joga cinza na sua caneca da Brown — maior que seu apartamento — e você assiste ao seu *A escolha perfeita* enquanto ele fuma, envia textos e a empurra quando você se inclina sobre ele. Você parece triste e...

Ninguém no mundo tem mãos tão pequenas
... a não ser você e eu. Por que estou tão certo? Há três meses, antes de me conhecer, você escreveu este tuíte:

"Podemos todos ser honestos e admitir que conhecemos #eecummings por causa de #Hannahesuasirmas? Ufa. #chegadebabaquice #fimdofingimento"

Está vendo como conversava comigo antes mesmo de me conhecer? Quando ele sai, não está levando *Desesperados* de Paula Fox. Ele é um misógino levantando o colarinho e soprando para afastar cabelos dos olhos. Simplesmente usou você, não é seu *amigo* e tenho de partir. Você precisa de um banho.

3

ANTES de você, houve Candace. Ela também era teimosa, então vou ser paciente com você, da mesma forma como fui paciente com ela. Não vou cobrar porque naquele seu velho e grande computador pesado você escreve sobre toda maldita coisa no mundo, exceto eu. Não sou idiota, Beck. Sei como vasculhar um disco rígido, sei que não estou lá e sei que você nem sequer tem algo que lembre um notebook ou um diário.

Uma possível teoria: você escreve sobre mim no bloco de anotações do celular. Resta esperança.

Mas não vou me afastar de você. Claro, você é sexual de um modo único. A questão: você devora a seção de "Encontros Descontraídos" de *Craigslist*, copiando e colando suas postagens preferidas em uma pasta gigantesca do seu computador. Por quê, Beck, por quê? Felizmente não participa de "Encontros Descontraídos". E suponho que garotas gostem de colecionar coisas, sejam receitas de sopa de couve ou fantasias mal redigidas e gramaticalmente ofensivas sobre paizinhos escritas por solitários desesperados. Ei, eu ainda estou aqui; eu a aceito. E tudo bem. Então deixou aquele esquisitão louro fazer com você coisas que leu nesses anúncios de *Craigslist*. Mas pelo menos tem limites. Aquele pervertido não é seu namorado; você o mandou para a rua, que é o lugar dele, como se estivesse desgostosa com ele, o que deveria estar. E li todos os seus e-mails recentes, e é oficial: você não contou a ninguém que ele esteve em seu apartamento, dentro de você. Ele não é seu namorado. É tudo o que importa, e estou pronto para encontrar você, sou capaz de encontrar você, e devo isso a Candace. Querida Candace.

Vi Candace pela primeira vez no Glasslands, Brooklyn. Tocava flauta em uma banda com o irmão e a irmã. Você gostaria da música deles. O nome era Martyr e eu imediatamente quis conhecê-la. Fui paciente. Eu os segui por todo o Brooklyn e Lower Manhattan. Eram bons. Nunca estariam entre os 40 mais, mas algumas vezes uma música deles aparecia em um show vagabundo para adolescentes na CBS-Warner e o site deles explodia. Não estavam em um selo porque não conseguiam concordar sobre nada. Seja como for, Candace era a mais bonita, a líder da banda. O irmão era o baterista cretino fodido padrão, e a irmã era sem graça e talentosa.

Você não pode simplesmente esbarrar em uma garota depois de um show, especialmente quando a música da banda é essa merda de techno electro e quando o irmão psicótico controlador (que, por sinal, nunca estaria em uma banda não fosse pelas irmãs) está sempre por perto. Eu tinha de encontrar Candace sozinha. E não podia ser um cara dando em cima dela, por causa do irmão "protetor". E eu iria morrer se não a conseguisse, ou, pelo menos, se não fizesse um movimento na direção dela. Então improvisei.

Certa noite, do lado de fora do Glasslands, onde tudo começou, eu me apresentei ao Martyr como o novo assistente da Stop It Records. Disse a eles que era olheiro sondando. Bem, bandas gostam de ser olhadas, e lá estava eu, minutos depois, em um reservado, bebendo uísque com Candace e seus irmãos irritantes. A irmã foi embora; boa menina. Mas o irmão era um problema. Eu não podia beijar Candace ou pedir seu telefone. "Mande um e-mail", ela disse. "Posso tirar uma foto e colocar no Instagram. Adoramos quando selos nos procuram."

Então fiz o que qualquer Elliot em *Hannah* teria feito. Espreitei a Stop It Records, um lugarzinho lamentável, e notei um garoto que eles chamavam de Peters entrar e sair todo dia. Antes e depois do trabalho ele se metia em um beco e fumava um baseado. Não dava para culpá-lo, não com a merda que ele aturava no trabalho. Peters era o assistente de todos os cretinos com jeans apertado que chamam seus óculos de *acessórios* e pedem adoçante Splenda e queijo Parmigiano-Reggiano extra. Então, certo dia me instalei com um baseado no beco e pedi fogo a Peters. Foi fácil fazer amizade; as pessoas na base da pirâmide estão sequiosas por outras pessoas. Contei a ele tudo sobre meu dilema com Candace, como tinha dito a ela que trabalhava na Stop It, e foi ideia dele mandar a ela um e-mail da conta dele (asst1@stopitrecords.com) e fingir ser eu. Candace respondeu agitada, quente. E, claro, me deu (asst1) seu número.

Não me senti mal por usar Peters; no mínimo ele finalmente sentiu como se tivesse algo que lembrasse poder. Algumas vezes é necessário torcer os fatos para chegar à garota. Eu vi comédias românticas em número suficiente para saber que caras românticos como eu estão sempre se metendo em confusões assim. Toda a carreira de Kate Hudson existe porque pessoas que se apaixonam às vezes mentem sobre onde trabalham. E Candace acreditou que eu era um olheiro. Esperei estarmos juntos fazia um mês antes de contar a verdade. Ela inicialmente ficou louca (garotas às vezes ficam loucas mesmo quando o cara é Matthew McConaughey), mas lembrei a ela da divertida verdade romântica que está no cerne: o mundo é um lugar injusto. Conheço música. Sou inteligente. E acho que Martyr merece ser observado e idolatrado. Se eu tivesse ido para alguma faculdade liberal de artes, usasse meias vintage e comprasse a ideia de que um bacharelado em Artes torna alguém empregável e inteligente, teria conseguido um estágio não remunerado em uma gravadora de merda e transformado isso em um emprego de merda. Mas acontece que não compro essa ideia antiquada. Eu sou eu mesmo. De início ela entendeu, mas com o irmão foi outra história, uma das razões pelas quais não deu certo entre mim e Candace.

A boa notícia é que não lamento. Meus problemas com Candace foram um treinamento para esse momento. Eu tinha de entrar em sua casa, Beck. E sabia o que fazer.

Liguei para a companhia de gás e denunciei um vazamento em seu apartamento quando sabia que você estaria na aula de dança, e você sempre toma um café depois com uma garota da turma, o único momento garantido em que está longe do computador. Fiquei no meu degrau do outro lado da rua esperando o homem do gás chegar. Quando chegou, contei que era seu namorado e você tinha me mandado para ajudar.

A lei exige que todos os vazamentos de gás sejam investigados, e a lei dos caras indica que um cara como eu, tendo abandonado o secundário, domine um certo jeito de lidar com caras que trabalham para a companhia de gás. O que posso dizer? Sabia que ele acreditaria que eu era seu namorado e me deixaria entrar. E sabia que, mesmo que pensasse que eu era um maluco mentiroso, me deixaria entrar. Você não pode simplesmente chamar o cara do gás e não aparecer, Beck. Sério.

Ele sai, e a primeira coisa que faço é pegar seu computador, sentar no seu sofá, cheirar seu travesseiro verde e tomar água em sua caneca da Brown. Eu a lavei porque as cinzas dele continuavam lá (você não sabe lavar louça). Li sua história intitulada "Em que Wylie estava pensando quando comprou seu Kia". É sobre um cara velho na Califórnia comprando um carro importado de merda e sentindo que este é o último vestígio de sua vida como caubói. O ponto é que ele não era um caubói de verdade. Apenas interpretou caubóis em westerns. Mas não faziam mais westerns, e Wylie nunca se adaptou. Nunca teve um carro porque passava a maioria dos dias em um café onde caras como ele se sentavam conversando sobre os bons e velhos tempos. Mas recentemente taxaram o fumo de fora da lei — você coloca *fora da lei,* em itálico, o que é bonitinho —, então o bando agora não tem mais onde fumar seus cigarros e contar suas histórias. A história termina com Wylie em seu Kia, e ele não consegue se lembrar de como ligar. Está segurando a chave que é um computador em miniatura e se dá conta de que não sabe aonde ir, então compra um cigarro eletrônico, volta ao café e se senta, fumando seu cigarro eletrônico.

Eu não sou um genial aluno de mestrado em suas oficinas — sério, Beck, eles não entendem você ou suas histórias —, mas você também anseia pelo que foi. Você é a típica filha de um cara morto. Você entende Paula Fox e aspira a compreender todas as coisas do velho oeste, o que torna sua instalação em Nova York, mesmo temporária, uma jogada autodestrutiva. Você é compassiva; escreve sobre velhos atores por causa dos livros de fotografia em seu apartamento, tantas imagens de lugares aonde não pode ir porque não estão mais lá. Você é uma romântica, em busca de uma Coney Island sem traficantes de drogas e embalagens de chicletes, e de uma Califórnia inocente onde caubóis de verdade e caubóis de mentira compartilham histórias tomando café em canecas de lata que chamavam de *joe*. Você quer ir a lugares aonde não pode ir.

Em seu banheiro, quando a porta está fechada e você se senta no vaso, olha para uma fotografia de Einstein. Gosta de olhar nos olhos dele enquanto luta contra suas entranhas. (E acredite em mim, Beck, quando estivermos juntos seus problemas estomacais vão terminar, pois não permitirei que você viva de merda congelada e lata de água salgada com rótulo de "sopa".) Você gosta de Einstein porque ele viu o que ninguém viu. E também não é escritor. Não é concorrência.

Ligo a TV, e *A escolha perfeita* é a coisa mais vista, o que faz sentido agora que posso ver sua vida universitária no Facebook. Finalmente estou dentro, estudando sua história em imagens. Você não canta a capela, encontra paixão ou verdadeiro amor. Você e suas melhores amigas, Chana e Lynn, ficam muito bêbadas. Há uma terceira amiga que é muito alta e muito magra. Ela se eleva acima de você e suas amiguinhas. Essa amiga externa não está marcada em nenhuma das fotos, e deve haver nela algo de redentor, pois você parece muito orgulhosa dessa amizade, que vem da infância. A garota não marcada parece infeliz em cada imagem. Seu sorriso não sorridente irá me assombrar, e é hora de seguir em frente.

Você namorou dois caras. Charlie parecia estar sempre se recuperando de um show de Dave Matthews. Quando você estava com ele se sentava em gramados e tomava drogas sintéticas. Você escapou daquele idiota encharcado de drogas e caiu nos braços esqueléticos de um vagabundo mimado chamado Hesher. Por falar nisso, eu *conheço* Hesher, não pessoalmente, mas ele faz *graphic novels*, e nós vendemos os livros dele na livraria. Pelo menos fizemos isso até agora, mas evidentemente a primeira missão no meu turno será enterrar os livros de Hesher no porão.

Você esteve em Paris e Roma e eu nunca saí do país, e você nunca encontrou o que estava procurando em Hesher ou Paris, Charlie, Roma ou na faculdade. Trocou Charlie por Hesher. E você foi fria; Charlie nunca superou você. Parece permanentemente bêbado nas fotos até hoje. Você idolatrava Hesher e ele nunca retribuiu, pelo menos não no Facebook. Há muitas postagens em que você o elogia e ele nunca responde. Então um dia você ficou solteira e suas amigas curtiram seu status de um modo que não deixa dúvida de que foi você a abandonada.

A escolha perfeita terminou e vou ao seu quarto, estou em sua cama, desfeita, ouço o som de uma chave entrando na fechadura e virando, e uma *blitzkrieg* em minha cabeça, o senhorio que resmungou com o cara do gás mais cedo:

— Menor unidade do prédio, menor fechadura, sempre trava — e a ouço enfiar uma chave em sua fechadura, a porta se abre, o apartamento é pequeno e você está dentro dele.

Você está certa, Beck. É uma maldita caixa de sapatos.

4

EU nunca vou a Greenpoint, onde as pessoas viram um drinque composto de uísque e vinagre de picles, chamado pickleback, mas estou fazendo isso por você, Beck. Assim como machuquei as costas por você, quando caí de sua janela para que não me visse quando eu tentava ver você, tentava conhecer você. E odeio que você pudesse me ver aqui, agora, e achasse que sou um cretino que superestima o valor cultural da *Vice* e que bebe qualquer porra que a *Vice* me diz para beber. Não fiz universidade, Beck, então não desperdiço minha vida adulta tentando resgatar meu tempo de faculdade. Não sou um cretino frouxo que nunca teve colhões para viver a vida agora, como ela é. Eu vivo para viver e pediria outra vodca com soda, mas isso significaria falar com o bartender de camiseta do Bukowski, e ele me perguntaria novamente que tipo de club soda quero.

Estou de mau humor e você está logo ali em cima, lendo, de meias amarelas, e há buracos nelas e você está se esforçando muito. Você saiu de *A menina e o porquinho*, mas eu também não pareço muito bem. Tive de passar pela sua janela, e é uma queda pequena, mas uma queda é uma queda, minhas costas ardem, e se eu ouvir o nome daquele drinque novamente, eu juro.

Suas melhores amigas estão na mesa ao lado da minha, ruidosas e desleais, verdadeiros tipos Coney Island com as botas e os cabelos exagerados que, silenciosamente, insultam todas as garotas de Jersey que fazem essa merda de propósito. As três frequentaram, juntas, a Brown, e agora estão em Nova York juntas também, e todas odeiam *Girls* e reclamam do programa o tempo todo, mas não é exatamente isso que estão tentando fazer com suas vidas? Brooklyn, garotos e drinques?

Você se senta com as outras "escritoras", o que permite às suas amigas falar sobre você, e, infelizmente, elas estão certas: você se dedica muito mais a ser escritora — aceitar cumprimentos e tomar uísque — do que a escrever. Mas felizmente elas também estão erradas: todo mundo nesse salão está cheio demais de vinagre de picles para entender sua história de caubói.

Suas amigas sentem inveja. Chana é a grande crítica, uma versão feminina de Adam Levine com olhos de contas e autoconfiança injustificada.

— Explique de novo para o que serve essa merda de mestrado se você não é Lena Dunham?

— Acho que talvez pudesse lecionar... — sugere Lynn, que está morta por dentro, como um cadáver. Ela posta no Instagram metodica e clinicamente, como se reunisse evidências para uma defesa, como se toda a sua vida fosse dedicada a provar que tem uma vida. Ela debocha de sua *leitura no Lulu's* ao tuitar sobre quão *psicótica* está por ter que comparecer a um "#lendonoLulus", estou lhe dizendo, Beck, eu juro.

Lynn novamente:

— Acha que isso é como um vernissage em que você vai uma vez e tudo resolvido, ou vai ser tipo... Uma coisa de toda semana? — Eu faço uma porra de um desfile sempre que termino um modelo? — bufa Chana. — Não. Eu trabalho nisso, e continuo trabalhando até ter uma *coleção*. E depois trabalho novamente.

— Peach vem?

— Não atraia isso.

Elas podem estar falando sobre a garota alta que não sorri, mas não tenho como perguntar.

— Desculpe — suspira Lynn. — Pelo menos nos vernissages o vinho é grátis.

— Pelo menos nos vernissages você tem arte. Desculpe, mas uma *porra de um caubói?*

Lynn dá de ombros, e tudo continua, uma metralhadora que não para, não consegue parar.

— E podemos falar sobre o traje dela?

— Ela está se esforçando muito. É meio triste.

— Que porra são aquelas coxas?

Lynn suspira e tuita e suspira, e o fogo da metralhadora acelera para a última rajada.

— Não espanta que não tenha conseguido entrar para Columbia — manda Chana.

— Eu sinto que tudo isso é por causa de Benji — Lynn diz. — Eu me sinto mal por ela.

Benji?

— Bem, isso é o que acontece quando você fica caída por um festeiro sociopata.

Só consegui ouvir *caída por*, e que você o ama, e que você mente para elas, para seu computador, para si mesma, e que você acha que elas não sabem, e elas sabem, e ah, não. *Benji.* Não.

Eu tenho de continuar ligado, presente, e Lynn suspira.

— Você está sendo má.

— Estou sendo realista — bufa Chana. — Benji é um cretininho esnobe. Só o que ele faz é se entupir de drogas caras demais e lançar negócios de mentira.

— Em que ele se formou? — Lynn quer saber.

— Quem liga? — corta Chana, mas eu ligo e quero saber mais e quero chorar e não quero que você fique *caída por* ninguém que não eu.

— Bem, ainda desejo que ele fosse mais legal com ela — diz Lynn.

Chana revira os olhos, mastiga cubos de gelo e discorda.

— Quer saber? Beck é muito metida. E Benji é muito metido. Não sinto pena de nenhum deles. Ela finge para nós ser uma escritora e ele finge para o mundo ser a porra de um *artesão*. Uma piada. Os dois só amam a eles mesmos. Não estamos falando sobre almas demasiadamente sensíveis e torturadas escrevendo poemas sobre a aridez de tudo ou algo assim.

Lynn está entediada, e eu também. Ela tenta desviar Chana de sua diatribe.

— Estou me sentindo muito gorda.

Chana grunhe. Garotas são malvadas.

— Sabe essa besteirada toda sobre a empresa de refrigerantes orgânicos dele? — ela pergunta. — Brooklyn me faz querer mudar para LA, comprar uma caixa de Red Bull e dançar ao som de Mariah Carey.

— Você deveria tuitar isso. Mas não de um modo malvado — diz Lynn.

Você está abraçando as outras "escritoras", e isso significa que virá aqui, depois, e Lynn é incansavelmente gentil. Dá um sorrisinho.

— Eu me sinto mal por ela.

Chana bufa.

— Eu só me sinto mal pelos caubóis. Eles merecem mais.

Você está indo até a mesa, o que significa que elas precisam parar de falar de você, e fico muito contente quando você finalmente chega e abraça suas amigas de duas caras. Elas dão aplausos de golfe, cantarolam falsos elogios e você vira seu uísque como se pudesse beber um prêmio Pulitzer.

— Por favor, senhoras — você diz, e está mais embriagada do que eu me dava conta. — Há um limite para cumprimentos e coquetéis que uma garota pode tolerar.

Chana coloca a mão no seu braço.

— Querida, não quer mais coquetéis?

Você afasta o braço. Isso é você pós-parto. Você pariu um conto, e agora?

— Estou bem.

Lynn chama a garçonete.

— Conseguimos três picklebacks? Essa garota precisa de coragem líquida.

— Não preciso de coragem nenhuma, Lynn. Apenas fui lá em cima e li um maldito conto.

Chana beija sua testa.

— E arrancou o máximo daquela porra de conto.

Você não a leva a sério e a empurra.

— Vão se foder vocês duas.

É bom ver esse lado seu, a bêbada nojenta. É bom conhecer todos os lados se você pretende amar alguém, e odeio suas amigas um pouco menos agora. Elas trocam um olhar, e você olha para o bar.

— Benji já foi embora?

— Querida, ele viria?

Você suspira como se já tivesse estado aqui antes, como se não tivesse mais paciência, e pega seu telefone rachado. Lynn o agarra.

— Beck, não.

— Dá meu telefone.

— Beck — diz Chana. — Você o convidou e ele não apareceu. Deixe isso para lá. Deixe ele para lá.

— Vocês odeiam Benji — você acusa. — E se ele estiver machucado?

Lynn desvia os olhos e Chana bufa.

— E se ele for... *Um babaca?*

Dá para ver que Lynn não quer mais falar sobre isso. Das três garotas é ela que acabará trocando Nova York por uma cidade menor e mais administrável onde não haja leituras de ficção, onde as garotas bebam vinho e a jukebox do bar toque Maroon 5 nas noites de sábado. Irá fotografar seus eventuais bebês inevitáveis com o mesmo gosto com que fotografa os copos de bebida, as taças vazias, e seus sapatos.

Mas Chana é perpétua, nossa vela a longo prazo.

— Beck, me escute. Benji é um babaca. Certo?

Eu quero gritar sim, mas fico sentado. Imóvel. *Benji.*

— Escute, Beck — continua Chana. — Alguns caras são babacas e você tem de aceitar isso. Você pode comprar para ele todos os livros do mundo, e ele continuará sendo *Benji*. Ele nunca será *Benjamin* ou, não permita Deus, *Ben*, porque ele não precisa, porque é um homem-bebê permanente, certo? Ele e sua club soda podem se foder, assim como seu nome idiota. Falando sério, *Benji?* Tá brincando? E o modo como ele diz. Como se fosse asiático ou francês. *Ben Giii.* Cara, vá se foder.

Lynn suspira.

— Nunca pensei nisso assim. Benji. Ben Gi. Gi, Ben.

Há um risinho, e estou aprendendo coisas sobre Benji. Não gosto disso, mas tenho de aceitar. Benji é real, e peço outra vodca com soda. Benji.

Você cruza os braços, a garçonete retorna com picklebacks, e a disposição muda.

— Então, gostaram do conto?

Lynn é rápida.

— Não sabia que você entendia tanto de caubóis.

— Não entendo — você retruca, está em um lugar escuro, pega sua bebida e vira, e as garotas trocam outro olhar.

— Você precisa nunca mais falar com aquele cretino — diz Chana.

— Certo — você concorda.

Lynn e Chana pegam seus drinques. Você pega seu copo vazio.

Chana faz um brinde.

— A nunca mais falar com aquele cretino, sua club soda de merda, a porra do seu corte de cabelo e ao traseiro que nunca dá as caras.

Todas fazem tintim, mas aquelas garotas têm algo para beber e seu copo ficou vazio. Eu vou para fora, para saber quando você sair. Um babaca aparece, vomita.

Vinagre de picles, eu juro.

5

HÁ três de nós esperando na estação do metrô da avenida Greenpoint, às 2:45 da manhã, e quero dar laço no seu cadarço. Está solto. E você está bêbada demais para ficar em pé tão perto dos trilhos. Está com as costas apoiadas na coluna verde, com as pernas esticadas, de modo que os pés estão na zona de alerta amarela, na beirada da plataforma. A coluna tem quatro lados, mas você tinha de se apoiar no lado virado para os trilhos. Por quê?

Você tem a mim para protegê-la, e a única outra pessoa nesse buraco é um sem-teto, e ele está em outro planeta, em um banco, cantando: "*Engine, engine, number nine on the New York transit line, if my train runs off the tracks pick it up pick it up pick it up.*"

Ele canta essa parte da música sem parar, alto, mas sua cabeça está enfiada no telefone, e você não consegue digitar, ficar em pé e escutar a agressão musical dele ao mesmo tempo. Você continua escorregando — seus sapatos são velhos, sem solas que travam —, e continuo a ter esgares. Não pertencemos a esse vazadouro; é um campo minado de latas vazias, embalagens, coisas que ninguém queria, nem mesmo o sem-teto cantor. As garotas com as quais você sai vivem para pegar o trem G, como se isso provasse que são pé no chão, "reais", mas o que suas amigas não se dão conta é de que essa linha estava melhor sem elas e suas latas de Miller High Life e seu vômito com cheiro de picles.

Seu pé escorrega. De novo.

Você deixa o telefone cair e ele para na zona amarela, você tem sorte de ele não cair nos trilhos, e fico arrepiado e gostaria de poder agarrá-la pelo braço e escoltá-la até o outro lado da coluna. Você está perto demais dos trilhos, Beck, e tem sorte de eu estar aqui, porque se caísse, ou se algum doente a jogasse para baixo, ou algum vagabundo estuprador aparecesse, você não conseguiria fazer nada. Está bêbada demais. Os laços em seus tênis pequenos são compridos demais, frouxos demais, e o agressor a apertaria sobre o chão ou contra a coluna, rasgaria aquelas meias já rasgadas e cortaria aquela calcinha de algodão da Victoria's Secret, cobriria sua boca rosa com a mão engordurada e não haveria nada que você pudesse fazer e sua vida nunca mais seria igual. Você viveria com medo de metrôs, correria de volta para Nantucket, evitaria a seção de "Encontros Descontraídos" da *Craigslist*, faria exames mensais de IST por um ano, talvez dois.

O sem-teto, enquanto isso, não para de cantar *"engine, engine"*, urinou duas vezes e nem se levantou para isso. Está sentado no próprio mijo, e se algum doente a seguisse aqui para baixo para terminar o que você começou com aquelas meias rasgadas, esse cara simplesmente continuaria cantando e mijando, cantando e mijando.

Você escorrega.

Novamente.

E aperta os olhos para o sem-teto e rosna, mas ele está em outro planeta, Beck. E não é culpa dele você estar péssima.

Eu mencionei que você tem sorte de ter a mim? Pois tem. Eu sou um cara de Bed-Stuy, por nascimento sóbrio, contido e bem consciente do meu paradeiro e do seu. Um protetor.

E a coisa babaca é que se alguém visse nós três, bem, a maioria das pessoas pensaria que eu era o esquisitão, por segui-la até aqui. E esse é o problema deste mundo, das mulheres.

Você vê Elliot em *Hannah* armar um esquema para ficar perto da cunhada e o acha romântico, mas se soubesse pelo que passei para chegar à sua casa, soubesse que machuquei as costas tentando conhecer você, por dentro e por fora, iria me julgar por isso. O mundo deixa de amar o amor em algum momento, e sei o que você está fazendo com aquele telefone. Está tentando falar com *Benji*, o desgraçado da club soda com cabelo demais que não aparece, com quem você tem encontros que não são descontraídos, pelo menos não para você. Você procura por ele. Você o quer. Mas isso vai passar.

E parte do problema é esse telefone. Você tem nesse maldito telefone aquela função que permite saber quando seus textos são abertos e ignorados. E Benji a ignora totalmente. Ele é mais apaixonado por dar um bolo em você que é por estar dentro de você, e é isso o que quer? Você apunhala seu telefone. Seu telefone. Chega desse telefone, Beck. Isso vai acabar com você, gastar sua voz e aleijar seus dedos.

Foda-se o telefone.

Eu queria arremessá-lo nos trilhos e segurar você enquanto esperamos que o trem o esmague. Há uma razão por estar rachado, e há uma razão para você tê-lo deixado na cesta naquele dia na livraria. No fundo você sabe que estaria melhor sem ele. Nada de bom sai desse telefone. Você não vê? É claro que sim. Do contrário trataria bem o telefone. Você o teria colocado em uma capa antes que rachasse. Não ficaria aqui se atrapalhando com ele e deixando que ditasse sua vida. Eu realmente gostaria que você o jogasse nos trilhos, ficasse fora da rede, virasse a cabeça, olhasse para mim e dissesse: "Eu não conheço você?" E eu iria brincar, conversaríamos, e nossa música seria *"engine, engine, number nine on the New York transit line, if my train runs off the tracks..."*.

— Dá para parar de cantar? — você rosna, mas o cara nem sequer a ouve acima do canto e do mijo, do canto e do mijo. Você gira a cabeça rápido demais, e, maldição, não pode se inclinar para trás assim, mas você se inclina.

Acontece muito rápido.

Você estica os braços, mas está girando. Deixa o telefone cair e se estica para agarrá-lo, e no processo erra o passo — "Aaah!" —, escorrega e tropeça no maldito cadarço, se estabaca e de algum modo cai do jeito errado, rola pela zona de perigo amarela e cai dentro da zona de perigo real. Você grita. É a queda lenta mais rápida que já vi, e agora você é apenas uma voz no fundo dos trilhos, um guincho, e o canto dele não para, *"engine, engine number nine..."*, e é a trilha sonora errada para o que eu tenho de fazer agora, costas ruins e tudo mais. Eu atravesso a plataforma correndo, olho para você embaixo.

— Socorro!

— Está tudo bem, estou aqui. Estique a mão.

Mas você apenas grita de novo, e parece aquela garota em *O silêncio dos inocentes*, e não precisa parecer tão em pânico, porque estou aqui, esticando minha mão, pronto para puxá-la para cima. Você treme, olha para o túnel, e sua cabeça está sendo tomada pelo medo quando só precisa *segurar minha mão*.

— Aimeudeus, aimeudeus, vou morrer.

— Não olhe para lá, olhe só para mim.

— Vou morrer.

Você avança um passo, e não sabe nada sobre trilhos.

— Fique imóvel, metade dessa merda aí pode eletrocutar você.

— O quê?

Seus dentes batem e você berra.

— Você não vai morrer. Segure a minha mão.

— Ele está me enlouquecendo — você diz, e tampa os ouvidos porque não quer mais ouvir *if my train runs off the tracks*. — Esse canto, por isso eu caí.

— Estou tentando ajudar você — insisto, e seus olhos se abrem. Você olha para o túnel, depois para cima, bem nos meus olhos.

— Estou ouvindo um trem.

— Não, você está sentindo. Estique a mão.

— Vou morrer — você diz, desesperada.

— Segure a minha mão!

O sem-teto cantarola como se fôssemos um incômodo que ele tenta abafar *"pick it up pick it up pick it up..."*, você tampa os ouvidos e berra.

Estou ficando impaciente, e uma locomotiva vai acabar chegando por esses trilhos, e por que você está tornando isso tão difícil?

— Você quer morrer? Porque se ficar aí embaixo será esmagada. Pegue a minha mão!

Você olha para cima e vejo uma parte sua que é novidade para mim, uma parte que quer morrer, e acho que você nunca foi amada do jeito certo, e você não diz nada, e eu não digo nada, e ambos sabemos que você está me testando, testando o mundo. Você não saiu daquele palco essa noite até a última pessoa parar de aplaudir, e não deu o laço no calçado, e culpou o mundo quando tropeçou.

"Pick it up pick it up! Engine, engine, number nine..."

Eu concordo.

— Certo — digo, esticando os braços para baixo, palmas para cima. — Venha. Peguei você.

Você quer lutar. Você não é fácil de resgatar, mas sou paciente, e, quando está pronta, passa as mãos ao redor de meus ombros e permite que eu a salve. Eu a ergo, tênis frouxos e tudo mais, até a zona de perigo amarela, depois a rolo para o concreto cinza sujo sem perigo, e você está tremendo, e aperta os joelhos sobre o peito enquanto recua de costas para a parte da coluna verde voltada para dentro, o lugar seguro onde sentar, esperar.

Você ainda não dá o laço no cadarço, seus dentes batem mais que nunca e deslizo para perto e aponto para seus tênis inúteis, lisos, nada atléticos.

— Posso? — pergunto, e você anui.

Dou um laço apertado e prendo com nós duplos do modo como meu primo me ensinou há cem anos. Quando o trem soa a caminho, seus dentes param de bater, e não parece mais tão assustada. Eu não tenho de lhe dizer que salvei sua vida. Posso ver em seus olhos e em sua pele suja e brilhante que você sabe disso. Não entramos no trem quando as portas se abrem. Certamente.

6

INICIALMENTE o taxista relutou. Acho que eu faria o mesmo. Parecemos loucos por causa da quase morte de tudo. Você está um lixo. Eu estou tão limpo que é quase perturbador, limpo-cafetão para sua suja-piranha. Uma senhora dupla.

— Mas a coisa é que — você diz, repassando os acontecimentos recentes pela undécima vez, as pernas dobradas sob o corpo, os braços agitados enquanto fala — no final das contas, não conseguiria viver se aquele cara não parasse de cantar. Quero dizer, sei que devo ter parecido louca.

— Maluca.

— Mas tive uma noite ruim, e em algum momento você tem de definir regras, sabe? Tem de dizer: eu não vou aturar isso. Prefiro morrer a continuar a viver em um mundo onde esse cara não para de cantar e poluir um ambiente compartilhado.

Você suspira e eu a amo por tentar transformar isso em alguma espécie de golpe na complacência, e como é divertido brincar com você.

— Ainda assim, você estava bastante bêbada.

— Bem, acho que teria feito a mesma coisa sóbria.

— E se ele estivesse cantando a versão de Roger Miller?

Você ri e não sabe quem é Roger Miller, mas a maioria das pessoas da sua geração não sabe, e seus olhos se apertam e você coça o queixo e tenta novamente, pela quarta vez. Sim, estou contando.

— Certo, você já passou um verão trabalhando em um *ferry*?

— Não — digo. Você está convencida de que de algum modo me conhece. Você disse que me conhece da faculdade, da escola, de um bar em Williamsburg e, agora, do *ferry*.

— Mas juro que conheço você. Sei que o conheço de algum lugar.

Eu dou de ombros e você me examina, e isso é muito bom, seus olhos me caçando.

— Você só se sente próxima de mim porque caiu e eu estava lá.

— Você estava lá, não estava? Eu tenho sorte.

Eu não deveria desviar os olhos, mas não consigo pensar em algo para dizer e desejo que o taxista seja do tipo que tagarela intermitentemente.

— Então, o que estava fazendo esta noite? — você me pergunta.

— Trabalhando.

— Você é bartender?

— Sim.

— Isso deve ser muito divertido. Saber as histórias das pessoas.

— É — digo, tomando o cuidado de não revelar que sei que você escreve histórias. — É divertido.

— Conte a melhor história que você ouviu esta semana.

— A melhor?

Você concorda, e quero beijar você. Quero levar você para os trilhos antes de *engine engine number nine,* brecar e engoli-la inteira e foder o porre de você até *New York transit line* engolir a ambos. Está quente demais aqui dentro e está frio demais lá fora e cheira a burritos e boquetes, Nova York no meio da noite. *Eu amo você* é tudo o que quero dizer, então coço a cabeça.

— Difícil escolher uma, sabe?

— Certo, olhe — você diz, e engole, morde o lábio, ruboriza. — Não quero assustar você e ser tipo a maluca que se lembra de toda mínima situação social em que se mete ou algo assim, mas eu estava mentindo. Sei de onde o conheço.

— Sabe?

— Da livraria — você responde, e dá aquele sorriso de Portman, e finjo não reconhecê-la, e você agita aquelas mãos. *Mãos tão pequenas.* — Nós conversamos sobre Dan Brown.

— Acontece na maioria dos dias.

— Paula Fox — argumenta e acena com a cabeça, orgulhosa, e raspa a mão em meu braço.

— Ah. Paula Fox e Spalding Gray.

Você aplaude e quase me beija, mas não, e se recupera, recosta, cruza as pernas.

— Você deve achar que sou uma lunática, certo? Você deve conversar com umas 50 garotas por dia.

— Deus, não.

— Obrigada.

— Eu converso com pelo menos 70 garotas por dia.

— Rá — você diz, e revira os olhos. — Então você não acha que sou tipo maluca de emboscada.

— Não, de modo algum.

Minha professora de saúde, no primário, nos disse que você consegue manter contato visual por dez segundos antes de assustar ou seduzir alguém. Estou contando e acho que você sabe.

— Então, a verdade. Em qual bar você trabalha por aqui? Talvez eu apareça para um drinque.

— É só um bico aqui. Eu basicamente fico na livraria.

— Um bar e uma livraria. Legal.

O táxi para na West Fourth.

— Você fica aqui? — pergunto, e você gosta de mim por ser respeitoso.

— Na verdade — você responde, se inclinando para a frente —, moro virando a esquina.

Você se senta, olha para mim e eu sorrio.

— Bank Street. Nada mal.

Você brinca.

— Sou herdeira.

— De que tipo?

— Produtores de bacon — você retruca, e muitas garotas teriam ficado mudas.

Nós estamos aqui, na sua área. Você está procurando na bolsa o telefone que está no banco, entre nós, mais perto de mim que de você, e o motorista se vira. Estamos parados.

— Lá vamos nós novamente, eu e o telefone que sempre desaparece.

Alguém tamborila na porta do carro. Dou um pulo. O desgraçado bate na janela. *Benji*. Você se estica na minha frente e baixa a janela. Eu cheiro você. Picles e tetas.

— Benji, aimeudeus, este é o santo que salvou minha vida.

— Bom trabalho, cara. Greenpoint, certo? Nada de bom acontece lá, porra.

Ele ergue a mão espalmada para cumprimentar, eu encontro a mão dele, você está deslizando para longe de mim e tudo está errado.

— Não consigo acreditar nisso, mas acho que perdi meu telefone.

— De novo? — ele pergunta, se afasta e acende um cigarro e você suspira.

— Qual o seu número? — digo, e você olha pela janela para *Benji*, e então de novo para mim. Ele não é seu namorado, mas você age como se ele fosse.

Eu estou bem, calmo.

— Beck — digo. — Preciso do seu número, do e-mail ou algo, caso ache seu telefone.

— Desculpe. Eu só viajei. Acho que ainda estou meio perturbada. Tem caneta?

— Não — respondo e agradeço a Deus que, quando tiro um telefone do bolso, é o meu e não o dela. Você me dá a informação. Agora você é minha, e *Benji* chama.

— Você vem ou não?

Você suspira.

— Muito obrigada.

— Sempre.

— Gosto disso. Sempre. Em vez de "quando precisar". É firme.

— Bem, falo sério.

Nosso primeiro encontro termina, e você vai subir e foder loucamente com *Benji*, mas isso não importa, Beck. Nossos telefones estão juntos e você sabe que sei onde você mora e sei que você sabe onde me encontrar.

7

MEUS pensamentos estão disparados demais (você, eu, suas coxas, seu telefone, *Benji*), e quando fico assim só há um lugar aonde posso ir. Caminho até a livraria, vou até os fundos e destranco a porta do porão. Eu a fecho atrás de mim e fico em pé no vestíbulo que para Curtis, para qualquer um, parece um depósito. Pego no bolso a chave de verdade, a chave que destranca a porta seguinte, a barricada final entre a livraria e o porão à prova de som. Tranco a porta atrás de mim e quando chego ao fim da escada estou sorrindo, pois lá está ela, nossa bela, enorme, o bestial cercado: a gaiola.

"Gaiola" não é realmente a palavra certa, Beck. Para começar, é enorme, quase tão grande quanto toda a seção de ficção lá em cima. Não é uma desajeitada armadilha de metal que você encontraria em uma cela ou uma loja de animais. É mais uma capela que uma gaiola, e você ficaria surpresa se Frank Lloyd Wright tivesse dado uma mãozinha no projeto, com as puras vigas de mogno tão suaves quanto são pesadas. As paredes são de um soberbo acrílico, inquebrável, mas que permite a respiração. É divina, Beck, você verá. Na metade do tempo, quando colecionadores assinam cheques gordos por livros velhos, acho que estão sob o feitiço da gaiola. E também é prática. Há um banheiro, um pequeno reservado com um toalete minúsculo porque o sr. Mooney nunca subiria para "algo tão banal quanto movimentos intestinais". Os livros estão em prateleiras altas acessíveis apenas subindo uma escada. (Boa sorte, ladrões.) Há uma gaveta deslizante na parede da frente, do tipo que eles usam em postos de gasolina em uma vizinhança pouco respeitável. Destranco a porta e entro. Estou dentro, ergo os olhos para os livros e sorrio.

— Oi, pessoal.

Tiro os sapatos e me deito no banco. Cruzo as mãos atrás da cabeça e conto aos livros tudo sobre você. Eles escutam, Beck. Sei que soa loucura, mas escutam. Fecho os olhos. Lembro do dia em que recebemos esta gaiola. Eu tinha 15 anos e trabalhava com o sr. Mooney havia alguns meses. Ele me disse para encontrá-lo no caminhão às oito em ponto. Eu fui pontual, mas os entregadores da Custom Acrylics não apareceram até dez horas. O cara atrás do volante buzinou e acenou para que saíssemos. O sr. Mooney me disse para observar enquanto o motorista gritava acima do motor.

— Aqui é a Mooney Books?

O sr. Mooney olhou para mim, desgostoso com "filisteus" que não se davam o trabalho de ler a placa acima da loja. Ele olhou para o motorista.

— Está com minha gaiola?

O motorista cuspiu.

— Não consigo entrar com isso na livraria. Tudo está em pedaços, cara. As vigas têm 4,5 metros de comprimento e as paredes são largas demais para passar por aquela porta.

— As duas portas abrem — explicou o sr. Mooney. — E temos todo tempo do mundo.

— Não tem a ver com tempo. — Ele fungou e olhou para o outro cara no caminhão, e eu soube que não estavam do nosso lado. — Com todo o respeito, normalmente montamos estas bebezinhas em quintais, mansões, grandes espaços abertos, sabe?

— O porão é grande e aberto — disse o sr. Mooney.

— Acha que vamos levar essa maldita besta para um porão?

O sr. Mooney foi duro.

— Não xingue na frente do garoto.

Os caras tiveram de fazer pelo menos duas dúzias de viagens, tirando vigas e paredes do caminhão, cruzando a livraria e descendo a escada. O sr. Mooney disse que não sentia pena deles.

— Eles estão trabalhando — falou. — Trabalho é bom para as pessoas, Joseph. Apenas observe.

Eu não conseguia imaginar como seria a gaiola quando ficasse pronta, se um dia ficasse pronta. As vigas eram muito escuras e antiquadas e as paredes muito transparentes e modernas. Não consegui imaginar estas coisas juntas até o sr. Mooney finalmente me chamar lá embaixo. Fiquei assombrado. Assim como os entregadores.

— A maior de todas — disse o motorista, suado. — Vai criar papagaios cinzentos africanos? Eu adoro esses pássaros. Eles falam, muito legal.

O sr. Mooney não respondeu. Nem eu.

Ele tentou novamente.

— Suas prateleiras são terrivelmente altas, senhor. Tem certeza de que não quer que as baixemos? A maioria das pessoas gosta das prateleiras tipo no meio.

O sr. Mooney falou:

— O garoto e eu temos muito trabalho a fazer.

O motorista concordou.

— O senhor pode colocar uma cacetada de aves aqui. Perdoe o meu linguajar.

Depois que eles partiram, o sr. Mooney trancou a livraria e me disse que os idiotas da entrega não eram melhores que os ricos sádicos que mantêm pássaros em gaiolas.

— Não existe isso de *gaiola de voo*, Joseph. A única coisa mais cruel que uma gaiola tão pequena que um pássaro não consiga voar é uma gaiola tão grande que um pássaro *pense* que *pode* voar. Apenas um monstro trancaria um pássaro lá dentro e diria ser amante dos animais.

Nossa gaiola era apenas para livros, e o sr. Mooney não estava brincando. Realmente tínhamos muito trabalho a fazer. Operários instalaram selante nas paredes, deixando todo o porão à prova de som. Mais operários vieram e ampliaram a parede dos fundos da livraria, de modo que a porta para o porão desse primeiramente para um vestíbulo que continha a *verdadeira* porta do porão. Estávamos construindo um clube supersecreto e à prova de som na Terra, e eu acordava muito animado todos os dias. Ajudava o sr. Mooney enquanto ele colocava sobrecapas acrílicas sob medida ("suavemente, Joseph"), antes de colocar os livros em caixas de acrílico com aberturas ("suavemente, Joseph"). Depois ele colocava aquela caixa em outra de metal ligeiramente maior ("suavemente, Joseph") com uma etiqueta e um cadeado. Quando tínhamos uns dez livros, subíamos uma escada na gaiola e eu passava os livros para ele um por um ("suavemente, Joseph"), e ele os colocava naquelas prateleiras altas malditas. Perguntei a ele por que precisávamos ter tanto trabalho por causa de livros.

— Livros não sabem voar — comentei. — Não são passarinhos.

No dia seguinte, ele me trouxe uma boneca de encaixar russa.

— Abra — ele disse. — Suavemente, Joseph.

Abri uma boneca ao meio, peguei outra boneca, a abri ao meio, peguei outra boneca e assim por diante até a última boneca que não podia ser aberta ao meio, a única boneca inteira do conjunto.

— Tudo que é valioso precisa ser escondido — explicou. — Ou se perde.

E agora você *brota* em minha cabeça, e é mais bonita que uma boneca e irá adorar isto aqui, Beck. Você verá isto como um refúgio para livros sagrados, para os autores que ama. Você ficará assombrada comigo, o senhor da chave, e lhe mostrarei meu controle remoto que opera os condicionadores de ar e umidificadores. Você vai querer segurar, eu deixarei e explicarei que se quiser pode aumentar o calor e cozinhar os livros, e eles se tornarão mofo e poeira e desaparecerão, para sempre. Se há uma garota na Terra que apreciaria meu poder é a adorável e única você, em suas pequenas meias amarelas com seu sonho de escrever algo bom o suficiente para ser colocado dentro desta gaiola. Você tiraria a calcinha para poder entrar aqui, para viver aqui, para sempre. Eu baixo minhas próprias cuecas e gozo tanto que fico surdo.

Cacete. Você é boa. Eu tento me levantar. Estou tonto. "Suavemente, Joseph."

É quase hora de abrir, então recupero o fôlego e subo a escada. Só há dois de nós trabalhando aqui, já que o sr. Mooney se aposentou. Há Curtis, um secundarista, meio como eu era antigamente. Ele faz coisas idiotas como eu fazia. Merda, quando eu tinha 16 anos, o sr. Mooney me deu uma chave e, claro, certa noite esqueci de fechar a gaiola.

— Você falhou, Joseph — disse o sr. Mooney quando era mais jovem, mas ainda velho, o tipo de cara que nunca foi jovem, não de verdade. — Você falhou comigo, e falhou com os livros.

— Desculpe — respondi. — Mas nunca fechamos armários ou portas na minha casa.

— Isso porque seu pai é um porco, Joseph. Você é um porco?

Eu disse que não.

Alguns dias depois entrei na gaiola e peguei um velho *Franny e Zooey*, uma primeira edição autografada. Decidi que gostava mais dele que de *O apanhador no campo de centeio* apenas por ser único. E eu adorei, Beck. Que livro! Algumas vezes voltava ao começo apenas para esfregar o dedo na assinatura de Salinger. Você tinha de pagar 1.250 dólares para fazer o que fiz. Mas não paguei. Nem a mulher que o roubou da mesinha junto à registradora.

Eu a reconheceria em qualquer lugar. Tinha cabelos avermelhados e uma echarpe de casimira, e tinha 30, talvez 35. Pagou em dinheiro. Eu disse ao sr. Mooney que trabalharia a mais para pagar por ele e prometi que iria encontrá-la. Faltei à escola e percorri as ruas até meus pés sangrarem. Mas é difícil encontrar uma mulher quando você não sabe seu nome ou onde mora. O sr. Mooney mandou que eu entrasse na gaiola e fechasse os olhos. Eu estava com medo e, quando o ouvi trancar a porta, soube que estava preso lá dentro.

Eu não tinha escada, então não podia alcançar nenhum dos livros; você não pode entrar no Louvre e beijar a *Mona Lisa*. Eu não tinha telefone, luz do sol, escuridão. Tudo o que tinha era meu cérebro, o zumbido do ar-condicionado, a fatia diária de pizza (fria, pois vapor não é bom para livros velhos) e café (morno em um copo da lanchonete grega), ambos passados para mim pelo sr. Mooney através da gaveta. Dias e noites se misturaram. O sr. Mooney se importava comigo o suficiente para me ensinar uma lição. Eu aprendi.

Ele me deixou sair da gaiola em 14 de setembro de 2001, três dias depois do 11 de setembro. O mundo inteiro estava diferente, e o sr. Mooney disse que meu pai nem ligara; provavelmente achou que estava morto.

— Você está livre, Joseph — ele disse. — Seja sábio.

Não passei muito tempo em casa depois disso. Não foi difícil desaparecer lentamente. Minha mãe foi embora quando eu estava na segunda série, então cresci sabendo que era possível abandonar as pessoas, especialmente meu pai. Não sinta pena de mim, Beck. Muitas pessoas têm pais de merda e baratas nos armários, biscoitos crus mofados no jantar, uma TV que mal funciona e um pai que não se preocupa se o filho não vai para casa durante uma tragédia nacional. A questão é que tenho sorte. Eu tinha a livraria.

Não é necessária a porra de uma aldeia inteira para criar uma criança. O sr. Mooney era o patrão, o pai por quem eu queria agir direito. Continuei procurando a ladra de *Franny e Zooey*, e logo depois do 11 de setembro eu não estava sozinho. Todos estavam, como eu, vasculhando as ruas. Pessoas queriam encontrar suas famílias; eu queria encontrar a ladra. Havia folhetos de pessoas desaparecidas por toda a cidade. Pensei em aprender a desenhar e revestir a cidade com desenhos da ladra. Podia fingir que era minha mãe. Não levei isso à frente, e algumas vezes acho que a ladra morreu em uma das torres. Carma. Mas na maior parte do tempo acho que deve estar por aí, viva, lendo.

Estou nas prateleiras de Ficção L-R quando o sino toca, e estou pronto. Você contou às suas amigas que iria aparecer a essa hora. Sei disso porque estou com seu telefone e você não é o tipo de garota que bloqueia o telefone com uma senha de quatro dígitos. Tenho lido seus e-mails. Tirei fotos das senhas que você mantém em sua pasta de senhas. Assim, quando você trocar sua senha, caso troque a senha, eu conhecerei as possibilidades. Você não é o tipo de garota que inventa novas senhas. Você usa três em sequência:

ackbeck1027
1027meME
1027BECK$Ale

Fica melhor. Você não quer dizer à sua mãe que perdeu outro telefone. Você saiu e conseguiu um telefone *novo* com um *novo* número e um *novo* plano. Sei disso porque seu *velho* telefone continua funcionando. Então leio o volume de e-mails que enviou para seus amigos anunciando seu novo número de telefone porque posso ler todos os seus e-mails! Chana ficou aterrorizada.

"Que porra? Diga à sua mãe que perdeu o telefone e bloqueie aquela merda. Roubo de identidade! Pervertidos! Falando sério, Beck. Conte que fez merda. Sua mãe vai superar. As pessoas perdem telefones. Bloqueie o telefone. Não é tanto drama."

Você escreveu de volta:

"O telefone deve estar na sarjeta; então sim, realmente não é um drama. Se alguém pegou, eu sou uma pobre candidata a mestrado com dívidas. Quem irá roubar essa identidade? E se alguém achar que sou suficientemente bonita para colocar meus selfies na internet, bem, então eu me sentirei bonita. ☺ Só brincando. Mas falando sério, está tudo bem. Eu queria mesmo um telefone novo! Adoro meu novo número!"

Chana não desistiu.

"VOCÊ CONSEGUE UM TELEFONE NOVO QUANDO DIZ A ELES QUE PERDEU O VELHO! Sua mãe saberá que você perdeu seu telefone por causa do seu novo número de telefone! E também: $$$$$."

Você foi teimosa.

"Por favor, acalme-se, C. Disse à minha mãe que mudei de número porque queria um de Nova York. Ela não sabe sequer digitar, quanto mais ler a conta. Está bem. E dinheiro? Que seja. Mais uma continha não vai me matar a esta altura, sabe?"

Chana não respondeu, e eu amo sua mãe (Obrigado!) e amo você, sua pequena hipócrita! Seu telefone velho (mas ainda funcionando!) é uma enciclopédia de sua vida, e estará aberto para mim enquanto sua mãe pagar a conta. Ponto para o cara bom! Ah, Beck, adoro ler seus e-mails, aprender sobre sua vida. E tomo cuidado; sempre marco mensagens novas como não lidas, para que você não fique preocupada. Minha sorte não termina nisso: você prefere e-mail. Você não gosta de mensagem de texto. E isso significa que não estou perdendo tanta comunicação. Você escreveu um "ensaio" para um blog no qual afirmou que "e-mails duram para sempre. Você pode procurar qualquer palavra a qualquer momento e ver tudo o que já disse a alguém sobre aquela palavra. Textos somem". Eu a amo por querer um registro. Eu amo seus registros por serem tão acessíveis, e estou pleno de você, seu calendário de ingestão de calorias, relacionamentos e momentos menstruais, seus autorretratos que não publica, suas receitas e seus exercícios. Você também logo vai me conhecer, prometo.

Começando hoje.

Você está aqui.

— Espere um pouco — digo, como se não soubesse que é você e estivesse sobrecarregado.

Subo a escada trotando, vou para as estantes e você está com um pulôver xadrez e meias até os joelhos, e se vestiu para mim, sei que sim, e está segurando uma sacola reutilizável rosa.

— "Engine, engine, number nine" — cantarolo, e você ri, e sou muito bom quando tenho tempo para me preparar. — Como vão as coisas?

Vou preparado para um abraço, você me deixa abraçar e nós nos encaixamos bem. Meus braços tomam você. Eu poderia esmagá-la até a morte e até a vida e me afasto primeiro porque sei como vocês garotas podem ser com essas coisas, seus instintos básicos arruinados por revistas e TV.

— Comprei uma coisa para você — você arrulha.

— Você não fez isso.

— Eu fiz.

— Não precisava.

— Na verdade eu não morri — diz, rindo. — Então meio que precisava.

Estamos indo para a frente e sei por que estamos indo para lá. Você me quer. Você me quer aqui. Você sabe que, se ficarmos nessas estantes, vou apertar você sobre a placa de F-K e lhe dar um presente, e estou atrás do balcão e me sento como planejei — com as mãos cruzadas atrás da cabeça enquanto me inclino para trás e coloco os pés para cima, e minha camiseta azul-marinho se levanta só o suficiente para que você veja minha barriga — você precisa de algo com que sonhar — e sorrio.

— Mostre o que você tem, garota.

Você coloca no balcão, eu baixo as pernas e me adianto, e estou curvado sobre o móvel. Poderia tocar você de tão perto que estou, e sei que gosta da minha colônia porque você e Chana desejam um bartender que usa essa colônia, motivo pelo qual a comprei, e abro meu presente, o presente que você me deu.

É *O código da Vinci* em italiano, você bate palmas e ri, eu amo seu entusiasmo e isso é algo que é mais natural em você do que escrever, dar. Você é uma pessoa que dá.

— Abra — você diz.

— Mas eu não falo italiano.

— O livro não é todo em italiano.

Eu o folheio, e você está errada. Agarra o livro e o joga no balcão.

— Tenho certeza de que a primeira página é em inglês. Abra.

Eu abro.

— Ah.

— É — você diz. — Leia.

Lá está você, em tinta preta. Escreveu para mim:

"*Engine, Engine, Number Nine*

On the New York transit line."

"*Se uma garota bêbada cair nos trilhos.*

Pegue-a, pegue-a, pegue-a."

Leio em voz alta; sei que gozou com seu texto e você bate palmas no fim. Está literalmente me pedindo para pegar você, e concorda e seu nome está lá, então não é esquisito quando eu digo.

— Obrigado, Guinevere.

— É Beck.

Eu levanto o livro.

— Mas também é Guinevere.

Você aceita.

— De nada...

Eu tirei meu crachá quando estava na gaiola. Você está fingindo não lembrar do meu nome, e eu a ajudo.

— Joe. Goldberg.

— De nada, Joe Goldberg — diz, suspira e continua: — Mas isso é meio que errado, certo, porque eu vim aqui agradecer e agora estou dizendo "De nada".

— Vou lhe dizer — falo, e foi exatamente como ensaiei. — Agora que estamos ambos vivos, ninguém canta, e você me trouxe este presente muito legal, que é ótimo, porque de todos os livros que temos aqui, Dan Brown em italiano não é um deles...

— Eu notei — você cantarola, pisca e sorri, e está se balançando um pouco.

Eu respiro. É isto, o passo seguinte.

— Vamos tomar alguma coisa um dia desses.

— Claro.

Você cruza os braços e não está olhando para mim ou dizendo uma hora específica, ou data ou local, e agora há elementos de nossa dinâmica lentamente aparecendo, como uma fotografia em um quarto escuro — você não escreveu seu número no livro e me trouxe a brincadeira da nossa coisa — Dan Brown — em vez de a parte séria da nossa coisa — Paula Fox —, e acho que você tem uma espinha. Pequena, mas ainda assim. Você comprou Paula Fox para *Benji*. Comprou Dan Brown para mim.

— É que eu ainda não consegui achar meu telefone e não tenho um novo, então não estou fazendo muitos planos, sabe?

— Tá.

Eu finjo ter de conferir algo no computador e penso em como você mandou para suas amigas e-mails sobre mim, o modo como falou mais sobre o fato de que a resgatei do que sobre estar obcecada por mim, tão obcecada que teve de fingir não se lembrar de mim. Não contou a Chana e Lynn sobre como pensa em mim quando monta em seu travesseiro verde, sobre como ficou nervosa e intimidada comigo. Estava tão nervosa e distraída por minha causa que perdeu seu telefone, Beck. Lembra?

Em vez disso, mandou às amigas um e-mail sobre *Benji*, e tenho de falar ou irei explodir.

— Então não achou seu telefone?

— Não, quero dizer, sim, quero dizer, acho que deixei na estação do metrô.

— Você estava com ele no táxi.

— Ah, certo, sim, mas quem se lembra do nome da empresa de táxi, certo?

Premier Taxi of Lower Manhattan.

— Ninguém nunca lembra do nome da empresa de táxi — concordo.

Você me pede uma caneta, eu dou, você agarra um de nossos marcadores, vira e escreve seu e-mail que já conheço.

— Já aviso — você fala enquanto escreve — que estou muito ocupada com a faculdade e tudo mais, mas pode me mandar um e-mail e combinamos algo.

— Espero que você saiba que esses marcadores são apenas para clientes.

Você ri, fica desajeitada sem um telefone no qual enfiar a cara, e olha ao redor, esperando ser desculpada. Você tem mesmo um complexo de papai, Beck.

— Não é por nada, mas esses livros não vão se vender sozinhos, então por que você não some e me deixa, sabe, voltar ao trabalho?

Você sorri, aliviada, e quase faz uma mesura ao recuar.

— Obrigada novamente.

— Sempre — digo.

Planejei dizer isso e você sorri, sem mostrar os dentes, e não diz até logo e não digo "Tenha um bom dia" porque superamos as gentilezas e você me deu seu e-mail e agora eu tenho de escolher qual rascunho enviar. Eu sabia que você viria e sabia que me daria seu e-mail, então noite passada escrevi diferentes versões de meu primeiro e-mail para você. Fiquei a noite toda escrevendo, Beck. Eu estava em minha gaiola, Beck. Assim como você.

Eu coloco o marcador com seu e-mail no Dan Brown italiano. Encaixa perfeitamente.

8

ESPERO que a essa altura a maioria das pessoas tenha se dado conta de que Prince é um dos grandes poetas de nosso tempo. Eu não disse *letrista* — disse *poeta*. Prince é a coisa mais próxima que temos de e.e. cummings, e as pessoas são idiotas porque não entram aqui e compram livros de poemas de Prince.

Já se passaram sete horas e quinze dias desde que você levou seu amor embora.

Estes são alguns dos melhores primeiros versos de um poema em todos os tempos por uma série de razões, começando pela inversão de horas e dias. Uma pessoa não poética citaria dias e horas. Um poeta é diferente. Um poeta transforma o mundo com...

... mãos tão pequenas.

Você ainda não me escreveu de volta. Você encaminhou meu e-mail para Chana e Lynn. Você riu com retratos de cabine de fotografia das três — "ChanaLynn... nós!" — e trocou dezenas de e-mails idiotas sobre nada. Você encontrou tempo de ler e responder aos contos de seus colegas de turma e suplicar aos chefes da livraria WORD, do Brooklyn, que a deixassem fazer uma leitura, mas não escreveu de volta ao cara que salvou sua vida. Você ainda está perseguindo *Benji*, e não foram *sete horas e quinze dias*, mas estamos chegando lá, Beck. Não é mais engraçado.

Você escreveu para ChanaLynn:

"Por que tenho de ser uma garota estereotipada que conhece um cara legal e fica tipo obrigada, mas não, obrigada? Eu não leio Cosmo, faço desintoxicações ou posto selfies, o que significa que não me encaixo no perfil de garota com problemas que odeia caras legais. Quero dizer, Benji é casado com a própria empresa e esse cara é exatamente o contrário, ele só trabalha, sabe? Ah, terraço do Wythe na sexta?"

Chana foi a primeira a responder:

"Beck, esse é o cara que você conheceu no KGB? Wythe? Talvez."

E isso me diz que você conhece caras demais. Você tem sede de estranhos. Por isso você lê os "Encontros Descontraídos" da *Craigslist*. Não, você não tem encontros descontraídos (graças a Deus), mas ao mesmo tempo trata a vida como a porra de um enorme encontro descontraído, perdendo tempo com Benji, com caras aleatórios de lugares como o KGB.

Lynn respondeu:

"Há analistas no campus que podem responder a essa pergunta, garota. ☺ E também, o cara do KGB é superbonito. E Wythe sim, a não ser que talvez UES para variar? Só uma ideia..."

Essas garotas não sabem sobre nosso Dan Brown italiano e a extensão de sua paixão porque você não contou a elas, e finalmente no meio da noite, após *cinco horas e oito dias*, você escreve de volta:

"Que tal happy hour na quinta?"

Eu espero *três horas e um dia* para responder:

"Pode ser. Onde?"

Você não me deixou de bom humor dessa vez. Não responde imediatamente. *Quatro minutos, três horas e dois dias* se passam antes que esta bosta cheire mal na minha caixa da entrada:

"Desculpe, aimeudeus, uma daquelas semanas. Seja lá o que for, não entre para a faculdade. Seja o que for. Que tal semana que vem?"

Como Prince, tenho uma natureza poética e sei como mudar meu ponto de vista. Trazer você para meus braços certamente não está funcionando. Você está dispersa, flerta, quebra telefones e não deleta nada, usa sua menstruação para conseguir mais prazo na faculdade, muitos dos seus e-mails têm mais vitalidade criativa que suas memórias, e você está conversando com nove caras em nove sites diferentes. Você flerta. Com tudo. Você se dá conta de quanto lixo tem em sua cesta de compras em Anthropologie.com? Por Cristo, Beck, você precisa desenvolver algumas habilidades para tomada de decisões. Enquanto isso, posso ver que está doente. Doente como seu pai era. Você está viciada em *Benji*. E não posso tirar você de *Benji* até saber sobre Benji.

O que leva cerca de trinta e cinco segundos.

Benjamin "Benji" Baird Keyes III é uma maldita piada. Ele esteve em recuperação, o que é uma farsa; dá para ver pela cara metida dele que não é capaz de um vício genuíno. É dono de uma empresa de club soda orgânica que simboliza tudo que existe de ruim agora. A empresa se chama Home Soda, uma alternativa superior à club soda comum porque "se um clube é exclusivo, um lar é o lugar mais exclusivo do mundo. Você pode entrar para um clube se pagar o título. O mesmo não pode ser dito de um lar".

Beck, você não pode me dizer que está levando isso a sério, não de verdade. A pequena empresa de Benji é um tremendo sucesso de vanguarda ao estilo Whole Foods, e seu site em tons pastéis inclui uma diatribe dirigida à Monsanto (como se os pais desse garoto não lucrassem diretamente com a Monsanto, como se esse garoto não tivesse sido criado com a porra da Monsanto — literalmente, o pai dele trabalhou para a porra da Nestlé quando Benji era criança), e ainda assim Benji ataca. Um ensaio fotográfico (também conhecido como uma porra de um slide show) revela que Benji teve a ideia da Home Soda acampando com amigos em Nantucket. Acampar é um termo idiota; Nantucket não é New Hampshire, e Benji estava na casa de verão de amigos de frente para o mar. Eu amplio a foto e vejo a garota não marcada do seu perfil no Facebook. Arrá. Então você conhece Benji por intermédio dessa garota esquisita infeliz, que tem um sorriso legítimo reservado para amigos ricos em fotos de propaganda encenadas. Mas você foi acampar com eles? Não. Provavelmente não foi convidada. Sua amiga deve ter dado alguma desculpa babaca sobre não ter espaço suficiente na praia. Você é a garota local e Benji é o turista que literalmente entra em você e a usa como férias do desgaste no negócio de club soda artesanal apenas para largar você antes do feriado. Ele é o papai que você tenta desesperadamente satisfazer, o papai que vai embora, não importa o que você faça.

Sua vida emocional é uma insana economia sazonal em que há feriado dia sim, dia não. Ele aluga você, da mesma forma que aluga um loft em SoBro (South Bronx para aqueles de nós que não precisam inventar apelidinhos babacas para bairros onde não somos desejados). E ele engana você, Beck. Muito. Compulsivamente. Está compulsivamente correndo atrás de uma artista performática que fode com a cabeça dele, assim como ele fode com a sua. Passaram *seis minutos, três horas e um dia* até que você me mande um e-mail:

"Isso é por acaso, mas estou em Greenpoint. Você estaria de bartender neste momento?"

Eu respondo:

"Não, mas poderia encontrar com você no Lulu's."

Você responde:

"FEITO, BABY! Desculpe pelas maiúsculas. É que fiquei animada."

Eu espero "doze segundos, doze minutos e nenhuma hora" antes de responder:

"Haha. A caminho. Às cinco?"

Você não escreve de volta, mas tenho de pegar dois trens para chegar lá, e a trilha sonora de *Hannah e suas irmãs* está tocando em minha cabeça, todas as músicas ao mesmo tempo, tão alto que não consigo escutar a música no meu telefone ou a música no seu telefone, e só consigo pensar em nosso primeiro beijo, que provavelmente acontecerá em "dezoito segundos, dezenove minutos e três horas" quando estivermos ambos bêbados em um táxi na Bank Street, e agora saquei por que algumas vezes os caras tocam punheta nos trens. Mas eu não. Eu tenho você em meu futuro. O trem não vai rápido o bastante e *"engine engine number nine..."* e veja o quanto já partilhamos e nem mesmo trepamos, e eu também tenho um presente para você. Estou levando *A Costa Oeste*. E está escrito:

"*Engine, Engine, Number Nine
On the New York transit line...*"
"*Se em um asilo você acabar.*

Este livro vai acompanhá-lo."

Não é perfeito, mas é perto, e eu tinha de lhe comprar algo, recompensá-la por se apresentar, e o trem está aqui e espero que Prince finalmente esteja onde estou, subindo os "dezesseis degraus e dois quarteirões e uma avenida" rumo ao resto de sua vida. Mas estou apenas na metade da escada da estação do metrô quando seu telefone toca. Há muita informação para processar, tenho de sentar, e faço isso. As coisas mudaram. Rápido, rápido demais. Quase duas semanas depois de seu e-mail coletivo anunciando o novo número telefônico, Benji escreveu de volta:

"Oi."

E você respondeu:

"Venha."

E ele escreveu:

"☺"

E então você me mandou um e-mail:

"Droga, tenho uma coisa da faculdade. Remarcar para semana que vem? Desculpe. Desculpe!"

E então Benji escreveu para você:

"Preciso de uma hora, apareceu uma coisa do trabalho."

E você respondeu:

"☺"

Você está sorrindo porque quer que a vida seja como era antes de seu pai estragar tudo em Nantucket, sem segredos, sem perigo. Você escreve sobre como é seguro lá, como claustrofobia e conforto andam de mãos dadas. É confortável lembrar que sua família nunca trancou as portas da casa ou dos carros, e que deixava as chaves do carro na ignição, mas chegando março você daria qualquer coisa para ver um estranho. Você tuitou há algumas semanas:

"A ilha de #Manhattan é como a ilha de #Nantucket: comida é cara, bebidas são caras, e no inverno todo mundo enlouquece."

Isso é bonitinho, Beck, mas a ilha de Manhattan não é nada como sua preciosa Nantucket. Deixe-me contar o que fiz terça passada.

Na ilha de Manhattan, você tem de trancar suas coisas ou algum cara esperto pode simplesmente dar um pulo em uma maldita fábrica de club soda para um passeio em uma terça-feira, quando sabe que o chefe não está por perto (agradecimento especial ao *twitter feed* de Benji), pedir desculpas para ir ao banheiro, entrar no escritório de Benji (que está destrancado) e trocar o resto do passeio da club soda por um passeio particular pelo computador de Benji (que está sem senha) e descobrir que Benji mantém um calendário ligado à programação de performances de @lotsamonica. Ela se apresenta hoje, fazendo garatujas ao vivo em um quartel dos bombeiros reformado, em Astoria (que piada). Sendo um confirmado fã dela em todas as plataformas de mídia social (ah, as coisas que faço por você, Beck), eu tenho acesso à cobertura ao vivo e, embora não veja o Benji (o lugar está lotado demais), vejo garrafas de Home Soda em todas as fotos filtradas. Ele está lá. Um comentário de alguma garota com franja e óculos rosa prova isso:

"Benji é legal por trazer club soda. #organicopelavida #homesoda #bebagratisoumorra"

Então aí está. Seu precioso Benji não apareceu em sua leitura, mas vai até Astoria no meio do dia porque acha que Monica é superior, porque é alta, loura e ele confunde suas garatujas com arte. Tenho que me acalmar. Você não sabe disso. Você não é fã de Monica porque não é idiota. Mas precisa saber, e não consigo sair daquela maldita fabrica rápido o bastante. Eu preciso salvar você.

Eu sou o tipo de cara que se prepara para emergências como essa, então já tenho uma conta de e-mail chamada HerzogNathaniel@gmail.com. Você não pesquisou, então não sabe que Nathan Herzog é o crítico de gastronomia da nova seção "Eats" da *Vulture*, que suga bestas pretensiosas como *Benji* e sua Home Soda. Eu li as coisas do cara; não fiquei impressionado. Mas Benji adora o cara, tuitando as críticas dele em um esforço evidente de colocar sua própria coisa no site. E no fantástico blog de notícias da HomeSoda.com, fãs da água afrescalhada de Benji resmungam incessantemente sobre a Home Soda ainda não ter aparecido na *Vulture*.

Até agora.

Obviamente uso minha nova conta de e-mail para encarnar o cretino gastronômico Nathan Herzog. E logo Benji recebe um e-mail de Nathan Herzog, que acabou de tomar o club soda mais fantástico de sua vida e se dá conta de que está atrasado para a festa, mas continua desesperado para encontrar Benji. Ele escreve:

"Haveria alguma chance de nos encontrarmos agora? Há uma livraria no Lower East Side, Mooney Rare and Used, e é um ótimo lugar para começar. Há um café no porão; ninguém sabe disso. Atenciosamente, N."

Benji só precisa de nanossegundos para responder:

"Claro, Nathan. Estou lisonjeado e *en route.*"

Eu não respondo. Que tipo de babaca diz *en route*?

Estou no metrô pensando em você quando me dou conta de que fiz merda. Falta algo.

A Costa Oeste.

Com minha dedicatória assinada.

Eu deixei o livro na calçada quando parei para me recuperar após me dar conta de que você me deu um fora, e penso que o sr. Mooney estava certo. Nunca serei totalmente capaz de comandar a livraria. Eu, no fundo, não sou um empresário multitarefas. Eu sou um poeta, motivo pelo qual sei que estou a *quatro paradas, uma transferência, três quarteirões, duas avenidas e um lance de escada* de parar em meu apartamento para pegar alguns acepipes para Benji. Mando uma mensagem para Curtis:

"Não precisa vir hoje, estou coberto."

Ele escreve de volta: "Legal."

9

EU viro a esquina, vejo Benji puxando a porta da livraria e eu o apanhei. Ainda melhor. Dou um largo sorriso. Sou dono do cretino.

— Aí está ele — chamo. — O homem da Home Soda!

— Sr. Herzog, é uma verdadeira honra — ele arrulha, esse baba-ovo escroto em um paletó Brooks Brothers, e para quê?

— Desculpe o atraso — digo, fingindo procurar as chaves. Críticos gastronômicos que são também, em parte, donos de lugares híbridos de café-livraria são, por natureza, pessoas desajeitadas. — Mas vale a espera. Garanto.

Destranco a porta, passamos para dentro e Benji está nervoso demais para notar que tranco a porta atrás de mim.

— Este lugar é uma joia. — Ele se encanta. — Servem café aqui?

— De vez em quando — respondo, e eu poderia trabalhar para o site de bosta da *New York Magazine*. Eu assisto a *Mad Men* e sei sobre Jay-Z e yakisoba acima do valor. — Por ora água serve?

— Excelente, Nathan.

Excelente, Nathan. Então, enquanto Benji fala sem parar nervosamente sobre como adora livros, livrarias e pessoas que leem livros, estou colocando um saco de Xanax moído em um copo de água. Ele vai virar. Está nervoso. Ele pega a água. Ele me agradece. Ele não diz sequer obrigado sem soar falso. Eu deixo que continue, finjo que tenho apenas de cuidar de algo atrás do balcão e ele está cheio de desculpas e "está perfeito, Nathan" e "eu limpei minha agenda para isso" e estou mexendo em papéis e escutando o Xanax fazer efeito nele. Será que coloquei o suficiente? Ele está tonto e quer se sentar.

Ele quase cambaleia na direção do balcão.

— Importa-se? Há algum lugar onde possa me sentar um minuto?

Socá-lo é gratuito. Mas ele usou a palavra excelente 12 vezes em vinte malditos minutos. Ele está apagado e no chão, eu passo para o salão e ergo seus pés. Aí vai ele, escada abaixo. Ele não acorda enquanto o arrasto para dentro da gaiola, o tranco lá e sorrio. *Excelente.*

Seu paletó Brooks Brothers fornece uma rica colheita. Tem sua bolsa de drogas, pacotes de heroína ou cocaína, ou Ritalina, ou o que os garotos estão tomando atualmente, e um cartão magnético (eu deixo isso). Tem sua carteira (eu pego isso). E tem o grande prêmio que é o telefone (não preciso lhe dizer que pego isso). Benji é tão destemido quanto você, Beck, e em segundos tenho acesso ao seu Twitter, seus e-mails e ao blog da Home Soda no site. Naturalmente seu telefone está cheio de fotos da artista performática Monica. Ela é nauseante, exibida, sempre posando. Eu pego uma foto sensual e tuito da conta de Benji. Duas palavras acompanham a foto:

"#Beladoravel #Sim"

Você deve interpretar isso como o modo de Benji chamar você de

"#Inadequada #Nao"

E você interpreta. Ah, Beck, dói ver você chorar, se sentir tão rejeitada. Não sabe quanto eu gostaria de abraçar você, empurrá-la sobre aquele travesseiro verde e enchê-la de amor e club soda produzida em massa? Quero tudo isso. Mas não posso interferir. Você precisa de espaço para se desligar desse babaca, e espero que sua tristeza se transforme em raiva. E isso acontece, e você se retorce como uma cobra, serpenteia:

"Não sou a porra do seu brinquedinho, Benji, não sou uma mistura de falsa artista performática de merda sem coração mais caçamba de lixo. Sou um ser humano. Um ser humano de verdade, como na música, e você não me joga fora. Está me ouvindo? Não é assim a minha vida. Trate-me como você trata sua soda. Ou, quer saber? Ainda melhor, foda sua soda. Dê uma chance a ela. Enfie bem ali na garrafa de vidro e foda sua soda, porque é o que você ama. Você não me ama. Você não ama ninguém."

Seus e-mails são verdadeiros e bonitos. Mas há um problema. Eles são todos arquivados em rascunhos. Você não tem coragem de enviar. Você ainda está se aferrando a essa fantasia de garota local de que esse turista de camping descabelado abandonará seus ideais por você. Você quer isso. Não há muito que eu possa fazer. Então me contenho. Leio seus e-mails.

Chana está certa: "Honestamente, Beck. Seria legal se Benji a amasse, mas ele não ama. Então não é surpreendente quando ele lhe dá um bolo, engana e sai com aquela babaquice bizarra de Papai. Quer saber? Isso vai soar bizarro, mas estou feliz por você. Deixe isso terminar de uma vez."

Lynn se mete: "Acho que não há caras legais em Nova York. Não é como eu se estivesse com pressa de me casar, eu adoro a ONU. E preferiria ir trabalhar em Praga que me casar, mas sinceramente, não acho que haja homens bons aqui. Todos eles são Benjis."

Chana responde: "Saia do eHarmony, Lynn. Falando sério."

Estou otimista até você ter uma distinta conversa particular por e-mail com a tal Peach. Você é diferente com ela.

Você: "Eu pareço uma menininha, mas não tive notícias de Benji. Ele me deu bolo. Deve estar só ocupado, mas e se..."

Peach: "E se você ficasse tão ocupada escrevendo algo impressionante que se esquecesse dele? É como na ioga quando você coloca toda a energia em um lugar sagrado: você."

Você: "Você está muuuito certa. Obrigada, sábia!"

Mas não importa o que suas amigas pensem. Você continua rascunhando e-mails para ele. E quer saber onde ele está e quando irá vê-lo. Você o deseja. *Ainda.* Você precisa de minha ajuda, e eu falsifico uma entrada no blog de Benji na Home Soda.

"Viagem para ACK. Nova inspiração, novos sabores com a ajuda de uma companhia adorável."

Ele é o tipo de babaca que iria se referir a Nantucket pelo código de seu aeroporto, ACK, e claro que não a convidou. Ele não lhe disse que iria. Simplesmente foi. Ele não é bom. E usou a palavra *adorável*, e você deve pensar que ele está com Monica e escrever para ele de uma vez por todas. *Ainda assim*, você envia o link para Peach, e está triste, não puta. Ela responde:

"Querida, ele é um empreendedor. E deve estar se referindo a Rascal, o labrador da família. Não tire... conclusões!"

Estamos em um impasse. Nada disso funcionou. Você perdoa esse cretino que envia uma foto da piranha-soda com cara de vem me comer. Não houve caixas de Home Soda grátis em sua leitura, Beck, mas você *ainda* o deseja e eu *ainda* tenho de consertar isso. Eu lhe mando um e-mail de Benji:

"Longa história. Fique bem, garota."

Você abre o e-mail segundos após eu enviar. Não encaminha para suas amigas e não rascunha outro violento e-mail de foda-se. Agora você está *imóvel*, e não fico surpreso quando meu telefone me avisa, uma hora depois, que tenho um novo e-mail. É você:

"Deixamos para quinta?"

Eu consegui. Finalmente. Só tenho uma palavra para você:

"Sim."

QUANDO o desgraçado acorda, não sei quanto tempo se passou, mas ele boceja como se tivesse sido um século. Inicialmente não parece entender, e começa a tagarelar desajeitado sobre a gaiola — "isso é mogno?" —, depois fala sobre papagaios. Finalmente se dá conta de que há grades nos separando. Ele estica a mão para a porta, e pela segunda vez hoje vejo o cretino puxar uma maçaneta.

— Você não precisa fazer isso — digo.

Tento mantê-lo calmo. Sou gentil.

— Deixe-me sair. Agora.

— Benji, você precisa se acalmar.

Ele olha para mim. Está confuso. O irmão de Candace também ficou confuso. Os babacas sempre ficam confusos quando a ordem do universo é restaurada, quando eles são responsabilizados por seus atos covardes, pretensiosos, sem amor.

10

É manhã de quinta e nosso encontro esta noite é minha recompensa pelos três últimos dias. Ficar de babá de Benji não é mole, Beck. Nem sequer sei quantas vezes tranquei, destranquei e tranquei as portas do porão subindo e descendo. Curtis sabe que não pode ir ao porão e não tem a chave. Minhas mãos estão com cãibras de agarrar a chave como se fosse meu salva-vidas. E é.

E estou cansado, Beck. Demorei uma hora inteira para soltar a tábua corrida do fundo falso onde guardo meu facão. Tive de pegar um trem até New Haven para usar o cartão dele sem chamar atenção. Não estou dizendo que não valeu; concebi um bom plano. Decidi usar o telefone de Benji para construir uma narrativa. Eu sei, é um plano brilhante pra cacete. Como você o segue no Twitter, vai testemunhar seu mergulho em drogas e idiotia. Tudo começou em New Haven, onde tirei 2 mil da conta dele e tuitei a foto do mascote buldogue idiota de Yale.

"O #buldogue original está de volta. #eainewhaven #euemolly"

Então todo mundo (você) pensará que Benji retornou à sua *alma mater* para uma farra. Se há uma coisa que aprendi sobre o pessoal da Ivy League é que todos gostam de voltar à universidade para reuniões. Esse é um bom plano, e não posso deixar o chororô do menininho me incomodar. É como se você soubesse que estou no limite, e me envia uma mensagem:

"Oi. Acordei cedo. Não sei por quê. O que vamos fazer hoje?☺"

Benji rosna:

— É Beck? Joe, se for isso que você quer, ela é toda sua.

Já passamos por isso. Cerca de uma hora após acordar, o cretino me reconheceu do táxi. Então agora acha que me entende. Acha que estou obcecado por você. Acha que o prendi aqui por sua causa. A verdade é muito mais complicada, e entusiasmados complacentes como ele não entendem que é sempre mais sábio ficar quieto quando aprisionados. Ele abre o jogo e fala sobre você como se fosse dele. Mas você não é uma BMW amassada, não cabe a ele dispensar você. Eu rosno.

— Faça sua prova.

— Joe — diz, o que é idiota, porque toda vez que diz meu nome sou lembrado do fato de que ele sabe meu nome, uma evidente complicação mais à frente. Eu me acalmo e escrevo para você:

"Bom dia, dorminhoca. Espero que tenha tido bons sonhos. Encontro você às 20:30 nos degraus da Union Square. Quando escurecer iremos a outro lugar."

Eu aperto enviar, mal posso esperar para ver você, e pego a lista dos cinco livros preferidos de Benji porque temos trabalho a fazer.

Arco-íris da gravidade, de Thomas Pynchon. Ele é um cretino pretensioso e um mentiroso.

Submundo, de Don DeLillo. É um esnobe.

On the road, de Jack Kerouac. Um cretino mimado dono de passaporte que parou na oitava série.

Breves entrevistas com homens hediondos, de David Foster Wallace. Já é o bastante.

O emblema vermelho da coragem, de Stephen Crane. Ele tem Mayflowers no sangue.

Benji já foi reprovado nas provas sobre *Arco-íris da gravidade* (dã), e *Submundo*. Continua a dizer que teria feito uma lista de livros diferente se soubesse que haveria uma prova. É como os privilegiados pensam:

minta a não ser que saiba que não vai escapar mentindo. Você não se parece em nada com ele, e me responde

"☺"

Não há nenhuma chance de eu responder a uma carinha sorridente, e ademais não posso, pois a princesa Benji quer *latte* de soja, um *New York Times*, cremes para o rosto Kiehl's, a porra da água Evian e sua pasta de dentes Tom's. Eu digo para se virar com o que lhe dei: café da lanchonete grega, um *New York Post*, um tubo pequeno de vaselina e uma colher de bicarbonato de sódio da caixa de 100 anos no nosso banheiro dos empregados.

Você escreve novamente:

"Para onde iremos depois que escurecer?"

Não posso ficar puto, porque você obviamente está apenas com tesão por mim. Não estaria repetindo minhas palavras caso não estivesse excitada, e eu respondo:

"Você saberá quando precisar. Piscadinha."

— Olhe, Joe, não posso fazer uma prova sobre um livro que não pego desde o secundário sem estar muito cafeinado.

Eu tomo uma decisão executiva, porque não posso escutá-lo mais.

— Esqueça *On the road*. Rasgue a prova. Acabamos por hoje.

Ele ergue a cabeça e me olha como se eu fosse Deus.

— Obrigado, Joe. Eu nunca li *On the road* e, bem, obrigado.

Ele está me agradecendo por fazê-lo admitir que é um completo e total mentiroso. Mesmo lutando pela vida, ele mente. Quero que esse garoto entenda, então tento.

— Você não leu *On the road*?

— Não exatamente.

— Mas você o colocou na lista.

— Eu sei.

— Eu lhe disse para fazer uma lista dos seus livros preferidos.

— Eu sei.

— Inacreditável. Você não se dá conta de que está no porão de uma livraria? Que está em uma *gaiola*? Você não pode entrar na minha livraria e mentir. Não se faz isso.

— Não fique puto.

Seus olhos desviam por apenas um segundo. Ele tem consciência do facão. Não há escolha. Eu tenho de pegá-lo. Vou até lá, lentamente. Estendo a mão. E o seguro. E não o encaro.

— Você não quer fazer isso — ele choraminga.

Antes de falar eu afasto um pouco os pés. Ocupo o máximo espaço possível.

— Eu passo meu tempo fazendo provas para você, provas sobre livros que disse ter lido. E você não leu nenhum dos malditos livros. O que significa que você desperdiçou meu tempo. E não quer que eu fique puto. Acha que o mundo funciona assim?

— Eu sou uma fraude, tá?

Eu me viro. Ele cruza as pernas, tomba a cabeça e passa a mão pelos cabelos louros compridos demais. Ele é frágil e fraco e poderia se desintegrar a qualquer momento. Ainda estou segurando o facão, que parece muito desnecessário considerando a condição dele. Faço um gesto de cabeça para ele, como se dissesse: "Continue, seu merda. Continue."

É impressionante como você pode ver o dinheiro nas pessoas. As mãos lisas de menina dele passaram séculos suavizando antes dele nascer, e seus cabelos grossos nunca rarearam por noites ao vento, dias curvado cavando neve, areia ou cinzas. Algo naqueles cabelos, algo na curvatura do nariz provavam que a vida é injusta.

— Em minha defesa, eu adoro o livro de uma forma pós-moderna no sentido de que sempre senti que ele contém algo que me toca. Acho que é o tipo de livro que ecoa minhas crenças e meus sentimentos, e sempre me relacionei bem com pessoas que leram o livro, e escrevi sobre o livro. Sabe, eu me formei em literatura comparada, e é possível, muito possível ler um livro sem lê-lo na forma objetiva tradicional. Você pode ler sobre um livro, Joe. Sabe o que quero dizer? Você entende?

— É, Benji. Eu entendo.

— Está vendo, achei que entenderia, Joe.

— É, não tenho um diploma de Yale, mas meu detector de babaquice é excelente. De primeira linha.

Eu começo a subir a escada e ele resmunga sobre como sou um babaca e o que o pai dele vai fazer comigo, e depois está suplicando:

— Dê um exemplar do David Foster Wallace! Eu o lerei. Eu o lerei, e depois você poderá fazer uma prova, eu juro! Joe! Joe!

O porão é isolado. O sr. Mooney investiu dinheiro para transformar esse lugar em um lugar privado. Benji pode gritar quanto quiser e ninguém o ouvirá, assim como ninguém me ouviu, e você escreve:

"Você é engraçado, Joe."

A piscadinha não me colocou em sua lista de idiotas, o Sol está brilhando, eu tranco as portas do porão e escrevo para você:

"Tenho livros para vender. Esteja nos degraus da Union Square. Centro. 20:30 em ponto."

E desligo o telefone. Eu lhe disse onde estar, e quando, e se você acha que vai arrancar algo mais de mim hoje, quando me vir de noite, verá outra coisa.

O dia está contra mim. Eu me esqueci de que Stephen King lançou livro novo, *Doutor Sono*, a muito esperada continuação de *O iluminado*. Stephen King significa multidões, mesmo uma ou duas semanas depois do lançamento — as pessoas são preguiçosas —, e hordas de compradores alegres por se reencontrar com Danny Torrance. Mas eu quero você, Beck. *Doutor Sono* transforma minha livraria na porra de uma igreja de Stephen e eu não tenho tempo de pensar em você, me preparar para você. Somos inundados por Kingófilos, casais tentando salvar o casamento com um clube do livro, fãs mais velhos que esperaram muito, jovens vagabundos que querem falar de uma livraria independente no Facebook, esquisitões que destacam as partes ruins e anseiam por reencená-las, imbecis introvertidos em busca da companhia prometida por um romance emocionante, mulheres que querem mais de um livro que uma foda animada com um banqueiro com fobia de compromisso. Todos amam King, e eu amo *você*, e hoje eu deveria estar pensando em como vou dividir o cabelo e se vou ou não lamber seus dedos enquanto estivermos comendo. Em vez disso, falo sobre a porra de Danny Torrance, *crescido*! Eu amo Stephen King tanto quanto qualquer americano bebedor de red rum, mas me ressinto porque eu, o livreiro, sou sua puta.

Você é uma mestranda e poderíamos conversar sobre literatura esta noite. Pelo que sei, poderia ficar tão nervosa que mergulharia em um nevoeiro de pretensão e endeusaria um *libretto de narrativa experimental* cheio de merda. E o que eu diria em resposta? *Pode acreditar que Danny Torrance cresceu?* Livros não têm como ficar mais comerciais e camaradas do que os de Stephen Maldito King (a não ser que você queira falar sobre Dan Brown, mas você não pode comparar os dois, pois Dan Brown não é literário). E se o sr. King estivesse aqui, ficaria do meu lado; ele sabe que primeiros encontros exigem esforço. Ele também gosta de livros que não os seus e ficaria orgulhoso desses caras se eles lessem algo sobre o que não ouviram em *Good Morning America* (mas não um *libretto de narrativa experimental*). Ademais, o sr. King me deve; eu vendo seus malditos livros! Claro que ele não está aqui e o sol se arrasta, ainda, e a registradora está cansada, e eu tive a mesma conversa 85 mil vezes hoje.

— Viu aquela resenha no *New York Times*?

— Claro que sim.

— Consegue esperar para ler? Jack Nicholson foi tão assustador no primeiro!

Filisteus, e eu bato na registradora quando ela trava — novamente — e bato nela porque o tempo está passando devagar demais. Sinto sua falta, quero você, e finalmente eis uma mulher que *não* está comprando Stephen King, está comprando livros de culinária de Rachael Ray, e age como se eu tivesse batido nela, não na registradora. Dá um suspiro passivo-agressivo e começa a bater no aplicativo do Twitter no telefone:

"Atendimento ao cliente é o pior! #mooneyrare"

Ela quer que eu veja e deixa o cursor piscar, e certo, senhora, certo. Eu me desculpo por meus maus modos e lhe digo que Rachael Ray é subestimada e ela deleta o tuíte, o que é bom. Chega um momento em que o universo precisa estar do seu lado ou ir se foder, e o universo entra na linha. Eu faço uma pausa para mandar um tuíte da conta de Benji.

"Home Soda e absinto? Sim. #cincohorasemalgumlugar"

O cretino seguinte está revirando a carteira para pegar o cartão de crédito e comprar seu Stephen King para poder (cruzando os dedos) ler sobre um doentio fazendo coisas doentias porque ele é frouxo demais para fazer todas as coisas que quer fazer, coisas que provavelmente quis fazer desde que era criança.

Este é o problema com essa centopeia interminável de lemingues, Beck. Você sabe que são todos frouxos, cada um deles. Compram estes livros para sentir medo porque suas vidas são fáceis demais. Isso não é patético?

— Dizem que o final é impressionante e você não consegue imaginar.

— É o que dizem. Dinheiro ou débito?

Você acha que era difícil sair com Benji? Bem, tente ter a mesma conversa repetidamente enquanto Benji está na gaiola tentando cavar a saída para a China. É, você aturou a besteirada dele, Beck, mas alguma vez o trancou em uma gaiola e o escutou choramingar o tempo todo? O menino é alérgico a glúten e amendoim e fermento e poeira e açúcar e colírio Visine. Dei a ele um bolinho de manteiga de amendoim Reese e ele ficou putinho dizendo que o simples *cheiro* de manteiga de amendoim podia matá-lo.

Por favor.

Sabe a que o cretino é realmente alérgico? Vida real. Estou fazendo um favor ao menino. Quando ele sair daqui ficará puto por ter sido trancado, mas também me agradecerá por fazer dele um homem.

— Tenho todos os livros que Stephen King já escreveu.

— Isso é ótimo. Algo de que se orgulhar.

Mas você os leu, seu merda?

E honestamente, Beck, sabe como é duro dormir na livraria apenas para o caso do sr. Mooney resolver passar tarde da noite para olhar a pornografia dos anos 1970 no porão? Responder a perguntas sobre Stephen Maldito King sabendo que tenho de comprar maçãs e mel para a boneca na gaiola — tenho de rezar o tempo todo que estiver fora com você esta noite para que Curtis esteja doidão demais para ficar curioso e tentar descer lá embaixo, e para que Mooney esteja velho e preguiçoso demais para querer seu pornô. Beck, eu amo você, sério, mas você não sabe dos problemas. Preciso ter consciência da possibilidade distante de que, caso eu saia, Curtis assuma e *um velho qualquer* com grana decida que hoje é o dia em que ele soltará 6 mil por um Hemingway autografado e, então, Curtis ligue para Mooney, e Mooney manque até aqui e os três desçam e transformem o pior dia da vida de Benji no melhor dia. Eu tenho problemas. Reais.

— Consegue acreditar nessas pessoas todas? Achei que eu era o único que ainda comprava livros de papel!

— Ninguém mais compra livros de papel — digo ao cliente número 4.356, que é uma cópia carbono do número 4.343 e de todos os outros. — A não ser que sejam de Stephen King.

Você acha que tem problemas. Eu sei o que você tem. Mesmo com Benji na gaiola, eu sei. Você tem prazos, e tem de ler as histórias de merda dos outros pretensos da sua turma, e acha que seu cabeleireiro fodeu com seu cabelo, e Chana acha que está grávida, embora o cara mal tenha metido, e Lynn diz que se ela ficasse grávida iria para casa ter o bebê e você diz que se ficasse grávida o chamaria de "#tudomenosBenji", e suas amigas estão fartas de você falar sobre Benji, usar qualquer desculpa para dizer o nome dele. Falando sério, Beck. Garotas. Por algum motivo vocês precisam de 52 e-mails para descobrir a merda mais básica e simples:

Chana não está grávida, o que faz sentido, já que ela não fodeu para valer com ninguém.

Lynn está morta por dentro.

Você não superou Benji, mas irá, assim que sair comigo.

Certo, você tem um problema de verdade. Sua mãe manda e-mails bêbada, à noite, triste, quer conversar, quer gritar, mas Beck, se soubesse o que eu aturo por você, não passaria tanto tempo resmungando de seus problemas, leria as histórias que tem de ler para a faculdade, se aninharia no seu travesseiro verde e agradeceria a Deus por não ter uma princesa de 70 quilos trancada em seu porão perguntando se o frango na porra de um sanduíche ciscou.

Ele só podia estar brincando, certo?

— Você não adora Stephen King?

— Quem não adora?

Ele não é idiota. Eu reconheço isso. Ele leu meu rosto e não gostou, mas comeu o sanduíche de frango. E quer saber? Não vomitou depois. Mas está um lixo e erra o vaso quando mija, e *duas* vezes vomitou no vaso todo. E duas vezes eu tive de algemá-lo à gaiola e limpar a sujeira dele. Trabalho é limpar os fluidos de uma boneca depois de ter acabado de encher as prateleiras e a vitrine com o novo Stephen King, pela terceira vez em um maldito dia, enquanto lida com todas as pessoas que idolatram Stephen King tomando a livraria por causa do Grande Novo Livro de Stephen King de que todos precisam no mesmo maldito dia porque Deus proíbe que eles abram seus olhos para um autor menos conhecido. Pessoas. O que você pode fazer, certo?

Meu telefone toca, são 18 horas e é oficial. Os únicos livros que eu vendi hoje além de Stephen King foram aqueles livros de culinária de Rachael Ray, e não espanta que Benji nunca tenha lido nenhum dos livros que colocou na lista de preferidos, porque a maioria das pessoas não lê mais, e não é assim que eu quero estar a menos de três horas de me sentar com você nos degraus.

— Dizem que este é o melhor livro dele.

— Esperemos que sim.

Curtis estará aqui em dez minutos porque deve chegar aqui às seis e nunca chega na hora porque faz parte da geração Benji, ocupada com sua vida falsa em seus malditos *gadgets*. Tinderokcupidinstagramtwitterfacebookvinenarcisismobabacaonlinepetitionsfantasycacetefootball. Eu adoraria mandá-lo embora, mas ele me respeita, então o deixo ficar, embora ele me peça para segurar um Stephen King para ele e escute Eminem em fones de ouvido desnecessariamente gigantescos e leve um ano para ler a porra de um livro.

— Já leu este?

— Ele chegou hoje.

— Bem, mas eles precisam mandar um dia antes. Não vai me dizer que não leu o primeiro capítulo.

— Não, eu não li o primeiro capítulo. Vai ser em dinheiro ou débito?

Eu espero. Os compradores de livros deprimidos de depois do trabalho estão vindo regularmente, e indo para seus calabouços, em casa, para deixar Stephen King distraí-los de suas patéticas vidas solitárias. Temos muita sorte, Beck. Muitos nos Estados Unidos — incluindo Benji, porque eu sou um cara legal e dei um a ele, antes de sair — passarão a noite encolhidos lendo Stephen King, mas você e eu estaremos fora, vivendo nossas próprias vidas juntos. Tenho pena dessas pessoas.

— Importa-se se eu correr e pegar outro livro?

— Na verdade temos uma fila, e já passei seu cartão.

E não há chance de eu deixar todo mundo puto para que essa aí possa comprar uma Candace Bushnell porque é lenta demais para se dar conta de que não gosta de Stephen King. Só está comprando por causa da multidão. É o vírus original, esse tipo de merda.

Seis horas e seis minutos agora e sei o que você está fazendo. Está passando delineador para conseguir aquele olho de gêmea Olsen que você acha precisar para parecer fogosa, o que não precisa. Está ouvindo no máximo seu Bowie, *Rare and Well Done* — a música que você ouve antes de ir para um encontro, música que a faz se sentir bem, música muleta sobre a qual pode falar quando se sente insegura —, e está decidindo qual camisetinha combina melhor com qual sutiãzinho e finalmente tudo isso mexe com você e você está no seu travesseiro verde porque a única forma de você conseguir fazer sua cabeça é pegando o travesseiro e se fodendo. É verdade o que dizem sobre vocês garotas serem mais sacanas que nós meninos, vocês são. Eu estou acompanhando seus e-mails enquanto espero a aprovação dos cartões de crédito, e vocês garotas trocam e-mails sobre seus acontecimentos corporais. É tudo muito antivitoriano. Você é uma garota Bowie, futurista em seu controle clínico de sua pele, e seus cílios você costurou em Chinatown, tão safada que diz às suas amigas que vai tocar uma antes de nosso encontro.

Tocar uma.

— Perdão?

— Tudo certo?

— Sim. Eu consigo uma sacola para o livro ou você vai cobrar mais?

Seis e oito e o próximo cara da fila está comprando o novo King e *O iluminado* só para se destacar — ele chama *O iluminado* de prelúdio e quero cortar o rosto dele — e que mundo medonho há lá fora, Beck. Que milagre que você tenha entrado aqui, tão feliz, quando a maioria das pessoas que entra é tão infeliz, todos exceto você, eu e Curtis, que segura a porta para o sr. Iluminado e começa com suas besteiras.

— Cara, o trem L está uma bosta.

— Assuma a registradora.

— Fiquei quinze minutos lá. Nada.

— Não sai nada esta noite além de Stephen King, então pode fechar quando vender o último exemplar.

— Legal. Mas eu meio que quero saber que horas são.

Seis e onze, o cretino quer horas e é uma perda do meu tempo, eu tenho que ficar um tesão e limpo para você e fechar meus cortes de papel e escovar os dentes com minha nova pasta de dente natural Tom's (obrigado, Benji!), e eu trinco os dentes, mas Curtis é lento e nada bom em ler rostos por causa do modo como sua cabeça está grudada no celular a maior parte do tempo.

— Apenas feche depois que o King acabar.

— É, essa cidade pode acabar comigo se eu nem sequer consigo um trem na hora, sabe, irmão?

— Apenas tente mandar uma mensagem se for se atrasar da próxima vez.

— Você parece arrasado, garoto. Vá lá. Eu cuido disto.

O pequeno escroto Beastie Boy estava atrasado, eu sou o chefe e ele está me chamando de *garoto*, e a última coisa no mundo de que preciso é esse merdinha me dizendo que pareço cansado.

— Você tem uma fila, Curtis — digo, e quando saio, para longe do porão, longe dos livros, sorrio para nada, pela ideia de você, como eu, *se preparando*. Você provavelmente está no seu travesseiro verde porque é quase hora, e, pela primeira vez em muito tempo, vou para casa com um Simon e Garfunkel meloso na cabeça, porque não é mais Dia do Livro de Stephen King, Beck. A noite é nossa.

11

EU só chego em casa às sete, só saio do chuveiro às 19:15, enfio a porra do dedão em uma das minhas máquinas de escrever e há sangue, mas não verei isso como um presságio. A máquina de escrever — Hector, uma Smith Corona 82 que encontrei em um beco em Bushwick — estava no caminho, mas estou nervoso e talvez derramar um pouco de sangue seja bom para os nervos e, porra, talvez Hector também esteja nervoso. Você logo conhecerá todas elas, Beck, todas as máquinas de escrever que coleciono porque um dia os computadores vão explodir, e eu serei o homem com 29 (e contando) máquinas gastas, e todos farão fila para entrar em meu apartamento e comprar uma. Porque, obviamente, um dia o mundo vai mudar, e estou só esperando.

Você gosta daquele filme com o cara que puxa um riquixá pelo Canadá, e aquele cara é basicamente uma camiseta branca, então coloco uma camiseta clássica de gola em V e o cinto que encontrei na loja da Marinha. A fivela é grande, mas não do jeito babaca de Ryan Adams. É coisa de verdade, velho, amassado, e você vai querer tocar nela quando vir, porque é exatamente como aquela que o caubói de seu conto usa.

Chego ao metrô e mando um texto para você.

"Um pouquinho atrasado."

Você responde logo.

"Eu também."

A rua passa lentamente porque não estou de fato neste trem. Estou tão excitado de ver você que o mundo nem sequer existe neste instante. Salto do trem e mando um tuíte de Benji:

"Eu comeria Miley Cyrus. Apenas recordando. #pensamentosprofundos"

Terminei meu trabalho, o ar está perfeito, quando chego à Union Square me escondo atrás de um quiosque e vejo você chegar aos degraus e olhar ao redor procurando por mim, sentar e esperar por mim. São 20:35 e você estava mentindo, não estava atrasada. Só estava tão animada quanto eu. Mando uma mensagem:

"Desculpe, chegarei lá pelas 20:45."

E vejo você responder:

"Sem problema. Eu também! Vejo você às 20:45."

Você se importa com o que eu penso e está nervosa, eu estou nervoso, às 20:52 dou meu primeiro passo na sua direção e percebo meu coração batendo, não posso acreditar que está acontecendo, nós, juntos. Você me vê chegar, sorri e acena, levanta para me receber e parece tão refrescada, de olhos claros e pronta, morde o lábio inferior e sorri com todas as partes do corpo e brinca:

— Está atrasado, senhor.

— Desculpe por isso.

Você não consegue parar de sorrir, e eu deixo você esperar o tempo suficiente para achar que sou legal, não rude, e você respira fundo e olha para cima e depois para baixo.

— Você também disse que iríamos a algum lugar quando escurecesse e, bem, já está escuro.

— Eu sei — digo e dou um tapinha no concreto e você planta seu lindo traseirinho ao meu lado. Isso é legal. É isso, e eu deliberadamente esperei até escurecer para andar até você. Você é uma mulher, eu sou um homem, combinamos com o escuro juntos e você cheira bem, pura. Eu gosto disso.

— Você deveria tentar limpar seus sapatos de vez em quando — você diz e bate com sua sapatilha em meus Adidas brancos novinhos.

— Por isso me atrasei — digo. — Passei uma hora dando brilho nessas belezinhas.

Você ri e começamos a conversar muito facilmente, sobre Paula Fox, tênis e o sem-teto esquisitão que conversa com uma lata de lixo. Há química. Vencemos. Estamos nos degraus há não sei quanto tempo, mas não há pressa de partir. Você gosta daqui.

Você gosta de estar em exposição. E sempre que há um silêncio inesperado, brincamos sobre meus tênis.

— Eles estão muito brancos, brancos como Ben Stiller — você diz e ri.

— É, vou contar ao meu engraxate que você disse isso.

— Bem, espero que sim, ele fez um trabalho excitante, Joe.

Você disse *excitante* e disse *Joe*, e isso tem de significar algo, tem mesmo.

— Dei uma gorjeta — digo, e você começa a contar uma história sobre acidentalmente roubar sapatos de uma loja, e estamos nos degraus há quase vinte minutos e você está tão nervosa e animada que continua falando sobre sapatos como se tivesse de ficar falando sobre sapatos ou pudesse se jogar sobre mim ali mesmo, nos degraus. Escolhi este lugar porque a porra da minha vida inteira passei por estes degraus e vi casais que me fizeram sentir só, rejeitado. E agora há solitários passando por você e por mim, invejosos, e você ainda está falando e, cacete, é difícil prestar atenção quando posso sentir que está cheirosa depois de tomar um banho.

— Então meio que eu não os roubei. Eu acidentalmente fiquei com eles. Quero dizer, quem rouba uma sapataria em uma ilha, certo?

— Uma dama muito corajosa e adorável que tem o nome de Beck, aparentemente.

Eu disse adorável e você sorri e isso foi certo. Você acha que eu a entendo e toda a minha leitura não foi à toa.

— Você deve achar que sou maluca. Por que contei essa história?

— Porque é um primeiro encontro. Todos têm uma história que contam em um primeiro encontro. É sempre engraçada e sempre baseada na verdade, mas é sempre uma meia verdade.

— Então sou uma vaca mentirosa — você diz, depois sorri, cruza as pernas, e, embora vista jeans, dois babacas olham como se conseguissem olhar através do brim. Nova York.

— Não. Você é uma vaca mentirosa e ladra.

Você ri, e enrubesce, eu sorrio, você se espreguiça e está de sutiã vermelho e camiseta branca e seu jeans de quinta à noite e sua calcinha de algodão rosa estão me provocando enquanto você se estica para o céu e descruza as pernas, recosta e apoia a cabecinha no cimento e eu quero montar em você aqui mesmo nestes degraus, nesta hora inadequada, na frente de escrotos que olham para você, do rasta anunciando braceletes de cânhamo e das vacas raivosas indo para casa ler *Doutor Sono* em seus iPads. Quero você aqui, agora, e não posso me levantar estando tão duro assim.

— Você parece jovem — você comenta, e, de repente, estou mole.

— Ahn?

— Não, não, não. Não fique chateado, Joe. Saiu errado.

— Bom, porque acabei de fazer 17 e odiaria pensar que pareço ter 16, pois então você pareceria pedófila e isso não é bom.

Você dá um tapa em minha perna e gosta mais de mim a cada instante, e se curva e morde o lábio, como fez em sua leitura, quando está prestes a fazer uma pequena revelação.

— Só quero dizer que muitos dos meus amigos sentem pressa de se acomodar — você diz. — Às vezes eles me parecem velhos, como se tivessem perdido aquela coisa, aquela abertura que faz uma pessoa parecer mais jovem.

— Quanta erva você fumou antes de vir para cá?

Eu consigo o que queria, outro tapinha, adoro fazer você rir e a adoro por me dar o que quero sem perder sua concentração. Como um facho de laser, você continua.

— Veja, comecei a me sentir velha no meu primeiro ano de faculdade. Eu ia para Praga, desisti em cima da hora, e muitos dos meus amigos me fizeram sentir velha, como se eu tivesse perdido algo que nunca conseguiria recuperar, como se Praga fosse fechar. Como se você só pudesse ir a Praga enquanto estivesse na faculdade.

— Poderíamos ir agora — digo, e minha brincadeira não tem graça, e, por favor, pare de falar sobre faculdade pois isso me faz perder meu jogo.

— Seja como for, o que eu queria dizer era que você tem uma disposição jovem. Isso é bom. Como se tudo fosse possível e nós ainda pudéssemos teoricamente concorrer à presidência, aprender um novo idioma ou visitar todos os castelos de Bruges.

Tudo o que ouvi foi *nós*, e eu sorrio.

— Quer que eu abasteça o meu NetJet?

— Estou falando sério — você diz, e leva seu corpo para mais perto do meu. — E você? O que queria ser quando crescesse?

— Um astro do rock — respondo, e imito você, me inclinando para trás, mais perto de você, e agora estamos ambos olhando para o céu. Aposto que parecemos ótimos vistos de cima, iluminados pelas estrelas, apaixonados.

— Quando eu era pequena queria ser cantora — confessa, e suspira.

— Por isso gosta tanto de *A escolha perfeita*?

Você vira a cabeça e se senta. Eu fodi tudo.

— Como sabe que eu gosto desse filme?

— Só um palpite — retruco. Merda. — Sei que é muito popular.

— É — você diz. Merda. — Você gosta desse filme, Joe?

— Não sei — digo, e estou vermelho como uma beterraba, e fodido. — Nunca vi. Mas se você gosta, quero dizer, deve ser bom.

— Anotação — você diz, sem olhar para mim. — Ficar menos previsível.

Você para de falar, eu não sei o que dizer, e vá se foder aquela Anna Kendrick, isso é culpa dela. Não sei dizer se você se sente mal consigo mesma ou assustada comigo. Como pude ser tão descuidado? Dei tanto duro para me preparar e estrago tudo com um *filme*, e quando você finalmente olha para mim, há uma nova tristeza em seus olhos e é culpa minha. Eu fiz isso. E só há um modo de consertar.

— Você não é previsível, Beck. Apenas está no Facebook.

— Então você está me espionando — diz, sem nenhum sinal de tristeza, e soca minha perna, você gosta de mim, gosta mesmo.

— Bem, eu não chamaria isso de espionar. — Dou um sorriso. — Não é como se isso fosse privado ou algo assim.

Você ri e me soca — de novo! —, levanta e estica os braços acima da cabeça. Eu vejo seu umbigo, e gosto de olhar para você acima, e ambos sabemos que você gosta de ser observada, e se estica para um lado e para o outro e bate as mãos nos quadris.

— Você viu todas as minhas fotos?

— Só umas duzentas, sabe, só as do último fim de semana.

Você deixa a cabeça cair e sacode os braços.

— Não. Não. Não quero ser a previsível garota do Facebook colocando toda a sua vida ali.

— Aquilo não é toda a sua vida.

— Realmente não é.

— Você reserva muito dessa merda para o Twitter.

Você dá um tapa na minha perna, eu gosto, e skatistas passam, uma criança pequena grita sobre sorvete de chocolate, um hippie toca banjo e uma piranha com emprego bom e saltos altos está falando alto demais ao telefone. Tudo isso é para nós, e você baixa a voz.

— Eu procurei você.

— É?

— Eu ia olhar suas fotos, mas você não está no Facebook.

— Já estive — minto. — Mas me cansei daquilo. Algumas pessoas, é como se elas se importassem mais com atualizar seu status que com as vidas de verdade.

— Bastante verdade. Uma de minhas melhores amigas é como você, muito anti-Facebook.

— Eu não sou realmente anti.

— Bem, você não está nele.

Sei que você está falando de Peach, e agora você acha que sou como Peach, e ninguém gosta dessa Peach, então isso é uma coisa ruim. Entro em pânico. Fico em silêncio. O menino é silenciado com sorvete de chocolate, o vento está aumentando, está ficando mais escuro a cada segundo, os skates pousam com força e você quer olhar seu telefone, posso sentir você querendo contar às suas amigas: "Esse cara com quem estou acabou de anunciar que me espreitou no Facebook. É o fim."

— Então, quer comer ou o quê? — pergunto. Eu espreguiço, lembro a você que tenho bíceps e estou pronto para matar qualquer um que ouse olhar para você.

— Ou o quê?

— Imaginei que você iria querer comer. Não tenho um "ou o quê" preparado.

— Já notou como desperdiçamos palavras?

— É — digo, e quase menciono você e Chana, e o papo idiota de Lynn sobre odiar assistir a *New Girl*, mas me contenho.

— Preciso ser mais cuidadosa com minhas palavras e só dizer o que realmente quero. Cortar a gordura.

— É. Saquei.

— Então sim. Quero comer algo.

Eu me levanto e ofereço minha mão, embora você não precise, e você a toma.

— Você primeiro — digo, e você sabe que quero ver sua bunda enquanto desce os degraus. — Está com vontade de quê?

— Sou flexível — você diz, e olha para trás. — Desde que seja perto de casa, porque tenho de levantar cedo amanhã.

FICAMOS com hambúrgueres e fritas do Corner Bistro, e vodca, e uísque e deixei você conduzir a conversa. Você me contou sobre Benji, "meu ex que é drogado, eu o mando embora, mas ele sempre volta. Mas não vamos falar disso". Eu faço esse agrado (sou agradável!), e passamos para sua infância (a sua em Nantucket, a minha em Bed-Stuy, sua coisa de ficar na defensiva por ser caipira, meu conhecimento — preparado — de sua ilha, o que a impressiona, porque eu na verdade nunca estive lá). Você exclama:

— Joe, você é tão inteligente que fico achando que trabalha em uma livraria!

Você faz muitas referências à faculdade, "babaquice de Ivy League" e "caras de Yale". Finalmente, está ligada o suficiente para me perguntar o que quer saber de verdade.

— Quando você se formou?

— Não me formei. Nem sequer comecei.

Você assente. Você nunca está com caras como eu. Eu começo a rir. Você começa a rir. Eu nunca estive com pessoas como você, e começo outra rodada de quem leu mais livros.

Eu venço novamente, e você fica estupefata.

— D-desculpe — você gagueja. — Eu me sinto quase grosseira dizendo isto, mas você não foi para a faculdade e deve ter lido mais que metade das pessoas em minha oficina. É maluquice.

Eu fico sombrio.

— Não conte aos garotos na faculdade.

Você sorri, pisca, e temos um segredo. Eu sei como conversar com você, e arrasei, e a prova é que somos os últimos aqui e você entende porque insisti para que nos sentássemos no fundo. Temos o salão só para nós. Estamos em uma mesa de quatro, as outras estão limpas e as cadeiras sobre o tampo. Você se apoia na parede e eu a encaro. Você olha para a esquerda, para a direita, então para mim. Você pede permissão para deitar no banco, mas eu tenho uma ideia melhor.

— Você pode fazer isso — digo. — Ou eu poderia simplesmente levá-la para casa.

Você pisca lentamente de propósito e fala com malícia.

— E então o quê?

— O que você quiser, Beck.

Você sorri.

— Então é um cavalheiro?

Eu não respondo a isso, e você está envergonhada e bêbada ao mesmo tempo. A ironia de seus olhos intencionalmente pintados de branco é que, quanto mais você bebe, mais os esfrega, e quanto mais os esfrega, menos se parece com uma gêmea Olsen morena e mais consigo mesma.

— Deite-se — eu ordeno.

— Sim, senhor — você diz, e suas bochechas ruborizam, seus mamilos endurecem e sua calcinha está encharcada agora mesmo. Você se deita. Eu quero agarrar você, mas não há como sequer beijar você esta noite.

— Coloque as mãos na cabeça.

— Estamos brincando de tudo que seu mestre mandar?

— Não — eu digo, e fico imaginando se trepássemos ali. Imagine. O ar cheira a cerveja, bacon e Murphy's Oil, eu respiro, você coloca as mãos na cabeça e existe um Deus, porque uma velha música de Bowie começa a tocar, você sorri, eu observo seu sorriso e penso em você nua, e como estou um pouco bêbado me levanto, você ouve minha cadeira se mover e abre os olhos.

— Feche os olhos, Beck.

Você faz o que eu digo e fala.

— Eu só ia lhe contar sobre esse disco.

— Não quero saber sobre este disco — digo.

Este sou eu treinando-a para me tratar como especial. Não sou um babaca da Ivy League que irá respeitá-la porque você sabe de um disco obscuro de David Bowie, e de jeito nenhum vou deixar você contar histórias que contou a caras de Yale. Você agora é minha, fará o que digo e Bowie canta sobre estranhos chegando, ficando, e você murmura junto para provar que conhece a letra. Que tempo terrível você passou com os Benji do mundo que se importam com essas merdas.

Eu contorno a mesa e me sento ao lado da sua cabeça. Você dá um risinho, mantém os olhos fechados, e não está mais murmurando, está latejando de desejo. Recosto e coloco os pés sobre uma cadeira. Meu pau está a centímetros de sua cabeça, de sua boca, você pode sentir o cheiro, suas pequenas narinas se abrem e você engole, nervosa, eu baixo os olhos para você de olhos fechados e sua boca está entreaberta enquanto Bowie canta sobre se os humanos são uma decepção. Ele certamente não estava cantando sobre nós, Beck.

— Isso é legal — você diz antes que a música termine. — Quem sabe eles se esqueçam de que estamos aqui e nos tranquem.

— É — digo, e porra, meu cérebro vai diretamente para Benji. Eu quero ficar com você para sempre, mas tenho de alimentar meu novo bichinho de estimação. Mesmo trancado, ele está se metendo no nosso caminho.

— Ei — você diz. Seus olhos estão arregalados, a música terminou e agora é Led Zeppelin, alto demais para onde estamos, e você sabe como dar uma ordem. Aprendeu com amigos que foram criados com empregadas. — Me leve para casa.

— Sim, senhorita.

Caminhamos dois quarteirões sem trocar uma palavra, e ambos estamos com as mãos nos bolsos, como se elas tivessem de ficar lá ou seriam um problema. Estamos ligados demais para jogar conversa fora, a noite está silenciosa, não há ninguém por perto, chegamos aos seus degraus e você sobe dois deles, de modo que estamos em pé cara a cara. Mas eu saberia que você faria isso antes mesmo de não ter visto com meus próprios olhos. É seu jogo babaca. Não vou beijar você, Beck. Você não vai me dizer o que fazer com seu corpo.

— Foi legal — você diz, ronronando.

— É — respondo. Sem ronronar. — Você tem de acordar cedo, então é melhor entrar.

O conflito combina com você, Beck. Você vê um cara com o secundário que em teoria deveria estar pulando em você. Também vê um cara que *leu mais livros* que todos em sua oficina. Eu sacudo o seu mundo, não vou beijar você, e você aceita, que escolha tem? Você está puta e seu travesseiro verde vai tomar uma surra de xota esta noite, você vai pensar em mim, vai esperar por isso e ficar doente de desejo disso, de mim, da mesma maneira como aquela criancinha berrou e esperou seu sorvete, da mesma forma como o país esperou por Stephen King e eu esperei por Curtis, e Benji do outro lado da cidade espera por mim. Você vai esperar.

— Bons sonhos, Beck.

— Quer entrar e tomar uma água antes de ir? — você pergunta em pé junto à porta, mantendo-a aberta, seu convite para entrar, sua última tentativa.

— Estou bem — digo, e não olho para trás.

Você está obcecada por mim, cacete, e honestamente eu meio que estou aliviado por ter feito um acordo com Benji, suas maçãs orgânicas e club soda agora, ou poderia ter seguido você para dentro, esperado destrancar a porta, jogado você no sofá e lhe dado o que você quer, o que eu quero. Mas não. Você me dará água, mas não uma porra de garrafa plástica para viagem. Quando você matar minha sede, será depois de nossa primeira foda, em sua cama, e você me trará um copo de água e dividiremos o copo e será o primeiro de muitos. Não tenho a força para decepcionar você quando a quero tanto, mas tenho um maricas na gaiola.

Maldito Benji: um salvador. Quem diria, não é?

EU sorrio o caminho todo até em casa e, lá, conto às minhas máquinas de escrever sobre a noite e *toco uma* em sua homenagem, tomo uma chuveirada, me cubro de creme Kiehl's e baixo *Rare and Well Done* de Bowie para poder escutar no caminho para a loja. Tenho de sair novamente. Como poderia dormir, cacete, quando estou esperando que você mande e-mails para suas amiguinhas sobre nosso encontro? Paro na delicatessen e pego Cheerios e leite porque Benji também merece um presentinho. Eu assoviaria se soubesse, entro na livraria, desço as escada trotando e encontro a princesa Benji fazendo bico e mexendo nas unhas. Sei por uma olhada em *Doutor Sono* que ele nem sequer abriu. Eu sou profissional. Deslizo o Cheerios para ele pela gaveta, junto com um travesseiro. Como eu sou legal, certo?

Mas a princesa cheira a tigela e recua.

— Isto é leite de amêndoas?

— Apenas leia seu livro e coma. A prova será sobre as primeiras cem páginas. Vá.

Eu subo trotando e me sento para uma sessão de Beck, que consiste em escutar *Rare and Well Done*, olhar fotos suas que roubei do Facebook, assistir a cenas de *A escolha perfeita* sem som. Eu me perco tanto nisso que amanhece na livraria e eu deveria estar cansado por causa de todos os drinques, toda a excitação, mas estou intoxicado de você e quero levá-la para a Londres sobre a qual Bowie canta no disco que você adora. Mas o que tenho de fazer neste instante é voltar lá embaixo e ver se Benji aprendeu a seguir ordens.

Que visão, Beck. Ele não está apenas lendo King. Está devorando o novo livro como um garoto gordinho faz com um doce. Eu começo a aplaudir e claro que ele o larga e simula um bocejo. Digo que chegou a hora da prova, ele não quer uma prova — não, dã — e eu lhe digo que é hora de um teste club soda.

— Mas você disse para ler o King.

— Isso mesmo. E você leu. Parabéns.

E agora vem o ataque da boneca. Ele não quer um teste de club soda porque está com dor de barriga e dor de cabeça e acha ser alérgico a alguma coisa nos livros, e precisa de um Band-Aid (isto é um acampamento, idiota?), uma vitamina B e um creme para seu eczema, que é agravado pelo café "barato" (claro que o leite vem de uma teta de vaca, Benji), e ele está cansado e não quer mais ser submetido a testes.

— É hora de começar, Benji.

— Eu preciso de mais tempo. Estou lhe dizendo que tenho intolerância a laticínios. Este cereal é veneno — ele me diz.

— Club soda vai dar um jeito no seu estômago.

— Por favor — ele implora.

— Você também nunca leu *On the road*, certo?

Ele não diz nada, estou balançando a cabeça e sinto vontade de ligar para a porra da universidade de Yale e dizer a eles que seu produto é uma bosta.

— Não sou uma pessoa ruim — ele diz.

— Claro que não é.

E sabe, Beck, ele não é um babaca. É só tão inseguro, cacete, que tem de largar o King que adora. Dou outra chance a ele.

— Então, como está o King?

— É — ele diz, e ainda não aprendeu nada.

Eu enfileiro em uma bandeja três copos vermelhos idênticos, do tipo Solo, cada um cheio da porra de club soda.

— Você não leu *Breves entrevistas*, e todo dia haverá uma prova.

— Eu tenho bastante dinheiro, Joe, dinheiro de família. Tenho um carro, um Alfa Romeo impecável. Você quer um carro? Porque eu posso lhe dar um carro.

Eu abro a gaveta, passo os copos da bandeja para a gaveta, "suavemente, Joseph", uma a uma.

— Certo, Benji, hora de começar.

— Espere, Joe. Não faça isso — diz, e se joga de joelhos. — Estou falando sério. Eu tenho *dinheiro*.

Ele é mesmo um idiota, não consegue entender uma situação, eu quase sinto pena dele, gesticulo para se levantar, e ele se levanta. Cachorrinho bom.

— Benji, eu não vou drogar você.

— Graças a Deus.

— Isto é um teste. Cada copo contém club soda — explico. — E você vai tomar um gole de cada copo e me dizer qual copo contém Home Soda. Vamos ver se você reconhece seu próprio produto.

Ele cruza os braços.

— Preciso de alguma coisa para limpar meu palato.

Estou um passo à frente, enfio a mão na bolsa e tiro um bagel seco.

— As três garrafas foram abertas ao mesmo tempo? Club soda muda quando exposta ao ar.

— Foram, Benji.

— Preciso de copos de vidro, porque o plástico interfere na química.

— Beba.

Dou o primeiro copo a ele, que pega, fecha os olhos, gargareja, bochecha e quero enfiar a cabeça dele no copo. Ele cospe no pote de mijo, espreguiça e caminha.

— Você sabe que meu pai tem acesso a um jato. Posso levá-lo a qualquer lugar do mundo. Posso colocar você em qualquer lugar, então esqueceremos que isso um dia aconteceu. Ele nem sequer saberia que decolou. Ele espera que eu torre dinheiro, quero dizer, isso não chamaria nenhuma atenção.

— Morda o bagel, Benji.

— Tailândia. França. Irlanda. Você poderia ir a qualquer parte. Toda parte.

— Morda o bagel.

Ele morde o bagel e eu levanto o segundo copo.

— Joe, por favor. Pense no que você quer aqui.

— Pegue o copo.

— O teste ainda não é válido, pois o fermento do bagel compromete minhas papilas gustativas, e eu deveria gargarejar com água salgada.

Eu nunca levanto a voz, então ele fica bem assustado quando faço isso.

— Pegue a porra do copo.

Ele cai de joelhos, o cretino, e deve estar se identificando com o personagem-título de *Doutor Sono*. O ignorante Benji provavelmente nem sequer se dá conta de que o dr. Dan Torrance é um personagem surgido em *O iluminado*, um personagem que lutava, e Benji nunca trabalhou um dia na vida, não de verdade, e provavelmente chegou só à metade de *O iluminado*, assistiu ao filme e nunca segurou um machado. Benji não é um homem real. Você não pode chamar o que ele faz de trabalho.

— Levante-se.

— Água salgada. Estou implorando.

— Eles não dão água salgada nos testes entre Coca e Pepsi.

— Sabe o que diferencia club soda de seltzer e água gasosa?

Eu rosno.

— É o sal, Joe. Algumas vezes bicarbonato de sódio. Outras vezes é citrato de sódio ou fosfato dissódico.

— Apenas beba, Benji. Você não vai escapar de um teste com babaquice.

— Não estou de babaquice. Sem babaquice agora. Eu entendo disso.

— Beba.

Ele bebe. Ele gargareja.

— Este não é meu produto.

Eu ignoro seu pedido de saber se passou ou não, e subo a escada. O suspense é bom para as pessoas. Ele nos torna mais fortes. Por isso os Estados Unidos adoram tanto Stephen King; ele nos mantém na beirada do assento até doer. Ele também sabe que todas as pessoas, sejam zeladores no estádio Fenway ou jovens cretinos privilegiados, são capazes de enlouquecer nas circunstâncias certas. Stephen King apreciaria meu trabalho com Benji, e eu sorrio enquanto tranco a porta.

VOCÊ

* * *

A delicatessen da esquina tem sal, e eles têm potes de vidro, e eu compro ambos. O cara da delicatessen é legal e me dá uma caixa, o que torna mais fácil a caminhada de volta para a loja. Quanto mais tempo dedico ao projeto club soda, menos surpreso fico por saber que alguns poucos idiotas caem nessa de Home Soda. E quanto mais tempo passo com Benji, mais eu entendo por que um milhão de outros idiotas ricos *não* caem nessa. Home Soda nunca será tão popular quanto Stephen King. Você conquista fregueses mostrando que os entende. E você não pode vender um produto se não compreende o comprador potencial de dito produto.

Benji não entende merda nenhuma de marketing. A Coca experimentou todas as estratégias de marketing conhecidas pelo homem. Por isso Coca é a última e clássica, original e nova, dietética e calórica. É a preferida de uma J. Lo de olhos arregalados, e é a bebida norte-americana mais branca e sem graça que temos. É uma contradição. É genial, cacete. E a Coca gastou muita grana para ser tudo para todos. Seu namorado Benji entendeu tudo errado. Ele acha que o que interessa é ser especial, científico, mas você não chega a lugar nenhum no mundo se não souber como misturar todas as coisas.

— Gargareje — digo a Benji quando desço.

Ele gargareja como se estivesse no dentista, e não é como se eu não estivesse tentando dar uma chance. Acho que a maioria dos cretinos merece uma chance de ser alguma coisa que não um cretino. Por exemplo, sei que Benji foi, literalmente, estragado pela família, criado por uma mãe que nunca dizia não, um pai que nunca disse "búúú!" e uma série de babás que silenciosamente deixaram o pequeno cretino fazer o que quisesse. Ele me contou essa merda toda na segunda noite aqui, a noite em que fracassou no teste sobre *Arco-íris da gravidade* e admitiu ter pagado por todos os ensaios que escreveu em Yale. Disse que leu as primeiras cinco páginas do livro e adorou tanto que não conseguiu ler mais. Disse que é sensível demais para ler, comovido demais, que é feito para pequenas doses. Para alguém tão sensível ele certamente gasta muito tempo para gargarejar a água salgada, cacete.

— Beba, Benji — eu ordeno.

Ele tampa o nariz e bebe, e não sei o que vou fazer com ele. Com esse garoto que nunca ficou de castigo, levou uma surra ou foi trancado por qualquer pecado que tenha cometido. Ele enganou para se formar na faculdade e está tentando ganhar a vida enganando cretinos pretensiosos com sua soda de luxo. Agora, pela primeira vez na vida, Benji está tendo de ser responsável. A responsabilidade cai bem nele. Ele tem rugas, e não parece tanto um maricas. Ele não é perfeito, obviamente. Ainda cruza as pernas como se fosse a porra do Woody Allen. Ainda sopra os cabelos para longe dos olhos. Ainda um maricas depois de todas essas provas.

— Qual copo tem Home Soda?

— Não tem nenhuma importância, cacete, porque estou vendendo um clima. Estou vendendo saúde e riqueza.

— Sempre importa. Qualquer idiota diferencia Coca de Pepsi.

— É diferente.

— Qual copo tinha Home Soda?

— Como eu vou saber se, ao menos, você está me dizendo a verdade?

— Por que eu não sou a porra de um mentiroso.

— Você não vai me matar — ele diz, novamente tentando ter autoridade. Ele acha que sou o tipo de otário que quer ser *visto* pelo ricaço que sabe tudo.

Eu não vou aturar isso. Deixo isso claro, e continuo.

— Qual copo tinha Home Soda?

— Você é esperto demais para me matar — ele diz, beligerante. — Você conhece gente como eu, tenho pais que vão descobrir o que aconteceu. Você realmente nunca faria isso a si mesmo.

Eu não digo nada. Conheço o poder do silêncio. Lembro de meu pai não dizer nada, e lembro dos silêncios dele mais vividamente do que lembro das coisas que disse.

Benji começa a tremer quando pega novamente o copo Um. Mas sua mão está tremendo, e, quando ele o leva à boca, a maior parte rola pelo queixo para a camisa Brooks Brothers. Não consigo imaginar quantas pessoas sentem falta deste cara, quantas pessoas o amam. Você deveria ver os e-mails dele, Beck. Ele desaparece por três dias e todos no mundo agem como se fosse a porra do Ferris Bueler de *Curtindo a vida adoidado*. Os e-mails chegam, "onde você está como você está você está bem, cara?". Eu não respondo a nenhuma dessas pessoas; elas precisam entender que Benji descarrilou. Elas não veem os tuítes dele? Seja como for, é um péssimo sinal do estado de nossa sociedade toda essa curiosidade sobre o paradeiro de um mentiroso. Aquele que distribui o amor neste mundo está fazendo um trabalho ruim. O amado Benji morde o bagel e eu vejo seu telefone para acalmar os nervos. Você ainda não enviou nenhum e-mail a ninguém sobre nossa noite, o que significa que ainda está ocupada com o travesseiro ou apagou de exaustão, e ele toma um gole do copo Dois, gargareja e cospe.

— Decididamente não o copo Dois — diz, e está evidentemente tentando enganar, tentando arrancar uma dica de mim. Eu o ignoro. Você tem de ignorar as pessoas até elas entrarem na linha, especialmente garotos ricos mimados. Quando estive nessa gaiola eu fui bom. Não criei caso e tremi como uma garotinha.

Ele pega o copo Três.

— *Salute* — ele diz, e de algum modo essa é a coisa mais ofensiva que já disse. Ele não é italiano. Que direito tem de dizer *salute*? Ele toma um gole, lambe os lábios, coça o queixo e anda pela gaiola.

— E então?

— Você sabe que estas não são as circunstâncias ideais para um teste às cegas.

— A vida nem sempre é ideal, não para a maioria das pessoas.

— O ar é úmido. Embolorado.

— Qual copo tem Home Soda? Um. Dois. Ou Três.

Ele agarra as grades, balança a cabeça e está chorando. Novamente. Eu confiro seus e-mails enviados. São nove da manhã depois de nosso encontro e você está acordada. Sei disso porque você acabou de escrever para algum cara de sua turma sobre como gostou da história dele. Eu respiro. Você tem de fazer esse tipo de coisa. É só faculdade.

— Benji. Qual copo, porra?

Ele levanta a cabeça, recua como se fosse desmaiar — é, tá — e limpa os olhos, cruza os braços e manda:

— Nenhum deles.

— Essa é sua resposta?

Ele agarra os cabelos louros despenteados que ficam mais escuros a cada dia — suor.

— Espere.

— Ou essa é sua resposta ou não é.

— Todos tinham um gosto de merda. Certo? Todos tinham gosto de fundo de barril de uma porra de club soda de loja de 1,99 com reforço químico. Você está armando para que eu não passe. Isso é errado. É injustiça.

— Essa é sua resposta?

— Sim.

— Lamento, Benji — eu digo, e o lábio inferior dele treme. — Mas você está errado. Todos são Home Soda.

Você recebe um e-mail. O cretino da sua turma.

"Obrigado, Beck. Estou lendo você agora, é o seu melhor, legal, muito legal."

Benji bufa.

— Não.

E quem é esse cretino pretensioso? *Estou lendo você.* O cacete que está, Beck. Vamos lá. Escreva para Chana. Escreva para Lynn. Você teve o melhor encontro da sua vida e vai trocar e-mails com um babaca da faculdade?

— Joe, não há como esses serem meus.

— Bem, eles eram — digo, e agora Benji não é apenas Benji, ele é todos os caras maus, todos os mentirosos educados. — Chama-se controle de qualidade e, se você soubesse alguma coisa de negócios, saberia que se não tem controle de qualidade, não tem nada.

Ele se senta, cruza as pernas e não posso deixar de me sentir mal pelo garoto. O mundo falhou com ele, não o preparou para a vida adulta. Agora está trancado com uma camisa suja de lágrimas e a barriga cheia de club soda e leite de vaca. Seus cabelos louros e seu vocabulário finalmente o deixaram na mão. Ele fala.

— Então, e agora?

Mas ele não merece resposta. Fracassou no seu teste. Eu apago as luzes, subo a escada e ele fala sobre precisar de luz e é óbvio que está adorando o King, e você está disparando e-mails para esse cara e tudo o que eu quero é uma Coca em lata e um e-mail seu. Eu me viro e dou a ele a porra da luz. Ele vai ler um livro inteiro pela primeira vez na vida.

12

HÁ uma garota que eu demiti há dois anos. O nome dela era Sare, o que era irritante. O nome de batismo era Sarah, mas ela queria ser original e toda essa babaquice. Sare era um pesadelo. Agia como se nos fizesse um favor aparecendo. Sugeria livros de Meg Wolitzer para todo mundo, até mesmo para homens asiáticos velhos. Quando tinha de dar troco, relutantemente oferecia um punhado de moedas e obrigava o cliente a esticar a mão sobre o balcão para pegar. As pessoas odiavam Sare. Ela pedia *lattes* extraquentes, e pelo menos três vezes por semana voltava ao Starbucks e reclamava, embora um *latte* extraquente não permaneça extraquente após uma caminhada de dez minutos no frio. Usava dreadlocks embora fosse branca. Mantinha um livro no balcão para garantir que todos soubessem que estava lendo Edwidge Danticat ou qualquer autora que escrevesse sobre as minorias do momento e pela qual todos deveriam estar muito empolgados. E lia *New Yorker*, significando que 98,9% de suas conversas, enquanto fazia faxina, começavam com "Você viu aquela matéria na *New Yorker*...". Nunca dava descarga no vaso quando mijava, alegando que seus pais a tinham ensinado a poupar. Mas o mijo dela fedia, porque era uma vegetariana que vivia basicamente de aspargos. Usava óculos idiotas, tinha um namorado na faculdade de medicina e quando estava no balcão ficava sempre encolhida e com o corpo enrolado em um cardigã de lã sem forma, fazendo os clientes sentirem que a estavam incomodando.

Quando a demiti, deixei um bilhete dizendo que o último cheque estava no banheiro. E o deixei no vaso cheio de seu mijo com cheiro de aspargos. Ela nunca apareceu novamente. Trabalha em uma organização sem fins lucrativos e é casada com o médico, que deve ser a segunda pessoa mais irritante do planeta Terra simplesmente por ser casado com ela. Em termos de pura irritação, nunca conheci ninguém que chegasse aos pés de Sare Worthington, salvadora do meio ambiente, nascida em Portland, Maine, mas desejando ser de Portland, Oregon. A vaca deveria simplesmente ter mudado para lá.

Mas eu a invejava, mesmo. Ela era tão serena, tão inabalável. Nunca se impressionava com nada. Conseguimos um James Joyce autografado, ela deu de ombros. Ela me fazia muito consciente de mim mesmo. Eu odiava querer impressioná-la e odiava ser tão facilmente impressionável, cheirando a tinta morta no James Joyce. Estou impressionado, agora mesmo, neste táxi com você. Não pude acreditar quando você quis me levar a uma festa na casa de sua amiga. Parece cedo para apresentar os amigos, mas você insistiu. E eu ficaria nervoso de qualquer forma, porque não sou uma pessoa de festas, mas estou duplamente ansioso porque não estamos indo a uma casa qualquer. Estamos indo à casa de sua amiga Peach Salinger. O táxi nos sacode, não estamos acostumados a andar de táxi juntos, e tento relaxar, mas você não é a garota do Corner Bistro. Também estou orgulhoso pra cacete de meu trabalho com Benji (o sr. Mooney e Curtis não têm ideia!), e não quero, acidentalmente, começar a me vangloriar de como sou um bom gerente. Então me empolgo, como um otário de olhos arregalados.

— Salinger. Isso é alguma coisa.

— É — você diz. — Ela é parente dele. Algo assim.

Sare não ficaria nervosa de ir a uma festa de uma Salinger, mas eu estou abalado. Não posso acreditar que estou prestes a conhecer um parente de J.D. Salinger, e em nosso segundo encontro. Quando liguei para você para marcar um segundo encontro, planejava levá-la ao planetário, onde daríamos amassos na última fila. Mas você me cortou.

— Eu tenho uma festa. Quer ir?

Eu disse que sim. Iria a qualquer lugar com você. Mas quanto mais perto chegamos, mais nervoso estou. Com medo de que todo mundo me odeie e você está com medo de que todo mundo me odeie. Eu percebo, Beck. Você está desconfortável. Muito. E quando estou nervoso, fico desagradável. É um problema.

— Então J.D. é tio dela?

— Ninguém o chama assim — você diz. Quando nervosa, você também fica desagradável.

— Qual é o parentesco deles?

— É só uma coisa que todos sabem. — Você suspira. — Não vamos perguntar. Ele era muito discreto.

Eu respiro e tenho de me lembrar de como você me descreveu em um e-mail a essa Peach hoje.

"Diferente. Um tesão."

Você me convidou para uma festa porque eu sou:

"Diferente. Um tesão."

Mas e se eu foder tudo? Eu me sinto mais inseguro a cada quarteirão. Estamos indo para a terra de Woody Allen, onde sempre quis morar. Eu vendo Salinger, sua amiga *é* Salinger, e você ainda está colocando maquiagem embora eu já a tenha visto. Você está enfiando uma merda preta sob os olhos desde a 14 Street, e sou eu quem deveria estar me preparando para uma batalha. Eu tenho dificuldades com universitários, quanto mais o pessoal da Brown. Você censura o motorista.

— Eu disse Upper *West* Side, não Upper *East* Side.

Você tem uma bolsa Prada e uma cara feia e eu me sinto como se tivesse apanhado a Beck errada. Você deve ser médium, pois ruboriza, na defensiva.

— Desculpe. Não quis parecer escrota. Só estou nervosa.

Ufa. Eu provoco você.

— Eu também. Com medo de seus amigos não gostarem de você.

Você gosta muito disso, desiste do que estava procurando na bolsa e começa a conversar comigo. Não apenas conta uma história, você a vive. Quando me conta sobre a melhor de suas festas, que foi quando seu pai deixou você e duas amigas pegarem o *ferry* para o continente para ver *Simplesmente amor* e você conheceu um cara, eu descubro que sou capaz de invejar *um garoto de 13 anos*. Conversar com você é como viajar pelo tempo, e você suspira.

— Ele significou muito para mim.

— Você ainda se encontra com ele?

Você sorri.

— Eu estava me referindo a Hugh Grant.

Eu vou matar Hugh Grant, cacete.

— Ah.

— Sabe, Joe, Hugh Grant trabalha em uma livraria em um de seus filmes.

— Tá de sacanagem? — eu digo, e não vou matar Hugh Grant. Estamos prestes a nos beijar, eu sinto isso, mas seu telefone avisa que recebeu uma mensagem.

— É Peach — você diz. — Se eu não responder imediatamente ela surta.

— Ela é maluca como tio J.D.?

Você não ri da minha brincadeira, e é melhor Peach saber como tem sorte de ter você. Agora ela está ligando, como se você tivesse tido tempo para responder à mensagem.

— Estamos quase aí — você diz a ela.

Então, eu a ouço gritar:

— Você não é um *nós*, Beck.

Você desliga o telefone e o clima mudou. Você não ri quando eu digo que a sobrinha de J.D. parece ser uma peça. "Não, Joe. Ela não é sobrinha dele." Eu não gosto do modo como você diz meu nome, e deveria me calar, mas não calo; meu ódio instintivo a Peach está vencendo.

— Eu não saco isso. Vocês são tão boas amigas e ela não lhe conta qual o parentesco que tem com um dos escritores mais famosos do mundo?

— É uma coisa de limites.

Você está me afastando no nosso segundo encontro, embora eu seja "diferente. Um tesão".

Você tem medo do amor, isso é triste, e não quero entrar em uma sala cheia de estranhos. Mas estamos aqui e sou seu acompanhante. O porteiro abre a porta do táxi e você deixa que ele a ajude. Eu queria fazer isso.

— Vamos — você diz. — Não quero me atrasar.

Se Peach não tivesse ligado, você teria dito não *queremos* nos atrasar.

O elevador é como um botão de reiniciar, e concordamos que cheira a lavanda. As paredes têm papel florido. Violetas, acho. É um elevador velho, há um pequeno banco, estamos em pé lado a lado e vemos os botões acendendo à medida que passamos cada andar.

— Cobertura, é?

— É — você diz, e passa a Prada para o ombro direito, entre nós — Estou muito contente de ter lembrado de trocar de bolsa. Peach me deu esta de aniversário ano passado. Eu teria me sentido péssima se me esquecesse de vir com ela.

Nenhuma chance de conversarmos sobre bolsas antes de fazermos sexo, então eu finjo estar curioso.

— Peaches também frequentou a Brown?

— É Peach — você diz, lambe o dedo e limpa o delineador. Você está nervosa, o elevador é lento, e por que não podemos simplesmente apertar o botão vermelho e ficar aqui?

— Ah.

— Nunca é Peaches — você diz, em um tom tão sério que seria de pensar que estamos discutindo política. — Bem, de fato não é verdade. O nome do meio é Isabella, então algumas vezes brincamos, sabe, Peach Is.

— Hã-hã.

— Sacou? Is, como redução de Isabella?

Olho para você porque sei que você acha que sou

Diferente. Um tesão.

Não peço permissão para tocá-la, mas levo a mão à sua face e limpo um ponto de delineador com o polegar. Você engole. Você sorri.

Suas pupilas estão gordas de desejo. Eu desvio os olhos primeiro. Peguei você.

— Seja como for — você diz. — Ela é uma velha amiga. A família passava o verão em Nantucket, e nos conhecemos quando crianças. Ela é genial.

— Legal isso.

— Ela secundariou com Chana em Nightingale, me conheceu nos verões, e Lynn foi sua colega de quarto quando caloura. Ela é tipo o ponto comum.

Eu rio e você enrubesce.

— O quê?

— Você acabou de usar secundário como um verbo.

— Vá se foder.

— Isso é um demérito, minha jovem.

— E o que acontece quando eu receber outro? — você retruca, e estou muito perto de jogar você na parede, e você está muito perto de me agarrar. Quanto mais perto da festa chegamos, mais você quer bater no botão vermelho de emergência e fazer aqui mesmo, agora mesmo.

Eu deveria beijar você, mas estamos quase no andar marcado com *C* de Cobertura. Você passa a bolsa para o outro lado; você me quer. Eu raspo a palma da mão esquerda sobre a base de suas costas e você quase geme. As pontas de seus dedos raspam em minha perna enquanto o elevador vibra. Baixo a mão lentamente. Você se antecipa. Balança os dedos, pronta. E quando minha mão finalmente se aproxima da sua, você engasga, de leve, enquanto abre os dedos e segura os meus. Estamos de mãos dadas e seu suor se mistura ao meu. Uau.

É hora de beijar, e quero beijar, mas as portas se abrem e aqui estamos. E estou sem fala. Estamos no cenário de *Hannah e suas irmãs*? O desejo por você se mistura à inveja de tudo isto e porque as pessoas sabem seu nome, mas não o meu. Seu mundo é maior que o meu mundo e você abraça pessoas de Brown e alguns deles têm *instrumentos* — você está brincando, uma porra de roda de tambores, como se fosse 1995? Eles estão cantando "Jane Says" como se entendessem de lascívia e fraqueza. Você aperta minha mão.

— Joe — você diz. — Esta é Peach.

Sim, é. Ela é ainda mais alta do que eu pensava, com enorme cabeleira encaracolada reunida em um tornado acima da cabeça. Ela faz com que você pareça pequena demais, e você faz com que ela pareça grande demais. Vocês são de diferentes planetas, e não deveriam ficar em pé juntas. Ela bate palmas como se estivesse conhecendo uma criança de 5 anos, e não gosto quando garotas são mais altas que eu.

— Olá, Joseph — diz, destacando as palavras. — Sou Peach e esta é a minha casa.

— Prazer em conhecê-la — digo, e ela me olha de cima a baixo. Vaca.

— Já adoro você por não ser pretensioso — ela diz. — E obrigada por não trazer vinho ou alguma outra coisa. Esta garota é da família. Não são permitidos presentes.

Você está arrasada, claro.

— Aimeudeus, Peach, fracasso total.

Ela a olha de cima para baixo, literalmente.

— Querida, acabei de dizer que adorei. Ademais, a última coisa de que precisamos é mais vinho barato.

Você está agindo como se tivesse cometido um crime, e ela olha para mim como se eu fosse o entregador esperando a gorjeta.

— Vou roubar sua garota por dois minutos, Joseph.

Você permite que ela a roube e eu realmente devo parecer a porra do garoto de entregas enquanto fico ali em pé, sem conhecer ninguém, sem ser conhecido. Nenhuma garota vem até mim, e talvez eu não pareça bem aqui. A única certeza é que odeio essa Peach tanto quanto sabia que iria, e ela me odeia de volta. Ela sabe como trabalhar você, Beck. Você está se desculpando por não trazer vinho, não trazer Lynn e Chana, não cuidar melhor de sua bolsa. E ela está perdoando, acariciando suas costas, lhe dizendo para não se preocupar. Eu sou invisível a você na presença dela, assim como todos os outros. *Peach Is...* a caminho. Olho ao redor, mas ninguém quer me dizer oi. É como se eles pudessem farejar a escola pública em mim. Uma garota indiana magricela me olha feio antes de mergulhar de nariz em uma carreira de Adderall ou coca, eu saco meu telefone e envio um tuíte de Benji:

"Tudo com moderação, especialmente moderação. #homesoda #gobulldogs #fumarcracktododia"

Eu procuro o endereço daqui no Zillow. O lugar vale *24 milhões* de dólares, e acho uma matéria sobre a decoração em uma porra de blog de sociedade. A mãe de Peach parece ainda mais má e alta que Peach, e quem sabe? Talvez seja dureza vir a este mundo e engatinhar sobre tapetes que custam cem mil. Peach aprendeu piano em um Steinway preto impecável e foi ao planetário sempre que quis. Claro que ela considera garantidas as glórias do Upper West Side. Claro que ela a ama por poder bajulá-la com bolsas Prada. Eu vejo um aparador gravado à mão e vou dar uma olhada melhor. É uma peça excelente, única. Uma porta tem uma estrela de Davi e a outra tem uma cruz, e talvez eu dê um palpite. Peach é como eu, meio judia e meio católica. Eu cresci *sem* religião, e ela tem *toda* religião. Ela celebra tudo e eu celebro nada, e você volta para mim, com ela.

— Não é legal essa peça? — você pergunta, se apoiando no aparador.

— É ótima — digo, concordando. — Sabe, Peach, eu também sou judeu e católico.

— Ah, Joseph — ela diz, me corrigindo. Posso sentir. — Não sou católica. Sou *metodista*, mas você é doce.

— Isso é legal — digo, e quero ir para casa. Também quero dizer a ela que sou *Joe*, não Joseph, cruza bastarda de Alma Goldberg e Ronnie Passero.

Você simula uma tosse, olha de mim para ela e de volta, e sua voz é aguda.

— Vocês também são ambos nova-iorquinos.

Peach enuncia lentamente, como se eu falasse mal a língua.

— De que região você é?

Piranha.

— Bed-Stuy.

— Li que as pessoas estão começando a se mudar para lá — ela diz. — Espero que o aumento do poder aquisitivo não destrua a cor local.

A única razão pela qual não esmago a cabeça dela é que você parece tão nervosa sobre nos conhecermos que não percebe que ela me desrespeita. Não pergunto o que ela faz para viver, mas por alguma razão ela está falando sobre seu trabalho.

— Sou arquiteta — diz. — Projeto edifícios.

Eu sei o que é uma porra de um arquiteto, e ninguém é arquiteto na vida real, só nos filmes. Por acaso você disse a ela que eu sou idiota? Tento me manter à tona.

— Isso é legal.

— Não, legal é o fato de que você não frequentou universidade — ela manda. — Eu sou uma continuadora. Meus pais foram para a Brown, então eu fui para a Brown.

Eu sorrio.

— Meus pais não foram para a Brown, então eu não fui para a Brown.

Ela olha para você.

— Ele é engraçado, Beck. Não espanta que goste tanto dele.

Você sorri. Você enrubesce. Eu sou legal.

— É, ele é bastante bom.

Ela fala sobre como é *impressionante* eu ter *deixado de lado totalmente a educação formal*.

Não é um elogio, mas ainda assim agradeço. Ela aperta a echarpe ao redor do pescoço e a censura por acender um cigarro enquanto um idiota enche um narguilé a meio metro.

Ela, por hora, acabou comigo e pergunta se você teve notícias de Lynn e Chana. Você se desculpa. Está nervosa com o que ela pensa de você, e eu gostaria de poder tirá-la daqui e levá-la para a minha *região*. Ela é uma hipócrita, uma porra de um pesadelo de pessoa, pior do que eu tinha imaginado. Você é suave e ela é dura em jeans vermelho apertado que você nunca usaria. É anoréxica e levemente tatuada, com cabelos grossos desfiados, uma grande boca vermelha de boquete, um sorriso de Coringa e compridos braços ossudos peludos que terminam em unhas sem esmalte, roídas até o sabugo. Você transpira diversão, e ela é uma ferida aberta, aguda e pálida, não fodida e não amada. Certamente quer você só para ela e eu não quero tornar a vida difícil para você, então intervenho:

— Desculpem, meninas. Há um banheiro por aqui?

Você aponta na direção do banheiro e eu fujo. Não espanta que Lynn e Chana não tenham vindo. Se ela fosse um cachorro, sacrificá-la seria a coisa humana a fazer. Mas não posso atirar nela. O que posso fazer é circular e encontrar a biblioteca que vi no blog. Engasgo quando acendo as luzes da biblioteca. É grandiosa, cacete. A família Salinger não brinca em serviço, e eu estendo a mão para uma primeira edição do segundo romance de Saul Bellow, *The Victim*. A sobrecapa do pobre Bellow está rasgada. Os pais de Peach sabem comprar livros e fazer filhos, mas claramente não são muito bons em cuidar de suas compras e seus produtos. As pessoas de Brown estão cantando "Hey Jude" de novo (que original!), e sinto sua falta. Devolvo o Bellow quebrado ao seu lar, e você e Peach entram na biblioteca. Fico paralisado. Espero não estar em apuros.

— Imaginamos que o encontraríamos aqui — diz Peach, rindo, como se vocês duas fossem *nós* e eu apenas *eu*. — Eu o deixaria pegar um livro emprestado, mas meus pais são *muito* possessivos com seus bebês.

— Tudo bem — digo, e nunca pedi uma porra de um livro emprestado. — Mas obrigado.

Você passa o braço pelo meu, a sensação é boa, e você suspira.

— Não é impressionante, Joe?

— É — digo. — Você poderia passar um ano aqui.

Peach novamente.

— Algumas vezes acho que a faculdade estragou a leitura para mim, sabe?

— Eu sei — você diz, e seu braço não está mais no meu. — Joe, aposto que você leu mais livros nesta sala que eu.

Peach aprova.

— Um bom vendedor tem de conhecer seu produto, certo?

Eu odeio Peach mais que Sare. Ela me chamou de *vendedor*, e na sala de estar as pessoas de Brown se aplaudem por conhecerem a letra de

"Hey Jude", como se não fosse uma das músicas mais famosas do mundo. Peach espirra e tira um lenço do bolso. Provavelmente é alérgica a mim, e você me deixa e corre até ela, amorosa.

— Está resfriada?

— Aposto que está reagindo à poeira daqui — digo. — Provavelmente não está acostumada.

— Bem dito — você fala, e Peach é temporariamente silenciada enquanto você nos conduz de volta à festa.

Nunca precisei tanto de uma bebida na minha vida, e passamos pelas pessoas de Brown enquanto elas assassinam "Sweet Virginia". Você recebe uma mensagem de Chana. Ela não vem. Peach bufa.

— Sabe, se eu fosse Chana também poderia ficar constrangida de dar as caras aqui. Há algum cara nesta casa com quem ela *não* tenha se deitado na escola? Perdão por minha rispidez, Joseph.

Eu odeio estar tão grato por ser reconhecido, e você sorri para mim (hurra!) e Peach nos leva à sala de jantar para cumprimentar alguns *convidados*. Mais tetos altos e pessoas altas de Brown dando atenção uns aos outros e relaxando na mesa mais comprida que já vi na minha vida. Estão cheirando carreiras em pratos coloridos descombinados. E o *álcool*. Há toneladas dele.

— Qual é o seu veneno, Joseph? — Peach quer saber. — Cerveja?

— Vodca — respondo e sorrio, mas ela não.

— Gelo?

— Se for dos pequenos — digo.

Ela olha para mim, depois para você, depois para mim e dá uma gargalhada.

— Desculpe-me?

— Gelo moído é melhor que em cubo com vodca.

Eu aprendi isso com Benji. Peach cruza os braços, você está procurando na bolsa algo a dizer, um túnel para longe de mim, eu tenho de consertar isso e me livrar dela, e tento:

— Qualquer gelo que você tenha serve.

— Isso é terrivelmente gentil de sua parte, Joseph. Querida, o que você quer?

— Vodca e soda.

— Bom e fácil — diz Peach, e some.

Um cara aparece com um saquinho de coca e há aplausos, com mais pessoas de Brown enchendo a sala de jantar. Eu me sinto como Ben Stiller em *O solteirão*, deslocado no sentido ruim. Caras demais dormiram com você. Sei disso porque eles olham através de você; você é um restaurante fácil de entrar. E todas essas pessoas falam. Constantemente: "Lembra daquelas férias de primavera em Turks? Você tem de escutar Tom Waits quando estiver sóbrio. Lembra daquele fim de semana na primavera quando você ficou trancado fora de Pembroke? Você tem de escutar Tom Waits quando estiver doidão. Lembra daquela aula que tivemos, a aula de cemitério e fizemos aquela viagem de campo e comemos aqueles cogumelos? Você tem de ir a Turks conosco. Todo mundo está indo."

Eu não falo esse idioma, e é um alívio conseguir um drinque. Peach dá um sorrisinho.

— Então, Joseph, o gelo é suficientemente pequeno para você?

— É, é, eu só estava brincando.

Ela nos leva à cozinha, é a maior cozinha na qual já estive, e estou me esforçando muito para não olhar ao redor como se fosse a maior cozinha na qual já estive. É como a cozinha naquele filme em que o rico malvado Michael Douglas tenta fazer com que Gwyneth Paltrow seja assassinada por se apaixonar por um artista pobre. Tudo é de aço inoxidável ou mármore, e a ilha central é do tamanho de um carro compacto. Não consigo me lembrar se o cara pobre pega Gwyneth no final do filme, e isso parece importar muito neste instante. Pareço não conseguir encontrar um lugar onde pousar os olhos. Ou estou olhando para Peach, o que não é bom, ou para você, o que é pior. Um CD se projeta de sob a *Times Book Review*. É a trilha sonora de *Hannah e suas irmãs*, graças a Deus.

— Belas músicas, Peaches — eu digo. Não consigo controlar o tom de minha voz, não em um lugar tão barulhento, com tantos cheiros, e ela olha para mim como se eu tivesse acabado de pedir um trocado.

— Peach — ela diz.

— Peach — você diz, e algumas vezes entendo por que o sr. Mooney desistiu das mulheres.

— Desculpe.

— Então você é um grande fã, Joseph?

Eu pego a porra do CD dela.

— É um dos meus filmes preferidos. O melhor filme dele.

Peach ignora minha declaração por causa de uma garota de Brown que ela não vê há *séculos*. Não é divertido dividir você com todas essas pessoas, e você está bebendo realmente rápido, rápido demais. Você gosta de mim? Quer que eu seja mais parecido com esses cheiradores chapados na sala de jantar com as camisetas do Arcade Fire e malares saltados? É isso o que você quer? Deus, espero que não, e estou segurando o CD de *Hannah* com tanta força que ele racha. Eu o pouso. Peach o pega. Você sorri para mim, você gosta de mim e eu estou enlouquecendo.

— Eu também adoro *Hannah*, Joseph — diz Peach, suspirando. — Vi mais de mil vezes.

— Eu vi um milhão de vezes — digo, e por que estou competindo?

Ela diz que eu venci e olha para você como se aprovasse. Você fica feliz de ver que afinal garotos ricos e garotos pobres podem conviver, e quase quero cuspir no rosto anguloso de Peach para provar a porra de uma tese. Ela poderia ter sido legal comigo desde o início. Não precisava fazer você passar por toda essa ansiedade. Mas ela ainda quer falar sobre *Hannah*.

— Melhor filme de Woody Allen — ela diz. — Cena por cena.

— Canção por canção — eu digo, e jogo o CD no balcão. Peach o move como se eu fosse intrinsecamente perigoso, e voltamos à primeira casa, e você está novamente tocando meu braço.

— Qual sua cena preferida, Joe?

— No final. Sabe, quando Dianne Wiest diz a ele que está grávida — respondo. — Sou um romântico e reconheço isso.

Eu gosto de você tonta e olhando para mim. Peach está enojada.

— Você está brincando, certo?

Ela ri de mim e você não está mais olhando para mim. Ela é ácida, essa Peach. Não há calor.

— Joseph, você não pode estar falando sério.

— Muito sério. Adoro aquela imagem deles no espelho. O modo como se beijam quando ela diz que está grávida.

Mas Peach está brincando com a caixa de CD recém-quebrada com seus dedos famintos e balançando a cabeça. Você me toca do jeito ruim, como se quisesse que eu parasse, os cantores de Brown sabem a letra de "My Sweet Lord", alguém encontrou um maldito pandeiro, em algum lugar na minha cabeça me lembro de que o filho de George Harrison foi para a Brown, e odeio saber disso neste momento específico.

— Bem, Joseph, é engraçado você mencionar essa cena, pois sabe que é a única cena que Woody não queria no filme — ela ensina.

Woody.

— Não há como isso ser verdade.

— De fato é verdade. É a verdade.

— Sem querer ofender, mas eu meio que duvido. Acho que eles o deixam fazer o trabalho dele, sabe?

— Meu avô trabalhou no estúdio e disse a Woody que queria um final mais feliz. E Woody, sendo Woody, objetou, mas meu avô, bem, ele era o cara, sabe? *O cara.*

— Então seu avô *não* é J.D. Salinger — digo, porque foda-se, ela lança um olhar para você, você suspira e ela não terminou.

— Seja como for — ela diz. — Engraçado que sua cena preferida no filme seja a única cena que ele não queria.

— Peach — diz Beck. — Você tem club soda?

— Tem uma caixa de Home na geladeira — ela responde, dando um sorrisinho, me olhando, sabendo exatamente a merda que está fazendo.

Eu ergo meu copo.

— Ao seu avô.

Ela não ergue o copo.

— Ao monstro de Hollywood que enfiou finais felizes melosos em todos os filmes que você já viu, evitou os filhos como a peste e, sozinho, arruinou o tom de alguns dos mais marcantes filmes dos Estados Unidos? Não. Não, Joseph. Você não quer brindar a esse homem.

Você praticamente se enfiou na geladeira Subzero, aposto que está pensando em Benji, e não é do modo como estou pensando em Benji, e você sai com seu copo — agora vermelho, você escolheu suco de cranberry e não club soda, você me escolheu. E finalmente você a corrige, diz a ela que sou "Joe, não Joseph", e eu agradeço e ergo meu copo ainda mais alto, porque posso lhe dar o que ela quer agora que você a corrigiu, agora que você escolheu um lado.

— A você, Peach — digo na voz respeitosa que reservo para senhoras mais velhas pretensiosas. — Por me dar aulas sobre meu filme preferido.

Ela olha para você. Você dá de ombros como quem diz é, ele é bom assim, e ela olha para mim. Eu adoço o trato.

— Falando sério, Peach, eu poderia arrancar informações de você horas a fio. Eu adoro Woody Allen.

Ela não bebe depois do brinde, e suspira.

— Bem, essa é *uma* coisa boa na faculdade. Ficar acordado a noite toda conversando sobre cinema. Você teria adorado, Joseph.

Em vez de socar seu rosto, eu ergo meu copo para outro brinde. Ela baixa os olhos para sua sangria idiota e pergunta se você disse a Chana que um cara chamado Leonard está aqui. Você se afasta de mim para caçar seu telefone. Lamenta novamente, Peach perdoa, e essa festa nunca vai terminar, jamais. Você está tonta demais para digitar, e rosna de frustração.

Peach ergue uma sobrancelha, e provavelmente aprendeu a fazer isso no verão em que os pais, sem dúvida, a mandaram para Stagedoor Manor Acting Camp esperando que ela pudesse se transformar em uma Gwyneth Paltrow, aquele mesmo verão em que aperfeiçoou a arte da bulimia e aprendeu a insultar pessoas como eu.

Então olho para você, e o que é isso? Está embalando o telefone nas mãos e sorrindo. Tenho de saber o que a cativou, e Peach não existe mais. Ninguém existe. Quando vou para trás de você e olho para o telefone, vejo um clipe de *Hannah e suas irmãs*, a parte em que o personagem de Woody vai a um filme dos Irmãos Marx. Isso valeu tudo, e eu coloco minhas mãos em seus ombros. Vemos o resto da cena juntos, e Deus abençoe Groucho Marx.

QUANDO entramos no elevador, no final da noite que ameaça não terminar nunca, você não espera que as portas se fechem. Desde que a flagrei assistindo ao meu *Hannah* você quis estar mais perto de mim. E agora está. Eu nem sequer apertei o botão quando você joga sua bolsa no chão. Puxa meu rosto para o seu e me segura. Para. Você me deixa louco, e então. E *então*. Seus lábios foram feitos para os meus, Beck. Você é a razão pela qual eu tenho uma boca, um coração. Você me beija quando as pessoas ainda podem nos ver, quando ainda podemos ouvir Bobby Short — *I'm in love again, and I love, love, love it* —, porque você fez Peach tocar a trilha de *Hannah e suas irmãs*, porque quer saber o que eu sei e ouvir o que eu gosto de ouvir. Sua língua tem gosto de cranberry, não de club soda, pelo menos não mais. Quando o elevador fecha as portas e estamos sozinhos, você começa a se afastar. Mas eu puxo seus cabelos e levo sua boca à minha. Sei como deixar você querendo mais. E deixo.

13

EU fodi tudo. No dia seguinte ao nosso encontro deixei uma mensagem de voz chamando-a para assistir a um filme no Angelika. Maldito amador. Você respondeu com um texto duas horas depois:

"Na verdade eu já vi, e ainda meio que estou de ressaca ☹ e tenho muito a escrever. Mas vejo você logo! ☺"

Na verdade você não tinha visto o filme, não estava de ressaca e não estava escrevendo, a não ser que por escrever você queira dizer mandar às suas amigas e-mails sobre Benji.

Maldito Benji.

Eu olho para o telefone e se passaram "quinze horas e dois longos dias" desde que nos beijamos. Você contou a Chana e Lynn que não está pronta para mim porque está com "Cérebro de Benji". Não posso matar Benji até você matar Benji, e tento permanecer calmo. Passei dois dias vendendo livros, cuidando de Benji e lembrando de nosso beijo, nosso beijo. Você o descreveu a Lynn e Chana:

"Joe realmente é intenso. Não sei, ele é um talvez... Seja como for, vocês acham que eu devia escrever para Benji?"

Seu talvez dói mais que Benji, e não houve nenhum talvez em nosso beijo. Eu ganho o caso sempre que o repasso em minha cabeça: você gosta do meu cabelo. Você disse isso no táxi. Você se agarrou em mim, Beck. Você não estava bêbada. Você me acha intenso e isso é um cumprimento. É. Eu tento ficar calmo. Não vou conseguir status definitivo até você ter a honra de receber meu pau. Mas esta manhã eu acordo com este tuíte seu:

"Aquele dia em que você não pode mais não ir à IKEA. #naçaoprocrastinaçao #camaquebrada"

Eu chutei uma de minhas máquinas de escrever. Como você pode mandar ao mundo #camaquebrada sabendo que eu veria? Está tentando me enlouquecer? Chana escreveu a você imediatamente:

"Cama quebrada. Que porra?"

Você respondeu:

"Não quebrada, apenas velha e rangendo. Imagino que eu teria mais chance de receber ajuda de um cara se estivesse quebrada, certo? Você ajudaria se eu fizesse um jantar ou algo assim?"

Chana não respondeu. Você mandou e-mails para uns caras da *Craigslist* que recebem para montar móveis:

"Você vai à IKEA e traz as coisas para NY ou apenas monta as coisas?"

Ao saber que o montador não faz dupla jornada como escravo, você me procurou:

"Você gosta da IKEA? Dica dica."

Não precisa nem dizer que eu não gosto da IKEA. Mas claro que respondi:

"Na verdade adoro. Vou lá todo dia. Por quê?"

Não é romântico, e é um encontro diurno, mas entendo que sua atração por mim é tão *intensa* que você precisa manter uma distância segura. Por isso você respondeu:

"Quer entrar no barco comigo? Tem almôndegas. ☺"

Almôndegas é uma palavra assexuada, e o barco na verdade é um *ferry* que vai para a IKEA. Comprar móveis é uma tarefa ingrata, mas você murmurou "gosto de você" umas mil vezes no táxi depois da festa de Peach, e aqueles murmúrios superam qualquer babaquice que tenha mandado para seus amigos no Twitter. Eu respondo:

"Almôndegas não são necessárias, mas eu entro no barco com você."

Então, esta tarde, você e eu iremos à IKEA, onde não haverá chance de fazermos sexo. Eu sei como vocês garotas funcionam, conheço a regra dos três encontros e essa merda toda. Mas também sei ser um fato que temos um obstáculo maior entre nós: Benji. Depois que você me convidou a ir à IKEA, enviou um e-mail a Lynn e Chana mandando que olhassem o Twitter de Benji.

"Assustador, certo? Estou preocupada com ele. ☹"

Eu obviamente não estou fazendo um bom serviço com os tuítes de Benji. Eles deveriam afastar você, mas você ainda se importa, e Lynn e Chana mandam você parar.

Lynn: "Beck... Não tem problema ser abandonada. Acontece."

Chana: "Estou certa de que ele está em um iate em St. Barts com alguma piranha artística, contando a ela como está preocupado com você. Honestamente, B, você está começando a me fazer pensar que Peach está certa. E é medonho pensar que Peach está certa. Você precisa esquecer esse cara."

Elas estão certas, mas você o ama muito, é culpa minha que esteja atolada assim, e prometo fazer melhor com os tuítes. Você merece cortar o cordão com Benji. E não pode se apaixonar muito bem por mim se está preocupada com ele.

Assim como você, eu tenho um coração, então exagero. Reúno algumas das coisas preferidas da princesa Benji: um burrito vegan, um *latte* de soja, um pote de sorvete falso e o *New York Observer*. Ele reage bem, grato, e está cheirando aquele burrito como um animal e lamentando a perda de Lou Reed.

— Ele é a razão pela qual fiz tantas coisas boas e tantas coisas ruins.

— Qual sua música preferida?

— Elas são igualmente vitais, Joe — ensina. — Você não pode fragmentar o impacto de um artista na cultura citando músicas ou letras específicas. Não tem a ver com preferidos. Tem a ver com o valor da *oeuvre*.

Típico, e estou pronto para mandar seu último tuíte enquanto ele lambe a tampa do pote. Ele é perpetuamente voraz. Há nele um vazio que nunca pode ser preenchido. Um vazio que cai bem no secundário, onde carência de força de vontade é chamada de criatividade. Eu desligo dele e tuito por ele.

"Fumado até o filtro, lambido até o osso. #comcrack #comanfet #comabsolutamentenada #LouReedRIP"

Eu teclo enviar. Está quieto demais. Olho dentro da gaiola e o cacete se Benji não pegou seus bagulhos enquanto eu estava com a cabeça enfiada no telefone dele. Seus pacotes estão no chão junto ao cartão. Eu chamo:

— Benji.

Nada. Isso não estava nos meus planos. Caminho até a gaiola. Chamo novamente, mas ele não se move. Há pó no lábio superior, e as drogas nunca pareceram tão pouco glamorosas. Sei que ele tem batido uma carreira aqui e ali. Mas ignorei tudo porque odeio drogas. Nunca usei drogas. Essa é minha punição por ser livre de drogas? Gostaria de poder tirar uma foto e mandar para você, para que pudesse ver a que Benji se resume, mas não posso. Ele finalmente acorda e fico tão aliviado por ele estar vivo que poderia matá-lo, o que é um clichê do cacete, e ergo um punho.

— Certo — ele diz, e treme. — Chega de Benji. Matar Benji.

— Sem drama. Não estou no clima.

E não estou. Não é como se eu gostasse de ter de colocar alguém para dormir, mesmo quando esse alguém é tão sem coragem e imaginação que precisa se entupir de drogas no exato instante em que deveria estar lutando pela vida.

— Você já me matou?

— Coma a porra do sorvete.

— Não é sorvete — ele diz, e ri. — É sem leite.

Eu dou um rugido.

— Cale a boca e coma!

Ele ri, e isso se chama *chapado* porque eu quero *chapar* o sujeito com os braços agitados. Ele está lambendo o pote de não sorvete como o doidão que é. É isso o que você ama, Beck? Ele pega o *Observer* e tenta rasgá-lo ao meio, mas está fodido demais e cambaleia.

— Sente-se, Benji.

— Você já me matou?

Ele é um zumbi e um aleijado, e está falando novamente.

— Joe, esse é o cara. Vamos lá. Você não acha isso engraçado? A garota passa mil anos me perseguindo e agora aqui estou eu. Morto! Porque você a está perseguindo!

— Ninguém aqui é perseguidor.

— A não ser você, Joe — ele retruca. — Sabe, eu não tenho nada a fazer aqui além de pensar. E eu saquei. Você não a encontrou no metrô naquela noite por acaso. E honestamente, se você a quer tanto, se realmente, realmente não quer acreditar em mim quando digo que ela é maluca, tudo bem.

— Tudo bem.

Ele geme de novo, e é típico de um cara como Benji acusar você de perseguição. Eu ouço idiotas por toda a cidade se vangloriando de serem perseguidos por garotas, e que piada, certo, Beck? Como se algum homem um dia pudesse ter problemas com o seu interesse, quanto mais se sentir ameaçado. *Perseguidor.* Que babaquice. Que infantilidade. Eu me viro para sair. Mas ele chama:

— Espere.

Ele engatinha até a gaiola e saca o cartão eletrônico de seu kit de drogas.

— Pegue.

— Por quê?

— Depósito alugado. Sou um clepto, Joe.

— Tenho mais o que fazer.

— Esse cartão abre o depósito — ele diz, desesperado. — O endereço está no verso. E ninguém sabe dele. Eu sou Stephen Crane.

— Você não é Stephen Crane.

— Sou para o cara que me alugou o depósito — diz sorrindo, merda de heroína. — *O emblema vermelho da coragem.* O único livro daquela lista que eu li.

Claro que foi o único livro que ele leu. Caras como Benji fazem todo o seu dever de casa na escola para nunca ter de tentar novamente.

— Fique com tudo, Joe. Venda. Empenhe. Faça isso — ele diz, choramingando, e posso imaginá-lo na Disneylândia, tendo um chilique por causa do calor. — Por favor, Joe. Tem uma tonelada. Eu comecei a roubar quando aprendi a andar. É só perguntar aos meus pais. Oi, mãe.

Ele apaga, e é melhor não morrer. Eu me importo com ele porque você se importa com ele e quero que morra honradamente, no momento certo. Não quero que morra doidão, mijando na calça, se borrando. Há mais dois sacos que caíram do blazer, e tenho de entrar e pegar para que ele não tome uma overdose enquanto estamos na IKEA. Ele recomeça a cantar, *"and the colored girls go do do do"*. Bato com o facão na gaiola.

— Pare.

— Joe Joe puto.

Ele baba, e suas palavras são manteiga derretida, como seu cérebro. Você escreve:

"Já está pronto?"

Não sei o que lhe dizer, e ele está me olhando, divertido.

— Ela não vale isso tudo.

Eu respondo:

"Preciso de uma hora, muito trabalho."

Ele tira um cigarro eletrônico do maldito blazer, assovia, e de algum modo sou eu aquele engaiolado.

— Ela é maluca, Joe.

Digo a ele que está doidão, mas minha voz é fraca. Ele dá um trago forte naquele cigarro falso, um viciado até a medula. Ele é o contador de histórias e sou o ouvinte, e poderia enfiar meu facão no meu pé e isso não mudaria as coisas.

— Quer saber sobre Beck? — ele pergunta, e não espera que eu diga sim. — Vou lhe contar sobre Beck. Tudo o que ela quer é dinheiro. Um cara rico, qualquer um. No meu último ano ela apareceu na minha casa fingindo ser a faxineira. Eu sabia que não era a faxineira, evidentemente, mas a deixei entrar. E não pedi que chupasse meu pau, Joe. Assim como não pedi que limpasse o vaso. Mas ela fez isso.

— Você está doidão — digo, mas pareço ainda menos convencido, patético.

Ele ri.

— Bem, que merda, Joe. Claro que estou doidão.

Eu tento apagar a imagem de você chupando o pau dele, e não consigo.

— Se ela se interessa tanto por dinheiro, então por que está em cima de mim para sair agora?

— *Agora?* — ele reage, e ri novamente. Cacete. — Isso é frio, Joe. Ela não lhe dá sequer uma *noite.*

Ele é um pássaro se elevando na gaiola, e o sr. Mooney estava errado. O pássaro que acha que está voando realmente está feliz. Ele a odeia, você o ama e tudo está errado. Estou em pé e não deveria estar, e ele ainda está deitado de costas, o escroto.

— O encontro é de dia porque vamos à IKEA comprar uma cama nova para ela — digo, e o fodo de uma vez por todas.

Ele olha para mim. Nada. Mas então se contorce como um cachorro ao Sol e ri.

— Ela fez a mesma coisa comigo, cavalgou meu pau a noite toda. Depois começou a falar sobre a porra da ridícula concha vermelha e tentou me convencer a ir à IKEA.

Não sei nada de uma *concha ridícula*, e você está escrevendo:

"Vejo você em quarenta e cinco minutos ☺"

Você não cavalgou meu pau a noite toda e Benji está imitando você.

— *Me leve à IKEEEEAAA, Benji. Bonita, por favor, com conchas vermelhas no alto.*

Ele ri, geme e não está mais imitando você.

— Se ela quer ser espancada com uma concha, deveria encontrar algum pervertido na internet, sabe?

Não importa o que eu faça ou o quanto tente, sempre acabarei assim, encurralado por um cara que tem mais, sabe mais. Eu não o deixarei vencer. Eu destranco a gaiola e ele tenta escapar. Eu o chuto para o canto como o cachorro que é, pego o resto das drogas no chão e as jogo na privada. Agradeço pelas merdas no depósito, ele chora e já me sinto melhor. Eu estava errado. Sou eu no comando. Ele pode ter a concha vermelha, mas eu tenho a chave.

14

VOCÊ não conseguiu tirar do rosto o sorriso de merda desde que colocou sua mão na minha para insistir em pagar as passagens do *ferry* para a IKEA. Você parece pudica em jeans branco que eu nunca vi antes, jeans que me diz que você não vai suar hoje. Está de sandálias, as unhas dos dedos cintilam, seus cabelos estão em coque e você não tem chupões, então é isso. Você está "excitada" por eu estar "dando um passeio" com você, e me promete que vai ser divertido, e é melhor se esforçar, desgraçada, porque o tempo todo em que você fala estou vendo sua boca como um orifício para o pau de Benji e pensando no modo como você brincou com suas amigas no e-mail.

Você: "Joe vai. Escravo por um dia. Ponto para Beck!"

Chana: "Morrendo de rir, você sabe que vai ter de dar uma chupada ou bater uma."

Você: "Não, não, ele não vai montar, só vai junto."

Lynn: "Acha que se eu pedisse ele instalaria meu ar?"

Chana: "Lynn, está se oferecendo para chupar Joe?"

Lynn: "Você é nojenta."

Você: "Ninguém vai chupar ninguém. Podem acreditar."

Nós nos encontramos no cais e damos beijinhos como amigos europeus platônicos ou uma merda assim. Pelo menos assim que entramos no barco e nos sentamos, estamos juntos. Você passa o braço pelo meu. Não sei se você está fria ou quente, e você sorri.

— Não acredito que nunca foi à IKEA — você diz.

— Não acredito que você foi.

— Ah, eu adoro aquilo — você diz, e se apoia mais em mim. — Espere até ver, todos aqueles cômodos simulados. Você passa de uma sala para outra, e não consegue ir embora sem circular pela loja inteira. Tem algo mágico nela. Isso parece maluquice?

— Não — eu digo, e não parece. — Eu sou assim com a livraria. Sabe, eu circulo, e me sinto como se o mundo inteiro estivesse lá, as mais importantes histórias de todos os tempos. E depois embaixo, na gaiola.

— Desculpe. Você disse *a gaiola*?

— Livros raros, Beck. Precisam ser guardados em segurança.

— Acho que eu ouço *gaiola* e penso em um animal.

Benji provavelmente está acordado agora, e o ar é gostoso aqui fora.

— Não, é como em um cassino. Eles guardam o dinheiro em uma gaiola.

— O que é isso que acontece com as lojas?

— Ahn?

— Você gosta de vender coisas e eu sou totalmente viciada em comprar coisas da forma feminina mais estereotipada. Adoro fazer compras. Quero dizer, eu posso estar na pior, vou à IKEA e saio de lá com...

Você para, e será isso? Concha vermelha, concha vermelha, concha vermelha.

— Saio de lá com dois apoios de prato e me sinto renovada.

Bosta.

— Isso é bom, uma boa forma de se sentir.

Talvez, se eu partilhar um objeto com você, talvez então você partilhe a concha comigo. Eu tiro o controle remoto do ar-condicionado do bolso e me lembro de fantasiar sobre esse momento antes de tê-la. Você olha, não toca e eu lhe digo que você pode tocar e você o tira da minha mão. Você sorri.

— Isso é alta tecnologia.

— É a coisa mais importante que eu tenho. Controla os umidificadores e o condicionador de ar na gaiola. Se eu aumentar o calor e deixar que os livros fiquem úmidos, estarão acabados, para sempre. Gertrude Stein estará morta, e não voltará à vida para autografar livros.

— Eu fico arrepiada — você diz, e sorri. Concha? — Você daria um bom escritor, Joe.

— Como você sabe que não sou? — retruco, você gosta e eu tento novamente. — Seu pessoal deve estar orgulhoso de você, fazendo mestrado.

Você está entretida, olha para a água, eu sigo seus olhos, você ainda está me tocando, eu gostaria de poder beijar você para tirar o pau de Benji da sua boca, e você brinca com o cabelo em vez de segurar minha mão.

— Eu não tenho pessoal — você diz. — Tenho minha mãe, mas ela é sozinha.

Olho ao redor os outros passageiros do *ferry* da IKEA. Nenhum deles é como nós. Estão todos conversando sobre mesinhas e comidas suecas. Somos especiais. Estamos nos apaixonando.

— Lamento.

— Meu pai morreu — você conta.

— Lamento.

— Não sei — você diz, e seus olhos estão úmidos, mas pode ser o vento, e você conhece tantos caras a quem poderia ter pedido, caras da faculdade, caras na internet. Você pediu a mim. — Acho que algumas vezes choro sem motivo. É que a morte é tão definitiva, sabe? Ele foi embora. Não vai voltar. Foi embora.

Eu enxugo seus olhos e não deixo você sair dessa com uma risada.

— Quando ele faleceu?

— Há quase um ano.

— Beck.

Você olha para mim, eu anuo, você desmonta em meus braços, parece que estamos nos abraçando, outro casal jovem indo à IKEA conseguir penas para o ninho e comer almôndegas anabolizadas, e ninguém pode ouvir você chorando além de mim. Você tenta se afastar, mas eu a seguro e seus grandes olhos de Portman estão brilhando e suas faces estão vermelhas, há um casal velho em frente, o cara me aprova como se eu fosse o Capitão América, estamos quase lá e você enxuga os olhos.

Eu quero mais. Tento:

— Como ele era, seu pai?

Você dá de ombros e eu gostaria de haver um jeito de perguntar sobre uma concha vermelha, mas não é uma pergunta normal, e você suspira.

— Ele adorava cozinhar. Essa era uma coisa boa.

— Eu também cozinho — digo —, e vou aprender a cozinhar. Concha vermelha, concha vermelha, concha vermelha.

— Bom saber — você diz, e cruza as pernas. — Meu analista diria que eu não estou respeitando os limites.

— Você vai a um analista?

— O dr. Nicky.

Eu aquiesço.

— Aimeudeus, Joe. Por que estou lhe dizendo isso? O que há de errado comigo?

— Não acha que essa é uma pergunta para o dr. Nicky? — pergunto. Você sorri. Eu sou engraçado.

Agora entendo o significado de "Angevine, terças às três" marcado no calendário do seu telefone. O dr. Nicky Angevine. Bingo! E falo sério quando lhe digo para não ficar constrangida.

— Sério, Beck — digo, reconfortante. — Acho os analistas ótimos.

— A maioria dos caras não quer saber dessas coisas — você diz. — A maioria dos caras entraria em pânico agora. Aquela que chora, tem analista e faz compras.

— Você conhece caras demais — digo, você sorri, sabe que precisa de mim, sorri como concordando, como concordando *conosco*, vendo a luz, e o capitão toca a sirene. Você me beija.

NO filme *500 dias com ela* a IKEA é o lugar mais romântico da Terra. Joseph Gordon-Levitt e a garota começam em uma cozinha, ela é doce com ele e finge servir o jantar, e quando a torneira não funciona — é brincadeira, já que todas as peças são elementos cenográficos da loja — Joseph pula da cadeira e passa por uma passagem para outra cozinha, e ela está assombrada com ele e ele diz: "Por isso compramos uma casa com duas cozinhas". Vi a cena logo depois de você ter tuitado sobre ir à IKEA, e não é como se eu fosse um idiota que espera que a vida seja como nos filmes, mas isso tem de ser dito.

A vida na IKEA não é como a vida na IKEA dos filmes.

Na vida real eu não sou Joseph Gordon-Levitt e tenho de empurrar um carrinho de compras gigantesco, serpenteando entre as massas enquanto você aponta para sofás de que não precisa, estantes para as quais não tem espaço e fornos feitos de papelão. Há um milhão de pessoas lotando este gigantesco armazém reformado. É um pesadelo distópico tornado verdade onde todos os móveis são feitos do mesmo pedaço de madeira vagabunda, onde todos os cômodos são mobiliados com objetos que vieram exatamente da mesma fábrica, exatamente no mesmo momento. Cheira a cecê, aromatizante Febreze, bosta de bebê, peidos, almôndegas, esmalte de unhas e mais bosta de bebê — ninguém mais tem babás? — é barulhento, Beck, e eu perco metade das coisas que você diz porque não consigo ouvi-la acima dos outros humanos. E o tempo todo estou conscientemente me esforçando para não pensar onde poderiam estar as conchas vermelhas nesta imensidão infernal de merdas novas.

Em *500 dias com ela* a garota desafia Joseph para uma corrida da cozinha ao quarto, e a câmera os segue enquanto disparam por um corredor. A garota pula no colchão, Joseph vai a seguir, engatinhando lentamente. Ele monta nela, que o quer, dá para ver. Ele sussurra: "Querida, não sei como lhe dizer isso, mas há uma família chinesa em nosso quarto."

Na vida real também há uma família chinesa na IKEA conosco, mas eles não são nada como a família silenciosa do filme. Há um garotinho que berra e uma garotinha que caga em uma fralda e baba. Parece que estão nos seguindo, Beck, e vou surtar se eles não pararem de brigar. Falam tão infernalmente alto que não consigo ouvir o que você diz. Você pega um travesseiro amarelo com franjas e estou farto de perder suas palavras. E se você disser algo importante? E se revelou algo a mim e eu perdi?

Você pede desculpas ao passar apertada pela chinesa, que parou de repente para examinar uma mesa redonda banal. Ela poderia sair do caminho se quisesse, mas não sai. Você praticamente tem de se espremer sobre o encosto do enorme lixo que eles chamam de sofá de modo a chegar mais perto de mim. Aquela mulher tem cara de pau, e eu quero dizer isso a ela, mas você segura minha mão, e talvez não tenha sido tão ruim, afinal.

— Sinta isto — você diz.

Você coloca o travesseiro em minha mão. Eu baixo os olhos e posso ver sua calcinha preta logo abaixo da cintura do jeans branco. Elas subiram com toda a sua agitação, e você está segurando a minha mão e respirando, e você não cheira a IKEA e de repente eu estou duro.

— Macio, certo?

— É — digo.

O pai chinês bate o punho na mesa. Bam! Ambos nos assustamos e o momento termina quando você larga o travesseiro. Se isto fosse *500 dias com ela*, não conseguiríamos ouvi-lo acima do Hall & Oates que estaria tocando só para nós. Você pega outro travesseiro, rosa. Pressiona sobre a palma da minha mão.

— Bem, e que tal este?

Eu sou sua marionete, você prendeu os cabelos em coque, não está olhando para mim, mesmo sabendo que estou olhando para você, e você sorri e mantém os olhos em minha mão no travesseiro e sussurra:

— Acho que este é bom.

— Eu também — murmuro. Mal fui capaz de ouvir você falando nas últimas duas horas, e sua voz é o céu. Senti falta.

Você olha para mim com olhos doces.

— Só parece bom, sabe?

— É — digo, e parece.

— Você sabe quando uma coisa é certa porque a maioria das coisas é totalmente errada.

— É — digo, e você tem de estar falando sobre nós, não sobre um lixo sueco de 12 dólares, mas não olha para mim, não me deixa ir até o fim ainda. Então foda-se. Isto tudo é bom demais, e vou mandar.

— Ei, Beck.

— Sim? — você responde, mas seus olhos estão no travesseiro, não em mim.

— Eu gosto de você.

Você sorri.

— É?

— É — digo, e coloco a outra mão no seu ombro, e agora você está olhando para mim. Estamos tão próximos que posso ver os poros que você está sempre tentando fechar e posso ver as sobrancelhas que você não depilou esta manhã, porque esta manhã você não sabia que ia me querer. Esta manhã eu vi você ficar pronta em apenas cinco minutos.

— Então, vamos levar o travesseiro? — você pergunta.

— É — digo, e não vai demorar até eu estar dentro de você. Acabamos de fazer um pacto, sabemos disso e não sei quem agarra a mão de quem. Só sei que estamos de mãos dadas, você segura o travesseiro, entramos e saímos de quartos e agora você está me ajudando, colocou uma mão na frente do carrinho. Estamos nisso juntos, lado a lado, navegando como um velho casal, como um novo casal, e quer saber, Beck?

Acaba que a IKEA é impressionante para cacete.

Você agarra a base de algo chamado *cama Hemnes*, e ergue os olhos para mim.

— Esta serve?

— Serve — eu digo, e você concorda com a cabeça. Você quer que eu goste da sua cama. Você sabe que será nossa cama, então pega o pequeno lápis no bolso de trás e anota números e letras.

Você me dá o papelzinho e sorri.

— Vendida!

Algumas garotas passariam o dia inteiro indo de um lado para o outro, mas você é gloriosamente decidida e eu estou louco por você. Você me dá um beijinho na bochecha, diz para eu me acomodar "em minha nova cama", sai para o banheiro feminino, talvez mije e talvez não. Mas você manda um e-mail para o cara que contratou pela *Craigslist* para montar sua nova porcaria:

"Ei, Brian, é Beck, do anúncio. Desculpe, mas vou ter de cancelar. Meu namorado tirou uma folga, então ele pode fazer. Desculpe! Beck"

Namorado. Quando você volta do banheiro suas pálpebras estão um pouco vermelhas do trabalho rápido que você fez nas sobrancelhas, seus lábios estão brilhando, seus peitos um pouco mais altos, você está sorrindo, eu quase penso que você tocou uma lá dentro, e você respira fundo e bate palmas.

— Então, posso lhe pagar umas almôndegas?

— Não. Mas eu posso lhe pagar umas almôndegas.

Você sorri, porque agora eu sou seu *namorado*. Você acabou de dizer isso, Beck. Você disse. Estacionamos o carrinho de compras do lado de fora da área de alimentação e o nível de ruído aqui é demais, e tem fila, mas você diz que vale a pena esperar. Você está tagarelando sobre almôndegas, e aquela maldita família chinesa está na nossa frente, e como eles chegaram aqui primeiro? Eles estão demorando uma eternidade, estão na nossa frente, na fila e na vida — casados, com filhos. As nuvens se formam em minha cabeça porque você não disse *namorado* para uma amiga, só para um cara na *Craigslist*. E se não falava sério? E se você foi rápida para escolher uma cama porque procurou as camas na internet? E se você não liga para o que eu penso? E se você não está pensando que seria legal ir para a cama comigo, formar uma família comigo? O pai chinês está demorando muito, eu não suporto mais, estico a mão acima do braço dele e agarro a outra concha de almôndega. *Concha*. Ele me olha feio e você se desculpa com ele, como se eu fosse o cara mau na fila do bufê, no mundo, e você ainda não me contou sobre a concha vermelha. Você olha para mim.

— Alguma coisa errada, Joe?

— Eles foram grosseiros.

— Apenas está lotado — você diz, e acha que eu sou desagradável, e sou.

— Desculpe — digo.

Seu queixo cai, sua boca escancara, depois fecha, seus olhos estão arregalados e você está perplexa. Você ronrona.

— Ele pede desculpas quando está errado e me deixa passar duas horas olhando sofás de que eu não preciso? Joe, você é de verdade?

Eu brilho. Eu sou. Quando a mãe chinesa empurra minha mão do caminho para pegar um guardanapo eu nem sequer reajo. Não tenho de conter minha raiva porque não estou com raiva. Você escolhe as almôndegas e eu pago (sou seu namorado!), você escolhe a mesa e eu a sigo. Sentamos, finalmente.

— Sabe, Joe, eu vou ajudar você a montar a cama.

— Aposto que vai, senhorita.

Você corta uma almôndega ao meio, coloca metade na boca e mastiga, hummm. Agora é minha vez, você pega a outra metade e eu abro a boca. Sou sua foca, aberto, você joga a meia bola em minha boca, eu mastigo, humm. A família chinesa interrompe novamente quando o garoto enfia uma espátula na mesa branca, o que me lembra de que você ainda não me contou sobre a concha vermelha, e de repente essas almôndegas têm gosto de merda. Você falou com Benji sobre aquela concha. Por que não comigo?

— Você está bem, Joe?

— É — minto. — Acabei de me dar conta de que preciso cuidar de umas encomendas pela internet na loja.

— Bem, isso na verdade é bom — você diz. — Posso tomar um banho, arrumar tudo e você aparece quando tiver terminado.

Tudo o que você acabou de dizer é ideal, mas você ainda não mencionou a concha vermelha, e, pelo que sei, não vai. Parto para o ataque.

— Eu quero pegar uma coisa.

— Mesmo? — você diz, como se fosse difícil de acreditar. — Do que você precisa?

Não posso dizer concha.

— Uma espátula.

— Uma espátula para Joe — você diz. — Soa como um livro infantil ou algo assim.

A família chinesa passa por nós, seguindo para seu próximo destino neste zoológico de plástico. Você olha desejosa para eles e seu carrinho cheio, e estamos nos movendo novamente. Eu procuro as placas de utensílios de cozinha, e você suspira.

— Estou morta.

— Só vou pegar a espátula e depois podemos ir embora.

Você está morta, preguiçosa.

— Posso ficar aqui no carrinho.

— Importa-se de vir? — peço. — A última que eu comprei foi uma merda.

Você me segue para os utensílios de cozinha e eu caminho lentamente e espero que as espátulas fiquem bem ao lado das conchas. Eu vejo conchas vermelhas e meu coração dá um pulo. Você não reage a elas. Precisa de um empurrão. Eu pego uma.

— Talvez eu fique com todas as coisas vermelhas — digo. — Isso é ruim?

Você olha para a concha vermelha.

— Isso é realmente bizarro.

— O quê?

E agora você finalmente acaricia a concha vermelha na minha mão e conta a história de sua concha vermelha. Você era uma garotinha em uma caminha e o cheiro de panquecas a despertava nas manhãs de domingo. Seu pai usava uma concha vermelha especial aos domingos, só aos domingos. Ele cantava junto com a seleção das 40 mais, estragava a melodia e fazia você, seu irmão e sua irmã rirem no inverno, na primavera, no verão e no outono, e você não conseguia dormir nas noites de sábado de tão excitada que estava com as manhãs de domingo. E então ele começou a beber. Os domingos acabaram, a concha vermelha ficou em uma gaveta, as panquecas de sua mãe eram gordurosas e queimadas ou molhadas e cruas, e seu pai foi embora, mas a concha ainda estava lá e panquecas ruins cheiram como panquecas boas e agora ele está morto, então nunca mais haverá panquecas. Não há nada de sujo em sua doce história triste, e foda-se Benji por fazer você se sentir mal.

— Aquela concha ainda está na nossa casa até hoje, como se ele fosse voltar — você diz. — A vida é uma bosta.

Eu coloco as mãos em seus ombros, e você olha para mim, em expectativa.

Eu falo.

— Vou comprar esta para você.

— Joe.

— Sem ses, es ou mas.

O mundo para e seus olhos brilham. Os Benji do mundo não entendem o que você quer, alguém para fazer panquecas. Você não liga para dinheiro. Você não quer ser espancada. Você quer amor. Seu pai tinha uma concha vermelha e agora eu tenho uma concha vermelha e farei as panquecas que você tanto quer, as panquecas que você não provou desde que ele morreu. Sua boca se enche d'água e você se submete, suavemente.

— Certo, Joe.

Você pega uma concha prateada.

— Recomeço — você diz, e está certa.

Eu sou seu namorado.

15

EU atravesso a Sétima avenida e sorrio para todas as pessoas que passam. Estou feliz. Nem sequer acho que estou caminhando neste instante. É apenas um sonho, e se eu começasse a cantar e dançar, não ficaria surpreso caso todos os estranhos fizessem fila e acompanhassem. Que dia mágico com você, e agora pensar em você em casa, tomando banho e raspando aquelas pernas para estarem bonitas e macias para mim, escovando o resto de almôndega de seus belos dentinhos. Mal posso esperar para tocar você inteira, e estou tão despreocupado quanto um cara em um comercial de cerveja enquanto desço a Bank.

De fato é possível que façamos sexo esta noite, e eu realmente não achei que chegaria a isso tão rápido. Benji ainda está apagado e eu coloquei uma salada de 20 dólares e uma garrafa de Home Soda na gaveta, então ele ficará bem por horas. Estou livre e literalmente subindo a escada até seu patamar, apertando a campainha e esperando que você corra até a porta, o que faz.

— *Entrez vous* — você diz com uma risada, eu entro em seu saguão e está acontecendo, vamos foder. Seu cabelo está molhado, seus poros sumiram e não há sutiã sob sua camiseta e não há calcinha sob a calça de ginástica baixa gasta, e você não usa meias.

— Eu sou meio bagunceira — comenta enquanto abre a porta, e quero lhe dizer que sei, mas não digo.

— Não está tão ruim — digo, e não sei bem para onde ir.

É um espaço estranho com você nele, e tão pequeno que realmente é só para um. Você fica em pé na minha frente com as mãos nos quadris, olhando ao redor para todas as coisas de menina espalhadas: revistas e caixas de fósforo, garrafas vazias de água vitaminada, cupons e recibos, livros novinhos não lidos misturados com livros adorados rasgados e gastos. É uma porcaria de campo minado, e talvez por isso você esteja apenas olhando para tudo. Há uma cozinha minúscula à esquerda e uma nova torradeira, e a caixa da nova torradeira no chão, e você realmente gosta de coisas novas. A porta do banheiro fica à esquerda, a luz está acesa, o exaustor ligado, eu enfio a mão e aperto o interruptor. Foi uma coisa estranha a fazer, eu sei, você está perturbada, mas graças a Deus gosta de mim, então faz piada disso e ri.

— Bem, sim, Joe, vá em frente e sinta-se em casa — você diz e abre caminho através do campo minado, passando pela TV e até o quarto.

Eu tiro meu casaco e o penduro no cabideiro. Você se vira e torce o narizinho para mim.

— Venha aqui — você diz.

— Sim, senhorita — digo, piso em uma porra de um cabide que se parte, mas simplesmente vou em frente.

Seu quarto. Há uma garrafa de vodca no chão, dois copos novinhos (não da IKEA) e um copo de papel com gelo que você pega e me mostra.

— Coisa de gueto, certo? — Você ri.

— Não, seria gueto se estivesse em uma toalha de papel.

Você dá uma risada, coloca gelo e vodca nos dois copos e senta no chão junto à caixa da cama. Há música tocando, o Bowie do nosso encontro, você dá um tapinha no chão e eu me sento à sua frente.

— Algum dia serei o tipo de garota que sempre tem ingredientes na geladeira.

— Bom ter objetivos.

Você sorri para mim, fica de joelhos, chega mais perto, eu me inclino para frente para encontrar você, e quando me estico muito deliberadamente para pegar meu copo, sinto sua mão contra a minha.

— Obrigado.

— Sem problema — você murmura, e de algum modo, como uma bailarina, como um pretzel, suas pernas relaxam e esticam e você está sentada como um iogue com os pés nus colados. Toma sua vodca e olha para o teto. — Odeio todas essas marcas.

— Não, Beck, este é um prédio velho. Essas marcas são a história.

— Quando eu era menina queria paredes de tijolos de vidro. Sabe aqueles tijolos de vidro fosco? Como nos anos 1980?

— Você gosta de coisas novas.

Você retruca rápido.

— Você gosta de coisas velhas, Joe.

— Eu gosto daqui — digo, e olho ao redor do quarto. É menor do que eu lembrava, ou talvez esteja apenas quente. Eu quero você. — Acha que sua nova cama vai caber aqui?

— Eu tinha uma *queen size* antes.

Você está errada, pois sua antiga cama era de casal e mal cabia, mas não posso corrigi-la. Você lambe os lábios.

— Então, posso ser sua ajudante?

— Não. Mas você *pode* ser minha aprendiz.

Eu sempre lhe digo a coisa certa, e foi assim desde o começo. Você gosta de palavras, eu sei palavras e nós brindamos sem qualquer motivo, viramos nossos drinques e eu levanto primeiro. Ofereço a mão para ajudá-la, estou segurando uma de suas mãos, e agora as duas mãos. Desta vez você não solta, e estou ficando duro e você empurra minhas costas sobre a janela e posso ouvir folhas se agitando em árvores. Carros disparam pela Quatro Oeste, bem através de minhas entranhas. Meus sentidos, Beck, você me acende, literalmente, e o vento morde minhas costas através da tela da janela. Você toma minhas mãos e as desliza para seus quadris, guiando. Manobra meus dedos um a um sob a cintura elástica de sua calça gasta e qualquer um caminhando do lado de fora poderia nos ver, e você leva minhas mãos mais para baixo e seu traseiro é macio, mas duro, e redondo, e estou espalmando sua bunda e você solta minhas mãos, estica as suas e as coloca em minha cabeça, e está quente.

Você salta e monta em mim, eu poderia caminhar daqui até a China com você enrolada em mim, eu atravesso o quartinho e a aperto contra a parede, estou beijando você e tomando sua bunda e gosto de seus calcanhares nas minhas costas e sua cama em uma caixa, e há um som horrível à porta, metal sobre metal e um assovio e suas pernas baixam para o chão, você arruma meu cabelo e há alguém à porta.

— Sua mãe está aqui... — digo, e você lambe a mão e arruma minha sobrancelha.

— Não — você diz. — É Peach!

Então é assim e você desliza para longe. Está tudo errado, este era nosso momento e você corre para a porta e deixa Peach entrar e não posso ouvir você, mas certamente posso ouvi-la.

— O que há de errado com seu cabelo?

Você diz algo.

Ela reage.

— Você não está trepando com o montador da *Craigslist*?

Você diz algo novamente.

Ela rosna.

— Beck, a sobremesa costuma ser *depois* do jantar. O que você está pensando quando ele nem sequer montou sua cama?

Agora você é alta e clara.

— Joe!

Eu apareço quando sou chamado, dou um olá para Peach e ela finge um sorriso.

— Oi, Joseph — ela diz. — Desculpe invadir sua festa, mas nossa amiguinha aqui tinha originalmente *contratado* alguém para fazer sua cama e, como sua melhor amiga, era minha obrigação aparecer só para o caso do operário ser um *lunááaático*.

— Bem, surpresa! — eu exclamo e você ri, mas Peach não, e cara, aquela vodca era forte.

Ela olha para você.

— Posso ir ao banheiro?

— Claro — você diz. — Está tendo uma recaída?

— *Estou* — ela diz, tira os tênis e o cheiro de seus pés mimados e suados toma o apartamento, e agora ela tira seu quente pulôver rosa pela cabecinha de pássaro e o joga no chão, não no cabideiro. Olha para mim.

— Joseph — ela diz. — Sei que isso é mais do que você quer saber, mas eu tenho um quadro raro na bexiga chamado cistite intersticial e, quando tenho de urinar, tenho de urinar.

— Fique à vontade — eu digo, e ela entra pisando duro no banheirinho e não acende a luz. Ela conhece sua casa. Sabe que se acender a luz o exaustor será ligado e ela não conseguirá nos ouvir. Ela não confia em mim. Mas provavelmente não confia em ninguém.

Eu dou um risinho, mas você me manda calar e faz um gesto para que a siga até o quarto, e você está diferente agora.

— Lamento muito, Joseph — diz, cometendo um deslize. — Joe.

— Tudo bem. Ela está legal?

— Já ouviu falar de CI?

— O quê?

— Cistite intersticial. — Você está em modo melhor amiga, prendendo o cabelo com um elástico, pegando uma tesoura e abrindo a caixa. Eu pego a tesoura e termino o trabalho, você coloca mais vodca em seu copo, mas não no meu, e não estamos fazendo sexo e você não é mais minha aprendiz. Em vez disso, estou tirando a estrutura da cama e os parafusos e a chave Allen e todas as pecinhas da caixa e você está apoiada na janela fumando um cigarro como às vezes faz. Está me dizendo mais do que eu já quis saber sobre cistite intersticial e não é assim que isto deveria ser.

— Então é medonho para ela. Não pode beber água comum, só água Evian. Quase todas as comidas irritam a bexiga e é impossível prever quando, o quê, por quê ou como. Não pode comer comida de lanchonete e se bebe álcool tem de ser com pH alto como Ketel One ou Goose, e de preferência come pera, porque pera acalma a bexiga. Seja como for, a pobrezinha sofre. As pessoas acham que ela está sendo presunçosa, mas se comer coisas baratas a bexiga pode literalmente, tipo, quebrar.

— Ela estava tomando Jäger puro na festa — digo.

— Joe, não seja assim.

— Desculpe, estou apenas confuso.

— É uma doença complicada — você diz, eu me desculpo novamente, você me perdoa, vai até mim, acaricia e beija minha cabeça, mas depois volta à janela e eu não aceitei montar esta cama sozinho. Sinto sua falta. Minhas mãos estavam dentro da sua calça e agora você nem sequer olha para mim enquanto fala. — Algumas vezes, se toma um comprimido especial e enche a bexiga com muito queijo ou leite de cabra ou suco de pera, pode, sabe, consumir outras coisas como Jäger ou trigo.

— Que bosta ser ela — digo, e as instruções da cama estão em desenhos. A única palavra em todo o folheto de oito páginas é IKEA. Eu não aprendo por imagens, e seu cigarro está me deixando enjoado.

— Realmente é. Eu adoro Lynn e Chana, mas elas sabem ser rudes com ela. Quero dizer, estão sempre querendo ir a pizzarias ou bares, e sabem que Peach não pode comer essas coisas, mais continuam programando. Não é muito gentil.

— Ela não pode comer nada em uma pizzaria? — pergunto, e nunca teria tomado aquela vodca se soubesse que usaria uma chave de boca. Achei que iria montar a cama de manhã, depois de acordar com você nua em meus braços no sofá da sua sala.

— Beck! — Peach chama. Está chorando, e é babaquice, tenho certeza, mas você apaga o cigarro (e não apaga direito, eu tenho de terminar o serviço) e sai correndo sem sequer se despedir.

Os ricos são difíceis. Você é arrastado para suas idiossincrasias e seus dramas. Eu monto sua cama lentamente e canto baixo junto com seu Bowie, e leva um tempo longo, um tempo longo e solitário, agora você está lá dentro com ela, não consigo ouvir as duas conversando, e nunca me senti mais solitário na minha vida do que me sinto quando aperto o último parafuso de sua cama. Ela é meio que grande demais para este quarto, e eu estava certo. Pego o colchão apoiado na parede e o jogo na nova estrutura em vez de deslizá-lo. Quero que você venha aqui, bata palmas e admire meu trabalho, mas em vez disso você envia uma mensagem desde o banheiro:

"Lamento muito, Joe. Peach está muito mal e não quero deixá-la só. Há como você nos fazer um favor?"

Não posso fazer nada senão responder:

"*Qualquer coisa.*"

Agora você me chama, então vou até a porta do banheiro. Não abro. Nem você. Bato na porta.

— À sua disposição, senhoras.

Você abre a porta o mínimo e sorri.

— Você se importaria de correr até a delicatessen e trazer uma garrafa de Evian, uma pera e um pouco mais de gelo?

— Claro — respondo. — Posso pegar suas chaves?

Você começa a dizer sim, mas ela chama sua atenção, acho, e então você me diz para tocar a campainha quando voltar. Não dou um beijo de despedida.

Está claro para mim enquanto passo pela casa de Graydon Carter e respiro o ar de West Village. Benji tem de partir. Peach é sua melhor amiga, então você pode ser excessivamente tolerante com as babaquices dela, mas você tem essa coisa, Beck. E não é sua culpa, porque todo mundo tem alguma coisa. Dennis Lehane chamaria isso de uma *equivocada omertà da Ivy League*, e estaria certo. Você sempre escolhe os Peach e Benji do mundo em vez de mim porque você é leal aos bem-nascidos. Eu escolho a menor garrafa de Evian e a pior pera da cesta, um saco de gelo de dois dólares e um par de luvas de borracha de que vou precisar.

Arrasto meu traseiro suado e dolorido de volta à sua casa e você não me deixa entrar. Você vem até a porta e pega a sacola plástica.

— Ela realmente não está podendo ter companhia — você diz.

— Eu saquei. Você está bem?

— Ah, estou legal. Assim como minha cama.

Você sorri, me dá um selinho e Peach está chamando, então você corre de volta para ela e, enquanto eu atravesso a cidade até a livraria, tudo de bom de nosso dia, toda a alegria de *namorado* é obliterada pelo tanto que eu odeio esta maldita cidade dominada por pessoas como Benji e Peach. Só ao chegar à livraria me dou conta de que deixei as luvas de borracha na sacola da delicatessen. Se você perguntar, digo que ia limpar seu banheiro. Você acreditará em mim. Eu sei como fazer essas coisas, sei mesmo.

Vou até a loja da esquina, que não é tão legal quanto a sua loja da esquina, pego mais luvas de borracha e óleo de amendoim, depois vou até o Dean & DeLuca para um *latte* de soja. Volto à livraria e coloco uma saudável colher de sopa de óleo de amendoim no *latte* de soja. Benji mente sobre tudo. Provavelmente está mentindo sobre sua alergia a amendoim, mas quem sabe? Talvez eu tenha sorte.

16

A maioria das pessoas acha que Stephen Crane escreveu *O emblema vermelho da coragem* sobre a guerra. Mas não. Ele baseou suas descrições de batalha em suas experiências no campo de futebol americano na escola. Crane era meio fresco na juventude, perpetuamente doente, e nada atlético. Nunca esteve em uma guerra; apenas foi derrubado por um antigo equivalente americano da porra do Clay Matthews. Você deveria ver a cara de Benji quando contei isso a ele, Beck. Ele sabia o livro de trás para frente, mas não sabia nada sobre Crane, não tinha ideia de que Crane se odiava pelo fato de que veteranos compravam a baboseira dele. Ele basicamente passou o resto de seus dias se matando lentamente, se alistando em uma guerra após a outra e tentando compensar o fato de que tinha sido jovem, inteligente e sortudo.

— Isso é irreal — se maravilhou Benji, balançando a cabeça.

— O irreal é você adorar tanto o livro, mas nunca se informar sobre ele.

ISSO é verdade: Benji não estava mentindo; ele é, era, alérgico a amendoim. Ele morreu informado. Morreu com nova confiança e novo orgulho, e quem disse que você precisa ter 80 anos para ter vivido? Ele aprendeu, sabe? Quantas pessoas partem sentindo que acabaram de acertar?

A maioria das pessoas morre velha, cheia de dor e arrependimento. Ou jovem e cheia de drogas e hedonismo — um simples azar. Mas Benji teve o maior privilégio; ele morreu com o coração aberto, uma mente em evolução. Benji não era bom em ser Benji, Beck. Você sabe disso, mais que todos. Veja o modo como ele a tratava e o modo como ele tratava seu corpo. A armadilha que eu montei para ele foi um alívio da armadilha na qual ele nasceu. Eu criei um mundo onde ele não podia roubar, onde suas palavras falsificadas não tinham valor. Eu tomei suas drogas.

Olho por sobre a água para a IKEA no horizonte. É a coisa mais maluca, Beck. O depósito sobre o qual Benji me contou, aquele com o cartão magnético? É bem perto da IKEA. Você tem de gostar das pequenas coisas e pensar em o que Paul Thomas Anderson acharia desta coincidência.

É mais fácil entender as coisas no mar, ou em um rio, que poderiam chutar seu traseiro se quisessem. Você se lembra de que realmente não somos nada comparados aos elementos, das cinzas às cinzas, Beck, do pó ao pó. As cinzas de Benji estão em uma caixa da IKEA, uma "troca", o resto de nossa viagem. Eu digo a um marinheiro do *ferry* que havia peças faltando, que o produto não parecia nada com a fotografia. Na verdade esta caixa contém as cinzas de Benji. E você não acreditaria no que tive de passar; uma pessoa simplesmente não se desintegra em poeira.

Há dois dias você começou a se estressar por causa do Halloween. Você ia ser a princesa Leia (você realmente flerta), ia tirar fotos suas e de suas amigas e ficar muito bêbada. Você não me pediu para ser Luke Skywalker, e mais para frente vamos ter algumas brigas engraçadas sobre como celebrar o Halloween.

E há dois dias eu comecei a me estressar sobre o que fazer com o corpo de Benji. Eu tinha de colocar Curtis para trabalhar em horários loucos no Halloween e tinha de aprender a cremar um cadáver. Curtis foi fácil; maconheiros precisam comprar maconha e reagem bem a horas extras. E eu descobri o que fazer com Benji graças às instruções sobre cremação responsável em quintais, facilmente disponíveis na internet. Não era algo que eu pudesse fazer na cidade, então peguei o carro do sr. Mooney, fui a Jones Beach e encontrei um bom lugar escondido.

Cremação leva tempo. Você tem de manter o fogo aceso por horas e não é um trabalho perfeito. As cinzas de Benji decididamente são ossudas, então você não as jogaria em um escorredor de macarrão! Uma cremação adequada demanda tempo e substâncias químicas, mas acho que me saí bem nas circunstâncias. E eu me preocupo o suficiente para colocá-lo numa caixa e trazê-lo para casa, e a maioria das pessoas em minha posição o deixaria ali mesmo na ilha. Eu dou um sorriso, porque quando se pensa nisso, você não é realmente a princesa Leia (sua bunda é muito menor), e eu não sou realmente um papa-defunto. Há alguma simetria, e gosto disso.

— Quanto custou? — pergunta o tripulante amigável.

— Oitenta pratas, dá para acreditar?

Ele balança a cabeça e ergue a caixa de Benji até o compartimento.

— Eles roubam as pessoas. Mas as garotas adoram.

— Foi como eu me meti nessa — digo, nós rimos, eu lhe dou dez pratas, ele fica verdadeiramente feliz de receber esse tipo de gorjeta, e você sabe que ninguém dá gorjeta.

Estamos chegando ao cais, ele tem um cigarro atrás da orelha, está segurando o cabo, recolhendo e se preparando para lançar e diz que me ajudará a levar a caixa — de Benji — até a IKEA, mas digo que dou conta.

— Aproveite o cigarro, cara — eu digo. — Só se tem uma vez.

— Ou seis vezes por dia, ida e volta — ele diz, e ri.

O cartão funciona. Benji estava certo. O depósito está onde ele disse que estaria, e não foi problema entrar porque ninguém mais quer empregados humanos. Antigamente haveria um segurança e um pit bull e haveria perguntas.

"Quem é você? O que há na caixa? Quem autorizou seu acesso ao depósito? Onde está a autorização? Pode ligar para o sr. Crane? Pode pedir que ele venha aqui?"

Minhas respostas não seriam suficientemente boas e eu nao teria sabido o que fazer com a caixa de Benji. Mas ele foi generoso no final de seu tempo na Terra. Sabia que eu entraria aqui sem problema e acho que queria descansar aqui. Acho que gostaria de se reunir aos Rolex, ternos e prataria roubados, as coisas que ele foi treinado para respeitar e as coisas das quais não teve colhões para se libertar. Ele sempre seria um materialista infeliz. Eu o poupei de anos de dor.

Abro duas garrafas de Home Soda, uma para mim e uma para Benji e coloco a dele junto à caixa. Eu lhe digo, Beck, a merda tem gosto de paraíso de vez em quando, se você pega o lote certo. Eu calço luvas, limpo e ouço o gás escapar. Percebo um boné de 2006 da Mount Gay Rum Figawi Sailing com o nome Spencer Hewitt bordado sob a pala. Garotos ricos têm seus nomes bordados nas roupas, por ficar em quartos com crianças clepto como Benji e babás que precisam de ajuda para se lembrar dos nomes. Eu experimento o boné. Cabe, e decido ficar com ele. Eu preciso dele, Beck. É vermelho Nantucket, desbotado até um tom rosa empoeirado, sensível aos elementos, de algum modo régio, embora danificado, assim como você.

17

VOCÊ não sabe que está de luto. Você não sabe que Benji está morto. Não poderia saber. Mas você está perdida, Beck. Passou a semana inteira perdendo tempo, tendo sessões de cinema virtual com Peach. Você nem sequer consegue sair do apartamento para comprar café sem debater os méritos de Starbucks, Dunkin' Donuts e os "doces empregados" de sua delicatessen. Tentei ficar com você, mas no momento você está misturada demais a Peach.

Você não consegue ao menos decidir o que pensa da porra de um filme. Quando fomos ao Corner Bistro você me disse que adora *Magnólia* e falou sobre sua relação de amor e ódio com a Califórnia e seus sonhos de conhecer Paul Thomas Anderson e dizer a ele como é inteligente para cacete. E eu concordei. Mas Peach lhe disse que os filmes dele são *longos e julgativos*, e você concordou com ela! E "julgativos" não é sequer uma porra de uma palavra, e você deveria ser escritora. Eu tento. Pergunto o que está fazendo, você me diz que está vendo *Magnólia*, e o que você faz? Diz que acha que ele é "julgativo"! Você não acha isso. Peach acha isso. Eu tento ficar com você, mas você me diz que está doente.

Você não está doente, Beck. Você chama Peach para ir às compras, para almoçar. Ela diz que não. Diz que está doente. Mas eu a rastreei. Tenho de saber por que ela tem todo esse controle sobre você, então eu a tenho observado caminhar para a firma de *arquitetura* e caminhar para o *almoço* e cumprimentar as pessoas com beijinhos e comer salada com frango a porra da semana toda, Beck. Ela não está doente. Eu chamo você para um passeio, um café, uma sopa, qualquer coisa. É sempre o mesmo:

"Ainda estou doente. ☹"

Eu durmo. Seis dias desde o falecimento de Benji e ainda não a vi. Pelo menos não sonho, não que me lembre.

O mundo é um lugar melhor quando eu acordo porque, finalmente, você teve uma briga com Peach. Ela lhe disse que acha que seu analista não é bom, você defendeu seu analista e a si mesma. Estou orgulhoso de você. E a melhor parte é que agora que sua cabeça voltou para o lugar, você é a você que eu conheço e amo. Você me escreveu no meio da noite.

"Certo, meio que são palavras demais e meio que é tarde demais, mas você já sentiu tipo vontade de mandar todo mundo em sua vida se foder? Não quero ser aquela garota resmungando das amigas, mas neste instante eu poderia dizer... Minhas amigas são umas vacas! Eu tento muito reuni-las, você vê isso, e elas brigam e tornam minha vida impossível, Chana não vai a um lugar se Peach estiver lá, Peach não vai a algum lugar se eles servem especiais de happy hour porque acha que drinques especiais atraem a ralé. A questão é... Agora são cinco da manhã, eu não terminei meu texto, tenho oficina hoje e está simplesmente argh, sabe? E tem essa garota, Blythe, esse monstro, ela me odeia e vai atacar essa história de caubói e tá. Eu estou tagarelando. Mas basicamente o Sol vai nascer e estou pensando em você. Vejo você logo, supondo que não tenha decidido que sou uma maluca depois de ler este e-mail? Noite. ☺"

E simplesmente assim você me fez ganhar o dia. Eu escrevo de volta curto e doce:

"Querida Beck, pago seis drinques a você esta noite. Joe."

Você adorou, eu ganhei uma carinha feliz e temos um encontro esta noite — isso! —, fiz todas as jogadas certas — isso! —, recoloquei em seu lugar a máquina de escrever que levei para a cama, meu cabelo parece bom hoje — isso! —, Curtis trabalha esta noite, então eu não tenho nem de fechar — isso! —, Peach está fora de cena — isso! — e gozo para cacete por você, Beck. Quem sabe? Talvez esta noite aconteça. Eu vou até o seu bairro e compro dois cupcakes da Magnolia Bakery. Cheiram bem para cacete e eu os quero, mas sou um bom menino, Beck, e tenho ideias de o que fazer com toda esta cobertura.

MAS então... *então*. Deveríamos nos encontrar às nove e você me liga às 9:04 e está sem fôlego, cruzando a cidade. É uma longa história, você diz, mas Peach está sozinha em casa e acha que alguém invadiu porque a mobília na *varanda* foi movida. Você se parece com ela nesse estado de pânico.

— Joe, me escute — você diz, insistindo. — Quem invadiu mexeu na *chaise* dela.

Eu interrompo.

— Mas não roubaram a cadeira?

— Não — você diz, e suspira. — Mas alguém invadiu, Joe. Ela está com medo.

— Claro — eu digo, e você vai, mas não é tão dramático quanto você está fazendo crer. Eu não *invadi*, e não movi a *chaise* dela. Eu usei uma chave que encontrei na festa. E não roubei nada. Sou mais como Papai Noel, pois levei uma sobrecapa de acrílico para aquele Bellow, então a vaca podia dizer *obrigada*.

— Peach diz que lamenta — você me jura. — Ela se sente péssima, mas está aterrorizada por ter alguém espreitando novamente.

Eu não vou sequer dignificar a palavra *novamente*, e só posso imaginar as histórias de horror que Peach inventou no passado.

— Não se preocupe com isso. — Pareço sincero, e lhe digo para tomar cuidado, e você gosta de mim. Eu perdoo você. Sério. Você é uma amiga leal, e *chaise* não é palavra sua, ela pertence a Peach. Eu como os dois cupcakes, a cobertura está velha, e o gosto seria muito melhor se eu a estivesse lambendo em seus peitos. Você envia uma foto pelo Twitter um pouco depois. Com cupcakes muito menores que meus grandes cupcakes Magnolia naqueles pratos brilhantes e uma garrafa gigantesca de vodca com bengalas doces. Você escreve:

"#Noitedasmeninas"

Não há como você ter sabido dos meus cupcakes. Mas às vezes fico pensando.

18

VOCÊ compensa no dia seguinte. Mas não é com seis drinques e dois cupcakes em um bar escuro. Em vez disso nos encontramos para o *almoço*, e você me conta tudo sobre a depressão de Peach, sua solidão. Estamos no nada sexual Sarabeth's tomando água (também nada sexual), provando geleias artesanais (extremamente não sexuais), e só o que você quer é falar sobre Peach (totalmente assexual). Você se sente responsável por ela porque não tem família por perto, só deveríamos ir a lugares como este *depois* de fazer sexo e eu não consigo ver a lógica em nada disso.

— Ela é perpetuamente órfã — você me diz.

— Mas você também não tem família por perto, Beck — eu tento.

— Eu sei — você diz e pega um bolinho. — Mas eu *saí* de casa. É natural. A família dela a deixou. É doentio. Eles literalmente se mudaram para San Francisco no instante em que nos formamos.

Não fico surpreso, e você prossegue resmungando sobre *Blythe*, eu escuto, anuo e escuto, e anuo, como a porra de um bolinho, você vai ao banheiro e envia um e-mail a Peach:

"Só tenho de dizer, Joe é um ouvinte fantástico. Não perca a fé nas pessoas!"

Peach responde muito, suspeitamente rápido:

"Isso é muito doce! Não seja dura com ele, Beck. Ele parece ter potencial. Estava contando à minha professora de ioga sobre seu Joseph e ela o comparou a *Gênio indomável*. Ele é bom em matemática? Sempre divirta-se no almoço! Espero que você o tenha levado a algum lugar legal. Você é uma graça por conferir como estou, e por favor, fique tranquila, minha fé na humanidade está totalmente restaurada. Eu adoro ser solteira. Somos jovens demais para nos amarrar, certamente. Divirta-se com Joseph! Aposto que ele está aprendendo muito com você, e isso é assombroso!"

Você retorna à mesa e me pergunta se eu gostava de matemática quando pequeno. Digo que não, e quando pergunto a razão da pergunta sobre matemática você deixa para lá e volta a resmungar sobre Blythe. Tomamos mais café e eu gostaria disto muito mais se estivesse acontecendo depois de termos fechado o negócio. Não posso dar um beijo de despedida no meio do dia, e se essa for sua forma de me colocar na zona da amizade? Há uma zona da amizade ou isso é um mito? A garota inteligente termina com o cara de *Gênio indomável*? Não consigo lembrar.

Quando nos separamos do lado de fora de Sarabeth's, nos abraçamos como primos e você não está próxima de mim como estava na noite em que quase construímos a cama juntos.

— Isso foi divertido — você diz.

— O que vai fazer mais tarde?

— Noite de meninas.

— Mas você comeu cupcakes com as meninas noite passada.

Você me apanhou, e é uma gracinha.

— Joe, você está vigiando o meu Twitter?

— Um pouco — digo, e talvez pudesse beijar você. Está meio nublado, como o outono em *Hannah*.

— Bem, a coisa é que a noite passada foi de Peach e esta noite é de Lynn e Chana.

— Talvez amanhã à noite? — sugiro, e suplicar a você é o oposto de beijar você. Eu deveria ter deixado para lá.

— Eu realmente tenho de escrever amanhã à noite, mas poderíamos nos ver mais cedo. Almoço?

Eu concordo com almoço, você vai embora, é uma longa caminhada para casa e eu gostaria de odiar Tucker Max, a revista *Maxim* e o personagem de Tom Cruise em *Magnólia* e pensar que as mulheres não são tão simples quanto eles todos fizeram crer. Mas neste instante quase tenho de roubar uma jogada do guia de Frank T.J. Mackey, *Seduzir e destruir*, porque estou fodendo tudo. Não comer você naquela noite em que montei sua cama, não tentar pelo menos comer você foi claramente um erro. Eu estou fodendo tudo e isto é o maior erro de minha vida adulta. Eu nem sequer a beijei após ouvir você analisar demais sua vida por cinco horas. Eu fiz uma merda real, e você poderia achar que eu estou colocando *você* na zona da amizade.

E esse é o pior tipo de efeito dominó, porque nós almoçamos no dia seguinte em um lugar novo e você diz que "dizem que é tão saboroso quanto o Sarabeth's". De novo eu não a beijo depois, e o que você quer no dia seguinte? Você quer um *brunch*. Qual é a coisa menos sexual que almoço? *Brunch*, uma refeição inventada por mulheres brancas ricas para justificar beber de dia e se entupir de rabanadas. Você nem bebe no *brunch*, e logo estaremos indo a lugares que nem sequer têm garçons. Você está interessada nessa porra de delicatessen onde você fica na fila com gente que trabalha de nove às cinco e lê Stephen King em seus iPads enquanto esperam sua vez de pedir suas assexuadas saladas com a porra dos feijões, molhos, cebolinha e cebola (roxa ou branca? Grelhada ou crua?), cacete, pessoal, é uma salada! Parem de refletir demais sobre isso.

Você não brigou com Peach, mas não está sob o feitiço dela do modo como estava, e agora eu saquei que você gosta dela por ser obcecada por você. Lynn e Chana a amam, mas não acham que sua merda cheira a rosas. Você gosta de ser embalada, de canções de ninar, de ser sedada, e nossas conversas sobre seus contos e seus colegas sempre terminam com eu lhe dizendo como você é especial, quão talentosa, como eles sentem inveja, como você é claramente melhor que eles, e você cresce enquanto a tigela plástica transparente descartável se esvazia, e eu falo sério quando digo, e você tem sorte porque o que deseja ouvir é o que eu realmente penso:

"Beck, você é realmente talentosa. Se não fosse, eles apenas dariam de ombros."

"Algumas vezes os melhores escritores são odiados antes de serem amados. Veja Nabokov."

"Eu não estou competindo com você, então fico à vontade para lhe dizer que acho que você leva jeito."

E você leva. Quando deito no meu sofá escutando você falar sobre Blythe, sinto como se vivesse dentro de você, por seu intermédio. Sei o que é ser você, e você está certa. Blythe odeia você. Mas o ódio serve a você, a inspira. Você ataca:

— Ela é uma pequena bola de raiva e antidepressivos que não fala com a mãe, a irmã, o pai, a mulher dele, a colega de quarto, seu maldito gato ou qualquer dos muitos caras com quem ela trepou semana passada.

Você se interrompe, você respira.

— Quero dizer, Blythe chama a si mesma de *artista performática*; *prostituta* é como nós chamamos isso no mundo real. Ela tem um serviço de webcam que chama de *arte*.

— Em outras palavras, ela é uma piranha.

— Obrigada, Joe.

— Fique à vontade, Beck.

Você continua.

— E ela me odeia por ser de Nantucket e gostar de poesia.

— Então foda-se ela.

Eu tento ajudá-la a seguir em frente, mas você não sabe por que ela a odeia, e é só sobre isso que quer falar.

Toda.

Maldita.

Noite.

E seria mais fácil se essas conversas estivessem acontecendo em um banco de praça ou em seus degraus, seu sofá ou em sua cama, que eu montei, mas estão acontecendo pelo telefone. E eu não posso sentir seu cheiro pelo telefone e me sinto como uma linha de emergência 0800-Me-Ajude para a qual pode ligar para se sentir bem consigo mesma. Você não me trata como se eu fosse seu cara; você vai beber com pessoas da faculdade e me liga *depois* dos drinques e não age como se houvesse algo bizarro no fato de que não me chama para ir junto. Eu sou sua piranha telefônica, e não gosto disso. Você não quer saber como foi meu dia. Você sempre me pergunta do modo educado obrigatório.

— Então, como foi na livraria?
— Você sabe, uma livraria é uma livraria. Tudo certo.
— É?
— É.

E então espero que você queira saber mais sobre mim e meu dia, mas sempre cedo e pergunto:

— E você? Como foi na faculdade?

Mas eu não posso mais fazer isso. É hora de nos salvar, e é meu trabalho nos manter à tona.

— Ei, Beck.
— Sim?
— Vamos sair?
— Ah, já estou de pijamas, e tenho aula.
— Não, não. Quero levar você para sair semana que vem.

Há uma pausa, você esqueceu o quanto quer me comer e está tentando seguir as Leis de Peach: nada de caras, apenas contos, mas você me quer, ou já teria inventado uma desculpa.

— Bem, quando você quer sair?
— Sexta à noite — digo. — Nada de festas. Quero sair com você.

De algum modo consigo ouvir você sorrindo, você diz sim, e diz sim de novo e tudo bem para mim dizer que li seu conto *Bolas de poeira*, sobre o verão em que trabalhou como empregada. Tudo bem lhe contar minhas partes preferidas — claro que gostei quando o chefe da família tentou agarrar você na lavanderia.

— Ah, você sabe que não sou eu no conto.
— Mas você me disse que trabalhou de empregada um verão.
— Verdade, mas eu não me joguei para os homens na casa — você diz, e não me espanta que Blythe se ressinta de você. Você não é do tipo

que espreita, e Benji sempre estará errado, mas você cobiça, inocentemente, só porque não se sente confortável em sua pele, não ainda, mas eu vou ajudar você. Você continua. — Joe, não há como dizer o quanto eu nunca teria me colocado naquela situação. É ficção.

— Eu sei.

Eu não sei.

— Eu não sou a piranha da cidade. É uma história inventada.

— Eu sei.

— Eu não vou atrás de caras ricos casados.

— Eu sei.

— Então, aonde você vai me levar, Joe?

VOCÊ está feliz por eu ter me recusado a contar, porque não é sempre na vida que você se veste para ir a um lugar sem saber qual exatamente é esse lugar. Você está com uma saia rosa-clara comprida com duas fendas enormes, calçando botas marrons de salto alto — novas, para mim —, as fendas são tão altas que eu quase posso ver a calcinha, e veste um suéter marrom largo que será fácil, para mim, tirar de você. Seu corpo é uma oferenda, um pagamento por todos aqueles telefonemas distantes, aqueles almoços. Seu sutiã é rosa, rosa-quente, de modo a que eu não esqueça dos seus peitos sob o suéter, nem por um segundo. Quando a abraço, você cheira a rosas, sabão em pó e suco de xota e fico pensando em com que força você esteve em seu travesseiro, e me orgulho de não conferir seu e-mail por duas horas inteiras para poder nos dar o suspense de que precisamos, e você está prestes a me dizer foda-se o encontro, suba, e eu recuo. Foi muito tempo, Beck. E embora você seja sempre adorável, nunca se vestiu assim para *mim*. Esta noite você se importa com o que eu penso. Não vamos ver suas amigas e ninguém vai tirar sua foto e postar no Facebook. Seu corpo, seu cabelo, seus lábios e suas coxas, tudo é para mim. Desde aquela noite em que construí sua cama você nos empurrou para espaços assexuados à luz do Sol. Eu finalmente a tenho no escuro, você não vai mais se esconder de mim, e vou fazer isto durar o máximo que puder. Eu amo isto. Eu amo você.

— Vamos — digo, tomo sua mão, e sua mão fica bem na minha, caminhamos em silêncio e acaba que há algo em todas aquelas malditas conversas pelo telefone, pois agora há liga, entre você e eu, e ambos estamos surpresos com o quão conhecemos um ao outro, eu aperto sua mão, você olha para mim, eu chamo um táxi e um encosta, porque é assim que vai ser para nós a partir de agora.

— Para onde?

— Central Park.

— Aimeudeus, Joe. Mesmo?

— Onde as carruagens ficam.

Você dá um gritinho, bate palmas e eu mandei bem, e não tinha certeza porque uma parte de mim pensava que você acharia que não há nada de maior mau gosto que uma carruagem puxada a cavalos, mas no final, são quase duas semanas desde nossa noite de IKEA e eu queria que nossa reunião noturna fosse o mais excitante possível. O táxi vai para o centro, estamos indo mais rápido do que eu achava possível a esta hora, eu saio do táxi primeiro. E desta vez corro para o seu lado do carro e abro a porta para você. Ofereço a mão. Você a aceita. O taxista vê você saindo. Eu dou gorjeta. E antes que você perceba, estamos lado a lado na carruagem a cavalo, aninhados como dois pombinhos.

— Isto é demais, Joe — você diz e chega mais perto de mim, de novo.

— Essas fendas são demais — eu digo, você abre as pernas um mínimo, você quer minha ajuda, estou deslizando minha mão sobre sua coxa, você está com tesão (o trote do cavalo, a cor das folhas, eu), você geme baixo e eu chego lá. Calcinha rendada, você geme de novo e empurra um pouco sobre minha mão, eu entro sob a calcinha, você é um lago quente, macio como travesseiro só para mim, diz meu nome, eu mantenho a mão lá, apenas segurando, e você me beija no pescoço.

— Obrigada.

— Não, não — eu digo, porque não posso criar palavras neste instante. Estou feliz demais para falar, cacete.

As conversas da história de nós dois acabou e eu uso minha outra mão para segurar seu ombro, e ficamos assim de olhos fechados, sentindo um ao outro — sua mão subindo pela minha perna, dolorosa, encantadoramente lenta — e você não sabe o que vem depois e estas são as melhores 200 pratas que já gastei na vida. Obrigado, cavalo.

ENTÃO Benji estava certo. Você gosta do seu luxo. E eu me dou conta de que eu também. Estamos enfiados no canto mais escuro do Bemelmans Bar, no Carlyle, eu tenho você e a torturo, estando tão perto de todos aqueles quartos vazios, todas aquelas camas macias, e não vou levar você para a cama, não ainda.

— Ah, vamos lá — você diz. — Vamos roubar uma chave da faxineira. Nunca fiz nada assim.

— O que você quer fazer lá dentro, minha jovem?

— Você sabe o que eu quero fazer lá dentro, Joe.

— É?

Você acena com a cabeça, você mordisca minha orelha, e se eu pedisse você ficaria embaixo da mesa, aqui, agora. Mas não peço porque quero sua boca em minha orelha. Suas mãos se movem, vagando sobre meu cinto, isso mesmo, há espaço aí embaixo, isso mesmo, é sua mão, é minha camisa. Puxe para fora, sim. Você está chegando e está querendo e você me tem na mão, está em casa, e eles precisam de uma nova palavra para punheta, porque isto

É.

Mágico.

Você é uma bola de desejo e tenho de abrir os olhos e ver algo assexuado ou vou explodir, e o salão parece brilhar no escuro. Nunca me senti tão seguro quanto em suas mãos. Eu a beijo, você me beija, isto valeu a espera e sua magnólia vai me pegar, agora não demora, você está pingando. Pronta.

Ninguém nos observa. Ninguém está puto conosco. Não há nada de errado conosco. O garçom de paletó vermelho que nos trouxe dois copos altos com gelo, dois guardanapos de coquetel e dois pequenos copos de vodca gelada foi respeitoso e bom. Os desenhos nas paredes são bons, assim como eram quando eu os vi na internet quando pensava em aonde levá-la em minha carruagem dourada para ensinar seu cérebro a pensar em mim como seu passaporte para o dinheiro e banquetas de couro. Mas eu ganho menos que todos os caras aqui, incluindo o garçom.

— Joe.
— Beck.
— Eu quero você. Agora.

Você soa lânguida e quente.

Mas a porra de um garçom se aproxima, lentamente, afetado.

— Desculpe-me, senhor.
— Ahn?

Você se afasta, cruza as pernas e morde o lábio. Estamos sendo expulsos por demonstração pública de afeto?

— Com licença, é a srta. Beck?
— Sou Beck — você diz, e o garçom está confuso. — Sim, sou a srta. Beck. O que há de errado?

Tudo.

— Lamento muito interromper, mas a senhorita recebeu um telefonema muito urgente da srta. Peach.

— Ai, Deus.

Você cobre a garganta, e é o fim. Você não está mais segura.

Ele olha para mim e eu aquiesço. Ele parte e você está enfiando a mão na bolsa e tudo o que acabamos de fazer derrete mais rápido que os cubos de gelo que sobraram.

— Isso é bizarro — eu digo, e você ainda procura. Você leva muita merda.

— Não consigo achar meu telefone.
— Como ela sabia que você estava aqui?

Você ruboriza.

— Eu posso ter tuitado.

Beck, Beck, esta deveria ser nossa noite, sozinhos. Eu fiz isto por você. Essas fendas eram para mim, aquele sutiã era para mim e sua calcinha era para mim. Como isso vai funcionar se você não consegue passar algumas horas sem procurar uma plateia? Há um pacto que você faz quando desliza para um reservado e passa a mão pela calça de um homem, Beck. Você não tuita quando está fodendo e o que eu vou fazer com você? Eu quero gritar e conseguir mais gelo, mas tenho de respirar, beber e não dizer nada.

— Joe, você não está puto, certo?

— Não.

— Eu nunca estive aqui. Quando você foi ao banheiro, não sei — você diz, acha o telefone, o usa para bater no meu braço e eu me viro para você. — Joe, estou muito feliz de estar aqui. Eu sempre quis vir aqui, e só estava empolgada.

— Tudo bem.

— Eu deveria ligar para Peach.

— Certo, senhorita Beck. Vá ligar para Peach.

Todos os caras aqui dentro observam você sair, dois caras olham como se tivessem uma chance com você e eu não gostaria de nada mais do que chutar uns traseiros. Deveríamos sair deste bar juntos. Você não deveria deslizar sozinha em sua saia rosa de piranha toda amassada. Você desnecessariamente coloca a mão no braço do porteiro pedindo não sei o que, e aquela saia é um pouco transparente demais, se você quer saber a verdade. Vai ser difícil quebrar você, essa parte de você sequiosa por plateia que quer ser notada e observada. Você precisa de um acompanhante, Beck, especialmente se quer se vestir como a porra de uma piranha.

— Está olhando para o quê, cacete? — eu digo ao primeiro criminoso, um cretino no bar que ainda olha para a porta pela qual você saiu como se planejasse qual parte de seu corpinho de puta ele vai comer primeiro. Ele tem uns 100 anos, não sente medo, mas colocarei medo nele se não se comportar.

Você chama do saguão.

— Joe! Temos de ir. Temos de ir *agora*.

O velho ri de mim e você treme, impaciente.

— Vou conseguir um táxi.

— Tenho de pagar.

— Eu paguei ao garçom na entrada — você diz, agora indiferente.

— Está acertado. Aquela coisa do táxi a cavalo deve ter custado uma fortuna.

E assim você transformou em merda todo o meu bom trabalho em fazê-la se sentir uma princesa. Você pagou, eu não sou o cara, Tucker Max está em algum lugar rindo de mim com o velho do bar, os desenhos estão rindo de mim, o garçom que ganha mais que eu está rindo de mim, você abre a porta do táxi — você arranca o homem de mim pedaço a pedaço, eu sou sua puta telefônica e sua saia está um horror — e não pode ficar pior, mas fica.

— Para onde está indo?

— Setenta e um com Central Park West.

— Peach está bem? — pergunto, surpreso de ser capaz de falar em voz alta.

— Não — você diz enquanto prende os cabelos atrás com um elástico que tirou daquela maldita bolsa grande assexuada que trouxe como se soubesse que iria terminar assim. — Você não vai acreditar no que aconteceu.

19

TUDO chega ao auge. É da natureza de toda vida.

Enquanto seguíamos no táxi para a casa de Peach, tive cada vez mais certeza de que chegara ao auge na carruagem (não uma "coisa do táxi a cavalo", como você disse) e sei que nunca conseguirei ser aquele homem grandioso novamente. Nunca estarei naquele lugar exato, tendo apanhado você e literalmente a erguido dos pés com a pele fresca, a saia limpa e a noite à nossa frente. É como Michael Cunningham diz em *As horas*: "Felicidade é você acreditar que será feliz. É esperança."

Peach tomou minha esperança. Você está relendo e-mails e enviando textos, e como você se ligou a mim pela primeira vez em nossa vida e depois desligou? Você está a um milhão de quilômetros de mim, conversando com pessoas que não têm nada a ver conosco.

— Ei, ah, Beck — eu tento.

Você não olha para mim. É seca.

— O quê?

— Quer me dizer o que está acontecendo?

— Muito — você diz, e finalmente olha para mim. — Ah, você está puto.

— Não — eu digo, e não é minha culpa se seus amigos são tão babacas, não é minha culpa se você não consegue ficar fora do Twitter uma porra de noite. Essas são coisas fora do meu controle, eu sou melhor do que você e você sabe, ou não estaria segurando minha mão e tagarelando sobre Peach e o fato de que ela acha que alguém invadiu sua casa e roubou alguma merda de novo, o que é ridículo porque eu só invadi uma vez e nunca roubei porra nenhuma. — Ah...

Você cruza os braços.

— Olhe, Joe. Ela está sozinha. Ela está com medo. E ela é minha amiga.

— Eu sei — digo.

Você fica puta.

— Então não me venha com *ahs*.

Você não tem coragem de encarar Lynn e Chana e eu alegremente seria seu saco de pancadas esta noite.

— Lamento, Beck. De verdade.

Você concorda. Você é leal.

— Mas vou dizer uma coisa. Aquele prédio é seguro. Seria muito difícil invadir.

Mas você não se comove e bufa.

— Bem, não importa se aconteceu. Ela se sente como tendo acontecido.

Eu deixo você vencer; você é menina. Tem o direito. Seguimos em silêncio e eu registro silenciosamente que Lynn e Chana não telefonaram em nosso encontro alegando que o Pé Grande está tentando afogá-las na fonte da juventude. Você sai antes que o motorista coloque em ponto morto e eu pago, triste.

Quando salto do táxi, você joga os braços ao redor de mim com força e sussurra:

— Este foi o melhor encontro de todos os tempos.

— Defina *todos os tempos* — eu digo, e sei que você quer um beijo, e a beijo. Quando entramos no prédio somos muito um casal, entramos no elevador, seu telefone toca, você atende e é Peach.

Ela grita:

— Onde você está, cacete?

— Desculpe, nós estamos no elevador!

Ela rosna.

— *Nós?*

O sinal some e você suspira.

— Esta vai ser uma longa noite.

— Quer que eu vá embora?

Posso lhe dizer que eu gostaria de ir embora, mas você me dá o braço.

— Por favor, pegue leve com Peach. Eu sei que ela é difícil. Mas já tentou suicídio, duas vezes. Ela é fraca, triste.

— Eu só não gosto que gritem com você.

Você sorri e aperta meu braço.

— Você é um protetor.

— Eu sou.

Eu pego a sua mão que estava no meu pau. Eu a beijo e lhe prometo que você está em segurança.

Você arrulha.

— Meu cavaleiro de armadura reluzente.

O elevador boceja e vibra, o sino toca e as portas se abrem para uma feia visão. Está alto, Elton John aos berros e Peach parece eletrocutada, com cabelos arrepiados e olhos insones. Está armada com uma porra de faca de trinchar, de trinchar todas as coisas.

— Por que demorou tanto? — ruge.

Ela dispara pela sala de estar, que é ainda mais vazia sem pessoas da Brown. Você aperta minha mão — *desculpe*. Eu aperto sua mão — *tudo bem*. Seguimos a raivosa Peach por sua casa e se eu morasse sozinho em um lugar enorme assim também enlouqueceria.

MENOS de dez minutos e eu já tenho aquela sensação de entregador não remunerado. Peach fala apenas com você, e quando ouso interromper ela espera que eu termine antes de prosseguir: "como eu estava dizendo..."

Eu não considero pessoal, e acho que ela ficaria igualmente puta se você trouxesse Lynn ou Chana. Mas isto não é engraçado, Beck.

Eu me sento no sofá com os braços esticados, e você está ao meu lado, mas para frente, na beirada do assento. Posso lhe dizer que Peach é veneno. Ouvir enquanto ela mente e escutar você ser fisgada é demais, mas não posso dizer uma palavra.

Você agarra o telefone.

— Acho que deveríamos chamar a polícia.

Ela sacode você, eu não suporto mais e me levanto.

— Acho que eu deveria dar uma conferida. Importa-se?

Peach dá de ombros.

— Divirta-se, Joseph.

— Há algum suspeito? — eu pergunto, e você passa um braço ao redor da minha perna. Eu acaricio sua cabeça.

Peach olha pela janela, um gesto clássico do mentiroso.

— Há um lamentável entregador incompetente da casa de sucos. Mas eu não consigo imaginá-lo tendo os recursos para invadir este prédio. Quero dizer, sem querer ofender, Joseph, mas duvido que o garoto tenha um diploma do secundário.

— Ofensa nenhuma.

Ela se contorce.

— Isso saiu sem querer.

— Sem problema — eu digo, e ela tem sorte por eu não ligar para o que pensa. Eu me inclino, ergo seu queixo e a beijo nos lábios, beijo molhado, boca aberta, cheia. Eu me afasto e cumprimento Peach ao sair da sala.

Entro na sala da biblioteca para conferir o pobre sr. Bellow. Não espanta que você não esteja escrevendo o suficiente. Peach é uma âncora, constantemente a arrastando para baixo com seus problemas, seus dramas inventados. Neste exato instante a garota Blythe da sua turma está curvada sobre uma porra de bule de chá com uma caneta vermelha e a décima versão de um conto. Está escutando Mozart e mergulhada em seu trabalho. Você prefere a vida. Você gosta do melodrama desta cobertura. Eu pego o Bellow (agora em uma sobrecapa. "Fiquem à vontade, Salingers") e escuto vocês garotas indo à cozinha. Peach lhe diz para colocar uma pizza no forno e você faz uma objeção:

— Achei que não podia comer tomate tendo CI.

— Sinceramente, quando estou furiosa e estressada como neste instante, não faz diferença.

— Querida — você diz, ronronando.

— Eu sei. Isso é *tão. Injusto.*

Para mim chega, me despeço do pobre sr. Bellow e vou para o andar de cima. Minha primeira parada é, claro, o quarto de Peach. Da última vez em que estive aqui achei que era maior que a livraria e, ao voltar, me dou conta, para meu desalento, que estou certo. Você poderia ter oito jogos de Twister acontecendo aqui. E é bem projetado, claro. Os ricos sabem como fazer suas paredes trabalharem para eles. Portas duplas por toda parte. Algumas dão para o closet de 6 metros. E algumas dão para a varanda. Eu toco a peça mais bonita aqui, uma cômoda de mogno clareado, antiga, com 5,5, talvez 6 metros de comprimento.

Eu quero relaxar, então tranco a porta atrás de mim. Tiro os sapatos e as meias, e os tapetes de mink — *mink*, cacete — parecem o céu. A cama é uma beleza, uma Califórnia king bem no centro. Lençóis Ralph Lauren — eu confiro — e montanhas de livros de Virginia Woolf na estante embutida, capas duras, brochuras, novos, velhos. Ela correu um milhão de maratonas. As fitas são a prova, enfiadas como marcadores nos livros, aleatoriamente. Eu passo a mão sobre a cômoda de mogno clareado e é coisa boa. Que vergonha. Você mal vê o tampo por causa da floresta plástica de produtos para os cabelos. Há uma TV gigantesca, mas isso era de esperar em um lugar assim.

Eu quero ir à varanda, mas a porta emperra. Eu puxo, *vamos lá, piranha, abra,* e ela abre. Mas eu perco o equilíbrio e estou batendo em garrafas plásticas de creme de cabelos tentando deter minha queda. Não funciona, e estou no chão. Derrubei uma porção de garrafas, um exemplar bem gasto de *Um teto todo seu* e um punhado de fotografias cai no mink. Não consigo acreditar em minha sorte enquanto folheio todas as belas fotografias reveladoras, todas fotos suas. Peach é a fotógrafa, fica claro.

Mas a marca de um fotógrafo realmente grande é um olhar independente. Um grande fotógrafo consegue fotografar um ralo, encontrar o ângulo certo e transformar esse ralo em um prisma de aço. Essas fotografias são adoráveis, mas essas fotografias não são arte, Beck. Não. Essas fotografias são pornografia, cacete, e tenho de me sentar, porque é muito para absorver, saber. Peach a ama. Peach a deseja. Meus sentidos estão excitados; um inimigo vive aqui, e agora me dou conta de que estas fotos estão sujas, amadas e pegajosas. Ela toca em si mesma e depois em você, em si mesma e em você. As fotos são a eternidade, e não espanta que a garota seja tão raivosa, tão travada. As fotografias oferecem a história de seu corpo (obrigado, Peach), e eu a vejo aos 18, talvez 17, de camiseta larga, sem calcinha, dormindo de costas, em uma cama. A luz da praia penetra ao fundo e você é um anjo, olhos fechados, pernas abertas. Eu a vejo de biquíni molhando um dedo do pé na água. Ironicamente, sua bunda é um delicioso pêssego maduro. Eu a vejo em uma praia à noite, montada em um cara, nua. Peach tem uma câmera boa, pois eu posso ver seus olhos, e seus mamilos pulam como botões.

Eu tenho de ir para a Califórnia king. Essas fotos, Beck.

Essas.

Fotos.

Cacete.

Há um calombo sob o edredom, eu levanto o edredom e encontro as roupas de ginástica de Peach sujas e molhadas e as malditas meias. Eu subo na bagunça e jogo outro dos xales dela, ótimos para esconder as ereções invisíveis, eu agora entendo. Espalho as fotos e graças a Deus a cama é grande. Eu quero foder cada foto. Aquela sua no secundário com franja, aquela sua na faculdade com o quadril, e aquela no meio da foda, a versão em preto e branco de você montando um cara qualquer. Não sou eu nessa foto, mas serei eu e vou agarrar seu pescoço como você gosta e você vai gritar por mim e gemer, *Joe*. Eu lanço um balde de porra quente na coisa mais próxima que consigo encontrar: um sutiã esportivo embolorado.

Peach não vai sentir falta, e não tenho escolha senão enfiar na calça e esconder na cueca. Tiro fotos das fotos antes de guardá-las em sua pequena Caixa de Beck, e sorrio.

VOCÊ

Quando me acalmo e limpo, desço e encontro vocês duas na varanda. Tudo parece diferente agora, e isso é um problema. Peach está apaixonada por você, você é minha e a vida nunca será fácil com ela se fazendo de doente, se fazendo de vítima, se fazendo de perseguida, fazendo qualquer coisa para conseguir sua atenção. E agora eu também sou diferente, com medo de olhar para você com as fotos tão frescas na cabeça. Peach está bêbada e tagarelando sobre ser *espreitada*. Eu me sento no braço de uma cadeira como um detetive faria e seguro o queixo com a mão.

— Se me permite, Peach. Notei que você correu muitas maratonas. Você corre todo dia?

— Por quê? — ela retruca. Ela queria que eu estivesse morto. Não porque eu não fui para a faculdade. É por causa do modo como você me olha.

— Bem — eu começo. — Se você corre todo dia, é muito fácil para um esquisitão descobrir isso e ficar à espreita.

Você agita as mãos e o xale cai no seu colo.

— Aimeudeus, aimeudeus, Joe! Peach corre todo dia pelo parque antes de clarear.

— Não *todo* dia — corrige Peach, mas baixa o volume do Elton, para ouvir você louvá-la.

— Claro que sim, Peach. Você é impressionante, destemida, quero dizer, você corre na floresta.

Peach dá de ombros, mas você pode vê-la decorando essas palavras: *impressionante, destemida*.

— Isso não é seguro — eu digo.

— Bem, eu vivo fora da caixa, Joseph — diz Peach. — É assim que eu sou.

Você pega a lista de homens prováveis suspeitos que estavam fazendo e não consigo escutar por causa do *slide show* em minha cabeça de você, você, você e você.

— Peach — você diz. — Consegue pensar em mais alguém? Alguém que você namorou?

Ela dá de ombros.

— Talvez aquele Jasper. Almoçamos outro dia e pude ver que machuquei seu coração. Quem sabe? Talvez eu o tenha partido sem perceber.

É uma porra de uma mentira, mas tenho de ser forte.

— Esse tal Jasper, ele fez alguma bobagem?

Se eu tivesse dito que o céu era azul-marinho Peach teria corrigido e chamado de azul meia-noite, então claro que ela faz uma objeção.

— Pela *minha* experiência homens como Jasper na verdade lidam bastante bem com a rejeição. Homens como Jasper têm vidas tão ricas que não costumam ser abertamente *emocionais* sobre suas vidas pessoais.

— Então, você tem muitos ex-namorados? — pergunto, e sei que deveria recuar.

— Ainda somos todos *amigos* — ela corta. — Não somos colegiais, não há *drama*.

— Bom para vocês — digo, e quero esganá-la. — Não sou amigo de nenhuma das minhas ex, paixão demais. Não consigo simplesmente jogar essa paixão de lado e ir almoçar.

Ela não consegue retrucar nada desta vez, e eu me inclino para beijar você.

— Fique bem — digo.

— Ah, Joe — você diz, e não precisa ser tão dramática. — Obrigada por compreender. Eu preciso ficar aqui.

Veja todo este amor em seu coração. Você é leal, doce e se levanta para me levar à porta e me agradece por ser tão compreensivo. Damos um beijo de boa noite enquanto Elton John canta mais alto, "*sitting like a princess perched in her electric chair*". Eu lhe digo para voltar para sua amiga. Você faz isso.

20

UM estudo alemão de 2008 provou, em grande medida, que o barato do corredor é, de fato, um quadro médico. Infelizmente para mim eu devo ser apenas parcialmente humano. Porque estou rastreando Peach há oito dias e ainda não experimentei o barato do corredor de que ela fala sem parar. Já são quase duas semanas com você na casa dela para o caso do bicho-papão perseguidor retornar. Rá. Eu só vi você duas vezes.

Na primeira vez há sete dias: você me chamou porque tinha voltado ao apartamento para pegar suas coisas. Fez a mala e me perguntou quais meus planos para o dia de Ação de Graças. Eu lhe disse que passo com o sr. Mooney e família, e você acreditou. Disse que ia passar com a família de Peach porque ela fica deprimida quando eles estão por perto.

Começamos a dar uns amassos, você me deteve e esfregou a testa com a mão. Achei que minha vida tinha acabado, mas você colocou a mão em mim.

— É uma merda minha, Joe — você disse. — Eu fico esquisita nos feriados por causa do meu pai. Não é a mesma coisa depois que ele morreu.

Eu disse que entendia, e entendia mesmo, então assistimos a *A escolha perfeita*, você deu pausa quando Peach ligou, atendeu, se desculpou comigo e me mandou para casa.

Eu me escondi do lado de fora de sua janela e, sorte minha, você colocou o telefone no viva-voz. A conversa fiada acabou e Peach suspirou.

— Então minha mãe almoçou com a mãe de Benji.

— Hã-hã — você disse.

— Bem, não quer saber o que ela disse?

— Benji é um babaca — você disse, na voz calma que significa que não gosta mais dele. — E obviamente é meio que um drogado.

Peach partiu para o ataque.

— Bem, muitos artistas são fracos assim, Beck.

Você não estava interessada, e disse a ela.

— Por agora ele provavelmente está na China cheio de heroína de primeira e se afogando numa xoxota chinesa. Quero dizer que ele certamente está tomando alguma coisa. Os tuítes dele são ridículos.

Não, Beck. Meus tuítes de Benji não são *ridículos*. Eles são perturbadores. São soturnos.

E você continua a falar sobre ele.

— Honestamente, Peach, a última coisa que vou fazer é me preocupar com Benji — declarou. — Ele se preocupou comigo?

— Calma, garota.

— Desculpe, estou fazendo a mala, e nunca é fácil fazer a mala.

— Tenho camisolas que pode pegar emprestado. Você pode vestir as minhas coisas.

Cara, ela quer você, você disse que tinha de desligar, então me escreveu para pedir desculpas pelo fim abrupto, respondi dizendo para você não se preocupar, então você deu um show em um dos seus travesseiros e eu escutei. E gostei.

Depois, novamente, há três dias: você, eu e Peach nos encontramos na porra do Serendipity porque o chocolate deles é o único que ela pode comer, e ela *realmente* precisava de chocolate por causa de todo o drama sobre o perseguidor. Sentamos a uma mesa concebida para crianças ou pessoas com crianças e observei Peach engolir uma tigela exagerada de chocolate quente congelado, e eu sei, por leituras sobre cistite intersticial, que você não pode fazer isso tendo esse quadro (não doença, Peach, *quadro*), e ela falou mais que nós dois juntos e quando tentei segurar sua mão sob a mesa você deu um tapa na minha perna, *não*. Depois demos um beijo de despedida na rua e seus lábios estavam tão apertados que tinham rugas.

Não foi um dia de Ação de Graças feliz. O feriado chegou como sempre. A família de Peach vem para casa, você está ocupada com eles, eu não sou seu namorado neste instante e você não me convida para comer peru com a família dela. Curtis quer folgas extras e eu trabalho o tempo todo. A primeira vez que corro é porque eu poderia matar a porra da Peach. Saio para caminhadas quando todos os outros estão ocupados com as famílias, e me vejo atraído para o prédio dela porque você está lá. Corro porque Peach sai em disparada pela porta e quase me vê. E se ela me visse perto do prédio surtaria e começaria a achar que eu sou um perseguidor. Então sim, por um segundo, ali, eu corri o mais rápido que pude para as árvores atrás dela porque ia agarrá-la pelo pescoço e fazer com que parasse de correr de uma vez por todas.

E continuei correndo no dia seguinte e no outro porque estava infeliz com o fato de que não conseguia acompanhá-la, cacete. É frio de manhã, meus tênis altos de brechó não esquentam, eu compro tênis especiais de corrida em uma loja de artigos esportivos (por favor, me mate), agora *meus* pés estão cobertos de sangue como os de Peach, e quando chego à livraria estou morto. Quem disse que correr de manhã dá energia nunca teve um emprego diário que envolvesse atender clientes.

No dia dez eu sinto tanta falta do seu rosto que as fotos das fotos já não dão conta. Conversamos todo dia, mas você é diferente agora que basicamente mora na casa de Peach. Sinto falta de nós dois no Bemelmans Bar, e vou lá sozinho certa noite e sinto pena de mim, arrumo um garçom nojento que continua a me perguntar se espero um amigo. É um tempo escuro e solitário e realmente não posso continuar assim, Beck.

Depois de dez dias pareço um corredor de verdade nos meus trajes. Eu até tenho uma porra de uma faixa na cabeça. Peach começa tarde porque vocês beberam um pouco na noite anterior, como vi no seu Twitter:

"Vodca ou gim? Vodca e gim é melhor. #noitedemeninas"

Ela está lenta, desligada e decididamente de ressaca. Ela se curva como se fosse vomitar, e a maioria das pessoas evita exercícios de alto impacto nestas condições. Está frio, minhas pernas zumbem e estou farto de correr pelas árvores todo dia. Mas há uma coisa na corrida com a qual concordo: a porra é viciante. Menos de duas semanas de vida como corredor e eu não preciso colocar despertador.

Ela sempre começa devagar, antes do Sol nascer, com Elton John cantando *"it's four o'clock in the morning damn it, listen to me good"*, agora eu já conheço a música muito bem — *"someone saved my life tonight, tonight"* — e não é o tipo de música que o faz querer suar. O motivo pelo qual consigo ouvir o Elton John é que ela não se preocupa com espaço público partilhado. Cidadãos do mundo dignos e respeitosos usam fones ou *headphones* para privatizar sua música. Mas não Peach. Ela enfia o iPhone em uma faixa presa no alto do braço. Coloca um falante especial e a música berra. Quando as pessoas fazem cara feia para ela ou objetam, o que aconteceu (eu adoro os nova-iorquinos, cacete), ela não se desculpa. Manda que lidem com isso. E a música! Elton John é lento, portanto errado, e o exercício é uma punição ao corpo. Ela é sem alegria e feia quando arfa e bufa, e a maioria das garotas corre em trilhas bem iluminadas, mas Peach corre por onde não é seu lugar, sozinha, a não ser por Elton John — *"you're a butterfly and butterflies are free to fly, fly away, high away, bye-bye"* — e eu a sigo todo dia porque você não é uma borboleta enquanto ela existir. Você não é "livre para voar, voar para longe" porque ela é uma porra de uma pervertida perigosa, fotografando você, cobiçando você. Há algo mais doentio que fotografar alguém que *dorme*?

Tenho de detê-la, tenho de salvar você, corro mais rápido, estou chegando perto, posso sentir o cheiro dela agora, Elton está mais alto agora — *"someone saved my life tonight, toniiiiiight"* — eu sou o seu alguém e irei salvar sua vida. É isso. Eu reúno toda minha força, me lanço sobre ela e jogo seu corpo ossudo no chão. Ela grita, mas o som para quando a cabeça bate em uma pedra. Ela está apagada, fria. Elton está *"sleeping with myself tonight, saved in time, thank God my music's still alive*". Se pelo menos Peach pudesse ser mais como ele: honesta, grata, verdadeira.

A música continua a tocar, estou respirando pesado e tremendo e quero fazer a música parar, mas digitais são perigosas. Mas agora que suas defesas baixaram eu entendo a música. É um sistema de segurança. Ela estava se preparando para um momento como este. E embora seja irritante forçar sua música sobre as outras pessoas, também há algo inteligente e corajoso nisso. É uma vergonha que os pais de Peach sejam tão cretinos, porque havia potencial para ela ser uma pessoa boa, uma inovadora. Deixo que a música toque como um tributo, sendo a ironia, claro, que a música *não* tenha salvado sua vida. Mas, ei, ela tentou.

Ninguém ficará surpreso de saber de uma garota morta no Central Park. Mulheres que correm sozinhas no escuro se privam de seus sentidos. É uma coisa perigosa a fazer, correr sozinha, e à medida que a realidade de seu corpo nas árvores penetra, eu acelero meu ritmo. Nunca corri tão rápido, nunca conheci a profundidade de meus pulmões, chego à rua e desapareço no metrô, agora poderia vomitar, e arfo e sorrio.

Aqueles alemães estavam certos, afinal. Realmente existe essa coisa de barato de corredor.

E é uma coisa boa eu estar um pouco alto na vida, porque um pouco depois recebo de você uma mensagem muito perturbadora:

"Não vou poder aparecer esta noite. Estou no NY Presbyterian. Peach ☹"

Ela deveria estar em um necrotério, não em um hospital. Como não tenho ideia do que aconteceu, como não sou um perseguidor, eu respondo surpreso e peço detalhes. Você me diz que ela foi atacada no parque. Mas também há boas notícias, segundo você:

"Ela tem sorte. Uma garota a encontrou logo depois de acontecer. Do contrário ela poderia, você sabe..."

Eu escrevo de volta:

"Mas ela vai ficar bem?"

Você responde:

"Bem, fisicamente sim. Mas emocionalmente isso é difícil. Vai passar um tempo no hospital."

Você nunca estaria falando comigo se Peach tivesse me vislumbrado, então pelo menos posso ser grato por isso. Eu lhe ofereço ajuda e você insiste em que não precisa de mim, mas eu vou lhe mostrar que sou um bom namorado e esquecerei a injustiça de ela conseguir um leito em um hospital. Ela só vai ficar porque o pai é do conselho do hospital. E não é justo pensar em todas as pessoas verdadeiramente doentes sendo recusadas. Mas nada é justo.

21

EU não estou puto. Mesmo. Não estou puto. Você é uma boa amiga. Sei que os pais de Peach já voltaram para San Francisco. E sei que você tem de ficar aqui com ela. Não vou questionar você como Lynn e Chana, que disseram coisas como codependente e se recusaram a visitar Peach no hospital. Não estou puto. Não estou! Eu provo que não estou puto enviando flores para ela no hospital. Até paguei mais por um grande balão amarelo com um rosto sorridente.

Um cara que está puto compra o balão? Não, não compra.

E também não estou irritado com os clientes. Dá para dizer que não estou puto porque estou mais paciente que nunca. Não agrido Curtis por estar atrasado e não resmungo dele quando se esquece de encomendar mais *Doutor Sono* (o único livro que está vendendo, além das *prequels*, claro), e ver aquele livro se instalar no alto da lista de mais vendidos do *Times* me deixa cada vez mais consciente do fato de que não estamos evoluindo. Nosso primeiro encontro de verdade foi no dia em que aquele livro foi lançado, e agora o livro está quebrando recordes e chegando ao seu *terceiro maldito mês* na lista dos mais vendidos, e estou lendo na internet sobre a inevitável adaptação para o cinema por motivo nenhum — e não estou puto com você, com King, com os clientes, nem com Peach, nem nada. Não estou puto por ela ser uma mentirosa.

Sinto pena da pobre garota. Ela obviamente é produto das tendências sociopatas da família, é tragicamente obcecada por você e, honestamente, se sinto algo é apenas preocupação com você.

E posso esperar. Algumas merdas boas acontecem rápido (um livro sucesso de vendas) e algumas merdas boas acontecem lentamente (amor). Eu saquei. Você está ocupada, tem aulas — eu saquei —, tem Peach — eu saquei —, não está me evitando — eu saquei —, tem trabalhos atrasados — eu saquei —, Peach simplesmente não consegue ficar perto de caras — eu saquei —, você não consegue mandar muitos e-mails com tudo o que está acontecendo — eu saquei —, e você pensa em mim quando deita na cama que eu fiz para você — eu saquei. Está vendo, Beck, não sou um babaca narcisista que espera que suas necessidades tenham prioridade o tempo todo. Eu acordo, corro de um lado para o outro, e minhas pernas estão firmes o tempo todo — você acabará notando — e vendo King, leio King, almoço, sozinho, janto, sozinho, e em nenhum momento reclamo de você por estar cagando para mim. Nem uma vez.

O balão, Beck, foi quase dez dólares com os impostos e quando perguntei se tinha chegado pude ouvir a Peach em você.

— É. Chegou — você disse.

— Alguma coisa errada?

— Bem, Joe, esqueça. Quero dizer, para ela está tudo errado neste momento, sabe?

— Beck, que porra é essa?

E eu não disse isso de um jeito babaca. Só queria que você fosse clara comigo.

— Joe, deixe para lá. Está tudo bem.

— Obviamente não está.

Você deu um suspiro e é você que está puta, e soa diferente, como se estivesse tomando o suco verde entregue a Peach toda manhã, como se estivesse começando a gostar desse modo de vida, dormindo no chique, e acordando sem uma única peça da IKEA no quarto.

— Não fique puto.

— Não estou puto, Beck.

— É só que achamos o balão um pouco insensível.

— Insensível.
— Quero dizer... É um rosto sorridente.
— É um balão desejando melhoras.
— Sim, Joe, mas não é tão simples.
— Na internet está bem na seção de "Melhoras".
— Sim, mas não é como se ela tivesse se machucado jogando tênis. Tênis.
— Beck, seja razoável.
— Eu sou razoável.
— Eu não quis magoar.
— Eu sei, Joe. É só que um enorme rosto sorridente amarelo é meio que a última coisa no mundo que você quer ver quando há um perturbado lá fora que invadiu sua casa e a atacou. Quero dizer, é um sorriso. É só meio que...
— Deus do céu — eu disse.
— Não é um momento sorridente.
— Lamento.
— Você não tem de lamentar.
— Beck, podemos tomar um café ou algo assim?
— Realmente não posso neste momento.

Você nunca pareceu mais distante de mim, e vou pegar aquele balão, arrancar as tripas dele, e ao mesmo tempo vou pegar aquele balão e amarrar no pescoço de Peach, porque quem — cacete! — pode surtar por causa de um balão?

BEM, se passaram "sete horas e seis dias inteiros" desde que Peach foi do hospital para casa. Você está ocupada com a faculdade e ocupada com Peach, ainda morando na casa dela. Mas não está ocupada demais para trocar e-mails com um estranho chamado CaptainNedAck@gmail.com.

Você: "Ei, pode ligar para mim?"
Capitão: "Não agora. Você ainda vem no fim de semana?"
Você: "Estou ocupada. Você não pode apenas me ligar?"
Capitão: "Eu quero ver você."
Você: "Eu não tenho carro."

Capitão: "Arrume um e eu cuido disso. Você ainda é tamanho pequeno, certo?"

Você: "Sim."

Quando encerra seus planos com o Capitão você sai da casa e entra em um táxi. Eu ligo para você. Cai na caixa postal e eu não deixo recado. Não sou o Capitão, você ignora o chamado de Peach e ela manda um e-mail, todo em maiúsculas:

"ONDE ESTÁ VOCÊ?"

Você responde seco, rápido.

"Texto de emergência. Longa história. Indo para meu 'retiro de redação' (rá-rá) em Silver Seahorse, Bridgeport. Seja boazinha e tranque as portas. Amor amor amor Beck."

E agora Peach está puta com você, e honestamente não a culpo. É uma bosta dirigir até Bridgeport. Você aluga um carro porque, como todos sabemos, o Capitão está pagando. Eu estou limitado ao enorme Buick velho do sr. Mooney. Eu faço muita coisa por você, Beck. A esta altura você deveria achar que eu sou seu Capitão, e não escuto nenhuma música durante toda a viagem até Bridgeport. Estou triste demais para música, triste demais para Elton John, e minha cabeça dói.

"Oh Captain, my Captain."

Eu choro.

EU chego antes a Bridgeport. O Silver Seahorse é um pequeno motel perto da água, um daqueles lugares onde todos os quartos dão para calçadas abertas. Peach não colocaria um pé em um lugar como este, mas deve ser o lugar, pois é o único Silver Seahorse em Bridgeport. Escuto o noticiário local e como um burrito de posto de gasolina. Estou com tanto medo por você, por mim, por nós, que não consigo terminar o burrito. O Capitão. Quem é esse Capitão?

Você entra no estacionamento, eu afundo no banco e a observo pelo retrovisor. Você abre a mala e vai para a traseira, mas não pega as sacolas, pois o Capitão sai relaxado de um dos quartos do motel. Tem pelo menos 45, talvez 50, com cabelos grisalhos de Clooney — é disso que você gosta? —, arremessa o cigarro — foda-se, Capitão, espero que morra de câncer —, pega você, a gira, e quer saber, Beck?

Agora eu estou puto.

O Capitão Aposentado Babaca entra no seu carro. Eu sigo os dois enquanto ele dirige, o cretino (e você nunca esteve em um carro comigo), os dois param em um caixa eletrônico em uma loja de conveniência Cumberland Farms. Você salta do carro e volta com um bolo de notas de vinte. Ele a faz contar o dinheiro (espero que ele morra *agora*), você está com raiva e conta lentamente, e me lembro de sua seção "Encontros Descontraídos" do *Craigslist* e temo o pior. Eu sigo você e o Capitão de volta ao Silver Seahorse, esse sou eu, Beck. O Capitão salta primeiro, abre a porta para você, e você vai até a traseira, tira a bolsa da mala, ele já tem uma chave e estou perto o bastante para ouvir.

— Eu posso fumar um?

Ele balança a cabeça.

— Querida, não posso permitir isso.

— Então tudo bem para você, mas não para mim?

— Você trouxe uma fantasia?

Fantasia? Deus do céu.

— Você acha que eu trouxe uma fantasia? — você resmunga. — Só um cigarro, por favor.

— O cacete que vou dar a você.

— Está de sacanagem comigo? É quando você decide ser pai, cacete?

Você disse *pai*, e eu posso desmaiar enquanto meu cérebro sacode e ferve e meu coração para. *Pai.* Você me disse que ele estava morto. Você disse a todo mundo que ele estava morto. Ah, Beck, por quê? Não sei se estou puto ou triste, porque neste exato instante estou muito aliviado por você não estar pagando (ou sendo paga?) para colocar uma roupa de colegial e ser comida em um quarto de motel. Eu respiro. O Capitão é seu *pai*, seu pai tem a chave, e você rosna e o segue para o quarto 213. Eu quero conhecê-lo, quero seguir você lá dentro, quero que ele aperte minha mão e me diga como está feliz de ver que a filha conseguiu um homem tão bom em sua vida. Mas você me disse que ele está *morto*, então talvez ficasse mais feliz se eu fosse lá dentro e fizesse isso acontecer? Estou confuso, e fica mais frio a cada segundo.

É baixa temporada no buraco que é Bridgeport, e a atividade de me registrar ajuda a recuperar o equilíbrio. É muito para absorver, mas estou aliviado. Falo uma babaquice sobre número da sorte e peço o quarto adjacente ao seu. Eles me dão, e cheira a alvejante e cigarros Newports, as paredes são finas e depois de tomar um banho jogo uma das toalhas extras no chão, sento e escuto você brigar com seu pai (algo sobre dinheiro, crianças, você soa como os adultos nas tirinhas dos *Peanuts*). Ele bate a porta e você está sozinha. Depois que termina de chorar, você toma banho e agora está molhada e limpa, como eu, e ouço a tranca da porta. Você arranca o cobertor da cama — ele cai no chão, é pesado, eu ouço — e começa a tocar uma, e geme — é alto, eu ouço — e agora estou me tocando e você está se tocando e na minha cabeça não há parede porque eu estou comendo você naquela cama, você está curvada implorando, estamos em Bridgeport porque queremos trepar em um motel, estou puxando seu cabelo e você berra — você berra, Beck, é alto e não há travesseiro verde no qual você possa chorar —, e quando tudo termina você liga a TV e acende um cigarro. Eu posso ouvir e posso sentir o cheiro, e estou tão pesado de fazer com você e não fazer com você que demora um minuto para eu me tocar.

Você sabia que o balão de rosto sorridente era legal e seu pai não é um drogado morto.

Você é a porra de uma mentirosa.

22

CARA, você tem um jeito de me levar a fazer coisas que eu normalmente não faço. Eu não me visto para o Halloween desde a terceira série (Homem-aranha) e, embora tenha se tornado mais difícil ao longo dos anos, consegui protestar em silêncio contra essa porra de feriado pela maior parte da minha vida. Mas aqui estou eu em um provador cheirando a naftalina, na Bridgeport Costumes. O provador é tão pequeno que a porra de um Smurf estaria suando. Celine Dion canta sobre seu maldito coração pelo pior sistema de som que existe, enquanto a lojista irlandesa bem intencionada fala sem parar a pouca distância do provador.

— Já colocou as pantalonas, filho?

— Não — respondo, olho no espelho e quero morrer. Mas não posso morrer, pois você precisa de mim. Seu pai a está arrastando para a porra do Festival Charles Dickens do outro lado do estreito, em Port Jefferson. Você não quer ir, mas ele alugou uma fantasia para você, e depois que os dois terminaram de discutir esta manhã você concordou em passar um tempo com a família dele.

Enquanto você e seu pai se preparavam para o festival, eu fiquei em meu quarto de hotel e li sobre essa porra de *festival*. Quando você saiu para fumar, eu olhei para você e soube que não tinha escolha. Você era uma visão em sua fantasia, se afogando em veludo vermelho, com seus cabelos escapando de uma pequena touca vermelha. Você estava fumando e fazendo bico no estacionamento do Silver Seahorse Motel. Você é a única garota no mundo capaz de parecer tão séria e tão boba ao mesmo tempo. Seu pai saiu para se juntar a você, de casaca e cartola. Ele lhe deu um rolo para mãos branco e peludo.

— O que devo fazer com isto? — você perguntou.

— Colocar as mãos dentro, mantê-las quentes.

— Mas tenho luvas.

— Beck, será que poderia dar um tempo?

Você suspirou e colocou as mãos naquele rolo sortudo, e quero colocar minhas mãos em você. Estou demorando demais para me vestir e a lojista irlandesa bate na porta com os nós dos dedos. Ela quer dar uma espiada, claro.

— É tão bom ver jovens como você entrando no espírito — ela diz. — Se não se importa que diga, acho que essas pantalonas vão lhe cair bastante bem, sabe?

— Sim, em um segundo.

— Não estou certa de ter mencionado — ela diz pela terceira vez. — Os trajes devem ser devolvidos em até uma semana depois do aluguel. No contrário você pode ter uma velha irlandesa grosseira batendo na sua porta de madrugada. Está pronto?

— Um segundo — digo, e talvez as irlandesas não falem inglês. Celine Dion ainda está berrando sobre seu maldito coração, eu engasgo com naftalina e pena de mim mesmo, e se você tivesse contado a seu pai sobre mim ele poderia ter alugado fantasias para nós dois. Então você estaria aqui comigo e eu nem sequer notaria a naftalina ou a bosta canadense sentimentaloide. Mas você mentiu para mim. E agora eu tenho de sair do provador e dizer à dama irlandesa que estou indo ao festival sozinho.

— Um camarada bonito como você não vai demorar a encontrar uma bela garota, tenho certeza — ela diz, com um risinho. Há um espelho atrás dela, e cacete. Esta fantasia certamente fica bem em mim — minha cartola é mais alta que a cartola de seu pai —, mas esta fantasia não é um disfarce.

— Vocês têm barbas?

Ela se opõe brincando.

— Está falando sério, meu jovem?

— Está frio lá fora.

— Temos barbas, mas elas não são nada dickensenianas.

— Eu não ligo — digo, e ela pega minhas notas de vinte e bufa.

Cidades pequenas me assustam mais que as metrópoles. Esta mulher, que há um minuto parecia gentil e obsequiosa, está derretendo porque eu quero uma barba.

— Estou meio que com pressa — digo, um ligeiro toque de simulação irlandesa.

Ela baixa o volume do antigo gravador. Celine Dion em cassete também não é muito dickenseniano, mas ela cede e aponta para as barbas não dickensenianas e sem devolução, que estão em uma caixa nos fundos identificada como "Johnny Depp/Dinastia Duck".

Maldita América, Beck. Algumas vezes eu não sei...

A vida é pior quando você está sozinho e fantasiado em um barco festivo e as pessoas estão todas juntas em um barco festivo. Ainda não estamos perto de atracar em *Port Jeff*, e eu não deveria ter tomado o *ferry*. Eu não pensei direito. E se você me reconhecer? Você não vai querer me apresentar ao seu pai enquanto eu estiver nessas malditas pantalonas.

Eu deveria ter voltado para Nova York, mas não há como virar este barco festivo, então estou tentando me concentrar na parte boa: você não tuitou uma só vez desde que está aqui ou enviou um e-mail. Mas pensamentos ruins penetram. Seu pai voltou ao quadro. E se isso significa que você disse à sua mãe para desligar seu telefone? Calma, Joe. Eu sei suas senhas e sempre encontrarei um jeito de entrar em você, mas gosto de ter seu telefone. Gosto de pensar em sua mãe me pagando para proteger você. É difícil ser racional fantasiado, e eu tento novamente ter pensamentos bons. Você é capaz de sair da rede, e está mentindo para todos, não só para mim. E de certa forma estou aproveitando isso mais que você. Você e seu velho estão sentados nos assentos da cabine principal. Você está fantástica, claro, Rose em nosso Titanic para meu habilidoso e animado Jack, e se estivéssemos nisso juntos, ah, Beck, eu encontraria meu caminho sob essa sua saia.

Mas nem você nem seu pai parecem muito empolgados com o festival, e percebo que ele conduz este barco. Tripulantes o sacaneam por estar fantasiado, e o Capitão desta viagem específica sai do leme e insiste em tirar uma foto sua e de seu pai. Você não quer uma foto, mas seu velho insiste e eu sou tentado a cruzar o convés e iniciar um motim. Mas tenho de deixar você e seu pai resolverem isso sozinhos. Sei quando você precisa de espaço. Por isso eu peguei a barba.

Seu pai pergunta se você quer beber algo e você dá de ombros.

— Você quer tornar isto o mais difícil possível?

— Eu só disse que não sei.

Você emburra e se transforma em uma adolescente perto do seu pai, o que faz muito sentido.

— Bem, Guinevere, você quer ou não beber algo?

— Pode ser um café — você diz, seca.

Ele a chamou de *Guinevere*, e um grupo de fãs de Chuck Dickens meio embriagados está começando a cantar cantigas de Natal e um gordo em fantasia de Ben Franklin (ah, América) está tentando passar e perde metade de sua cerveja em mim. E o ar está denso de naftalina, água salgada e Coors, e eu não gosto daqui nem um pouco. Por que você fugiu para ver seu pai que está vivo (vivo!) e como eu quero estar aqui caso você precise de mim, terei de vender um maldito Dickens no eBay para cobrir as despesas com motel, fantasia e a psicoterapia de que sem dúvida irei precisar quando me der conta de que estou permanentemente fodido desde o dia em que congelei o traseiro em pé usando pantalonas em um convés com um bando de completos idiotas. E estes idiotas assistem a *Grandes esperanças*, o filme, em casa.

A única coisa pior que a viagem de barco para o festival é o próprio festival. O estupro público de Charles Dickens é uma atrocidade, Beck. Quem sabia que tal bosta existia? Você sabia. Você se mantém distante de seu meio-irmão e sua meia-irmã, ambos crianças, pequenas, 6 e 8 anos, eu diria, fantasiados, todos fantasiados, e Charles Dickens ficaria enojado por o trabalho de toda a sua vida ser celebrado por aposentados ricos que não têm nada melhor a fazer que torrar dinheiro em calções, anáguas e perucas e cruzar o estreito de Long Island apenas para se juntar a idiotas iguais e caminhar pela aldeia de *Port Jeff*, onde cumprimentam uns aos outros em suas malditas fantasias e se entopem de maçãs carameladas e agem como se fosse divertido percorrer velhas residências, escutar violão do século XVIII, se entupir novamente de pipoca doce, ter seus rostos pintados (como se rostos pintados tivessem algo a ver com Dickens) e escutar música de câmara. Honestamente, Beck, todos estes escrotos brancos neste barco, neste instante (falando sério, nenhum negro faria isto), quantos deles você acha que conseguiriam passar em uma prova sobre Oliver Twist? Quantos você acha que leram suas obras menos conhecidas?

Mas não havia como eu não segui-la para esta cidade. E é bom que eu esteja aqui, o Kevin Costner de sua Whitney Houston, porque as pessoas fantasiadas ficam esquisitas, mesmo retardados brancos velhos de Connecticut. Eles estão ligeiramente encharcados de cerveja (beber de dia é permitido quando você está celebrando Dickens), e mais de dois caras ficaram um pouco entusiasmados demais com você e eu fiz uma lista mental de todos que precisam de uma surra. Eu nunca bati em uma mulher, mas sua madrasta não gosta de você, tem ciúmes da atenção que está recebendo e os filhos dela não são nada demais, nossos filhos serão mais bonitos, e como minha raiva de você sempre se transforma em amor?

— Guinevere — diz sua madrasta. Seu pai a chama de *Ronnie*, e ela combate os quarenta com Botox, pó de bronzeamento e malha colante. Você vai aceitar sua idade e será bonita, diferentemente de Ronnie, que late: — Você me deu o troco daquele vendedor de maçã caramelada?

— Você me deu uma nota de vinte.

Seu pai parece que vai explodir e volta a atenção para os merdinhas, como se precisassem dele imediatamente, e não precisam.

Você faz bico.

— As maçãs carameladas custavam cinco dólares cada, cacete.

Agora seu pai se interessa e a censura.

— Guinevere, querida, por favor.

— Certo — você diz, tão irritada que poderia quebrar. Tira as duas mãos do rolo, que cai na calçada, começa a procurar naquela enorme bolsa Prada, e sua madrasta pega um de seus filhos banais e instala a criança no quadril.

— Prada — ela diz. — Conseguiu no eBay?

— Foi um presente — você diz, e algumas vezes você diz a verdade. Você dá dois dólares a ela, que pega, e você olha para seu pai.

— Podemos ir?

O Dramamine que comprei na loja de presentes não está funcionando, e a viagem de volta é pior que a de ida. Passei a maior parte dela nesta lata de sardinha que é o banheiro, e os escrotos coloniais de Connecticut estão esmurrando a porta porque estão todos enjoados de comida e diversão demais. E esta barba coça, este barco sacode e este vaso não dá descarga. Eu balanço a alavanca. Algum idiota esmurra a porta.

— Alguns de nós também têm cólons, camarada!

Eu não o dignifico com uma resposta, mas o maldito barco dá um pulo — o capitão também está bêbado — e sou jogado contra a parede, e quando vomito tento deslocar minha barba sem devolução e ela cai dentro do vaso.

Plop.

Não há como escapar, e a torneira só libera um fio. Se não sair daqui logo, vou chamar mais atenção para mim. Não há nada a fazer senão baixar a cabeça e rezar loucamente para você não fazer parte dos linchadores do lado de fora da porta da latrina. Se há um Deus, você vai aguentar até estar de volta à segurança de Silver Seahorse.

E há um Deus. Há apenas quatro pessoas esperando, parecia uma dúzia, e consigo correr para a popa. O vento sopra forte lá, com sorte estarei sozinho e com sorte conseguirei chegar ao fim desta viagem sem destruir o seu dia. Acho que você ficaria assustada se me visse, acho que pareceria cretinice se eu lhe dissesse que fui encontrar a família, há lágrimas correndo por minhas bochechas e não sei dizer se estou chorando ou se é o vento. Sinto falta de minha barba quente e irritante, as pantalonas são feitas de papel e minhas pernas estão congeladas, cacete.

Finalmente o barco desacelera enquanto entramos no porto, e então algo inimaginavelmente horrível me acontece, algo tão ruim que eu poderia pular do barco. Se fosse verão eu já estaria na água, pois seu pequeno meio-irmão e sua meia-irmã estão brincando de esconde-esconde (grande brincadeira para deixar que seus filhos façam em um barco, *Ronnie*), e ouço Ronnie chamando as coisinhas, que estão escondidas atrás de uma caixa bem na minha frente.

Respire, Joe. Respire.

Ouço Ronnie correr, ela chega aqui rápido, pega cada criança pela mão e olha para mim.

— Que dia, hein?

Ela flerta comigo porque tem ciúmes de você, eu sou da equipe Beck e sei como responder.

— Sim, senhora.

Ela não gostou disso, e meu *senhora* teve dois objetivos. Devia fazê-la se sentir velha (feito), e deveria fazê-la ir embora. Mas então dois tripulantes saem do nada, o barco estava virando ligeiramente, os tripulantes estão soltando corda e os cretinos cansados e bêbados de Connecticut estão vindo para cá, pois é a porra da minha sorte que este barco atraque e desembarque pela popa.

E se há um Deus, então você está brigando com seu pai e mergulhada na conversa. Se há um Deus, eu serei o primeiro a sair deste barco. Se há um Deus, esta besta de aço em movimento lento já chegará lá para que sua madrasta possa levar as crianças para casa e dar a eles o *mac* com queijo que pedem aos berros. E se há um Deus, então estamos atracando neste instante, estamos, e há um garoto em terra segurando uma rampa, há. Estamos chegando lá e eu serei o terceiro, talvez quarto a sair deste barco, e as pessoas estão começando a empurrar.

E se há um Deus, não é você que eu ouço atrás de mim. E se há um Deus, Ronnie não vai me pedir (a mim!) para sair do caminho.

— Meu *marido* está tentando passar — ela diz, e também sabe como se vingar. Seu pai passa apertado por mim e se desculpa pela proximidade. Vira a cabeça e assovia para você no instante em que o barco finalmente para e o tripulante libera a rampa que liga o barco à terra.

— Indo! — você diz. — Deus do céu, pessoal, esta não é a porra da Ellis Island.

E amo seu senso de humor e desgosto, e a amo e é por isso que, como uma flor ao Sol, eu viro minha cabeça um milímetro, apenas o suficiente para ver seu belo rosto e por tempo suficiente para você ver o meu antes que o tripulante solte a rampa e a tranque na posição, e abro caminho por aquela multidão e saio daquele maldito barco.

23

QUERO pegar uma saída sempre que me aproximo de uma, encontrar um posto de gasolina e tirar esta fantasia mofada. Mas não faço. Estou paralisado atrás do volante. Tão em pânico que só posso seguir em frente. E a razão é terrivelmente simples: você me ligou quatro vezes na última hora desde que o *ferry* atracou e isso só pode significar uma coisa: você me viu.

— Não! — eu grito, e sinto como se estivesse dirigindo há séculos, soco o volante e o Buick vai para a pista direita, eu fecho um caminhão, o caminhoneiro aperta a buzina e eu abro a janela e berro: — Vá foder sua mãe!

Se ele responde eu não ouço, fecho a janela à mão (o sr. Mooney é um velho desgraçado sovina), e tenho de desacelerar porque será uma bosta ser parado agora. E não é como se fosse culpa minha, sabe? Você mentiu para mim. Seu pai não está morto. Eu estava naquele barco porque você mentiu para mim.

Talvez eu não a conheça tão bem quanto penso. Mas isso é ridículo; nós temos uma ligação. É só que você ferrou tudo. Você deveria me contar tudo sobre seu pai, sem se importar com o quanto envergonhada estivesse. E eu deveria escutar, amar você e lhe dizer que era boa. E então você me perguntaria sobre minha vida, eu lhe diria tudo e você me escutaria assim como eu a escutei, e então seríamos ainda mais próximos.

Eu colo em uma garota indo devagar demais e ela me mostra o dedo. Tem um plástico dizendo "Quem anda colado foi reprovado em Física", um outro do Boston College, eu odeio dirigir e gostaria de enfiar este carro no Volvo dela e vê-la sangrar, mas não, Joe, não. Ela não é o cara mau, e não vai pagar pelos seus erros.

A culpa é sua, Beck. Você ferrou tudo, você sabe que eu a segui, e você sabe. *Você sabe.* Eu buzino e colo na piranha até ela ligar a seta. Quando ultrapasso desacelero para ficar ao lado dela com uma mão no volante e a outra mostrando o dedo a ela. A piranha ri e eu sigo. Foda-se ela. Foda-se você.

Você nunca vai me perdoar, eu preciso nunca mais ver você, preciso que essa família no Land Rover vá se foder com seus esquis e seus pneus novinhos, e também colo neles, forte, e meu telefone toca.

Você.

O garoto no banco de trás desobedece ao pai e se vira, e sabe o que eu sei sobre esse garoto? Esse garoto vai acabar no internato Choate Rosemary Hall (plástico de ex-aluno no vidro traseiro), vai estar fumando maconha e tomando comprimidos antes do aniversário de 13 anos, e todos acharão que ele é chique para cacete porque estará tomando comprimidos na floresta, na periferia de Connecticut. Eu mostro o dedo para ele. Dou a ele uma lembrança. Sei no que aquele garoto vai se transformar e sei que ele não pagará pelas escolhas ruins. Ele terá simpatia e respeito, e eu ultrapasso, entro na frente e piso no freio, e o pai buzina, agora puto, agora vivo, eu acelero e sumo de lá, fodam-se eles, seus esquis e suas botas de neve. O aquecimento do carro está quebrado e nunca vou superar o frio do *ferry*. Nunca mais olharei para Dickens sem retornar a este dia, e paro em um posto e desligo o motor. Está quieto para cacete. É muito dezembro e é muito o fim.

Meu telefone toca novamente. Alto. *Você.*

Eu ignoro (novamente) e deleto a mensagem porque não suporto a ideia de você gritando de medo comigo e me acusando de espreitá-la. Não. Está tudo errado, eu soco o volante de novo, os nós dos dedos estão machucados, os machucados vão curar, mas você nunca irá se esquecer de quando aquele cara a seguiu até Connecticut, colocou uma fantasia (uma fantasia!) e a perseguiu em um festival.

Eu provavelmente já sou uma história sendo processada em sua cabeça, matéria-prima para um conto, uma coisa do passado, apenas outro pretendente. Eu choro. Você liga. Eu desligo o telefone. Eu desligo seu telefone antes que sua mãe o desligue, o que ela provavelmente acabará fazendo. É um dia escuro. Literalmente.

DEIXO as chaves com o sr. Mooney, e ele está com seu tanque de oxigênio e sua faca de caça, e um dia eu terei um tanque de oxigênio e uma faca de caça, porque você nunca mais irá falar comigo, eu sei disso. Ele me quer tão bem, e é um cara tão legal, um veterano de macacão, e aqui estou eu e não consigo olhar nos olhos dele neste instante porque é duro demais admitir que por mais que o admire, o respeite, bem, eu não quero ser como ele. Eu sou uma pessoa terrível, ele é um bom homem, está segurando a porta aberta e as pessoas velhas são dolorosamente solitárias quando estão sozinhas. Parte meu coração como ele obviamente quer muito que eu entre e tome uma Pabst com ele. Um cara bom entraria, mas todos sabemos que eu sou uma porra de um cretino.

Ele tenta brincar.

— O que é esse traje, Joseph?

Eu esqueci da minha fantasia, e penso.

— Fui a uma festa a fantasia.

Ele não quer saber da festa.

— A livraria vai bem?

— É, bastante bem, sr. Mooney, bastante bem.

Eu estendo as chaves, mas ele as recusa. Ainda está segurando a porta aberta. Ele não é o tipo de homem que um dia verbalizará o fato de que quer companhia. Mas ele entende, pelo modo como enfio as chaves no bolso e recuo. Ele se retira para sua casa úmida e mofada.

— Fique com as chaves. Eu nunca uso o carro, mesmo.

— Tem certeza, sr. Mooney?

— Para onde eu iria?

— Bem, eu posso levá-lo para onde quiser, caso precise.

Ele me dispensa, e não precisa ir a lugar algum. Há um cara da igreja que o leva ao médico. E a esta altura da vida não há mais nenhum lugar aonde ir. Eu deveria entrar. Mas não posso neste instante.

Ele se vira.

— Encontro você por aí, garoto.

— Obrigado, sr. Mooney.

A porta se fecha silenciosamente e eu caminho sem objetivo, mas de algum modo chego à minha casa. Uma de minhas máquinas de escrever está rindo de mim, eu juro, por causa da minha fantasia. Eu a pego e jogo-a na parede. Foda-se. O senhorio nunca irá consertar nada mesmo. Tiro a fantasia e quero queimá-la, mas a coloco em uma caixa de sapatos e fecho com fita. Não quero olhar mais para ela, escrevo o endereço e quando tenho de colocar *Bridgeport*, perco a firmeza na caneta. Visto minhas piores roupas confortáveis: uma camiseta puída do Nirvana que minha mãe deixou para trás e calça de feltro nojentas de um brechó de tralhas em Houston de cem anos antes. Quero parecer tão infeliz quanto me sinto, e abro o doce Twizzlers que comprei na delicatessen coreana perto da casa do sr. Mooney. O novo buraco na parede diz tudo.

Restam dois Twizzlers e eu perdi a noção do tempo como algumas vezes acontece aqui, estou escutando "Make Me Lose Control", de Eric Carmen, direto, autodestruindo, me cortando com letras melosas sobre um período da história de que sou velho demais para me lembrar, sobre amor de verão e conversíveis com enormes bancos traseiros. Há uma batida na porta, e nunca há uma batida na porta ou um buraco na parede, e há outra batida. Eu paro a música. Há outra batida.

24

QUANDO eu abro a porta, morro. Você está aqui, em meu prédio, vestindo calça de veludo cotelê azul-clara e uma pequena jaqueta de pele. Quer entrar, e isso é perigoso. Todas as suas peças que eu reuni estão aqui comigo e você não pode vê-las. Você ainda cheira a você, a céu, e você parece ter chorado. Você vem na minha direção e agarro a maçaneta.

— Beck.

Você suspira.

— Eu saquei, tá? Você não teve notícias minhas por um tempo, eu então ligo para você cinquenta vezes e apareço na sua porta como uma porra de uma perseguidora maluca.

E agora eu sei. É seguro soltar a maçaneta. Você não me viu no *ferry*. Você tem olhos suaves e seguros. Você quer entrar.

Eu brinco com você.

— Você não é uma perseguidora maluca.

— Bem, um pouco maluca. Tive de obrigar o cara na sua livraria a me dar seu endereço.

Você é pequena demais para obrigar alguém a fazer algo e eu vou matá-lo e você está um caco e não há nada que eu possa fazer a não ser sair do caminho e deixá-la entrar. Você hesita assim que entra, como se tivesse entrado no pior dos reservados de banheiro em um cinema, e desejo ter feito faxina. Há uma lata de sardinhas na pia que não estaria lá se eu soubesse que você vinha. Mas se eu chamar atenção para a porra do peixe, bem, isso também não será bom.

— Gosto da sua camiseta — você diz. — Nirvana.

— Obrigado. Era da minha mãe.

Você aquiesce, porque, afinal, que porra você deve dizer depois disso?

— Q-quer que eu abra uma janela? — pergunto, gaguejando.

— Não. Vou me acostumar.

Maldito Curtis, e passo os olhos pela sala procurando sutiãs, calcinhas ou e-mails. Nada. Milagre. Você está tirando sua jaqueta de pele, abrindo as botas e se acomodando no meu sofá como se fosse a dona do lugar. Uma coisa boa: você está tão voltada para si mesma que parece não notar meu apartamento. Está assoando o nariz e se remexendo, e eu sento em minha cadeira que achei no beco perto da livraria há algumas semanas. Quando arrastei aquela cadeira para casa, de metrô, imaginei que ninguém nunca a veria novamente, que era como se fosse o último dia em que a cadeira seria vista.

— Então, sei que já faz algum tempo — você diz. — Mas eu precisava de alguém, pensei em você e... Você não atendeu meus telefonemas.

— Desculpe — digo, e deveria ter lhe dado uma chance. Se eu fosse um homem corajoso esta conversa estaria acontecendo no seu apartamento.

Você abraça os joelhos e se balança.

— De qualquer forma, nem sei mais agora. Estou um lixo.

— Você está bem?

Você diz que não com a cabeça.

— Alguém feriu você?

Seus olhos se enchem de água e você olha para mim como se tivesse protegido alguém tempo demais, como se sempre tivesse dito não quando a resposta é sim, e você guincha uma resposta.

— Sim.

E você está uivando. Eu vou até você, deixo-a chorar e você não diz nada por um tempo. Eu a pego nos braços e deixo-a chorar. Suas lágrimas encharcam minha camiseta e me sinto como um perseguidor que nunca vai lavar as roupas novamente, seu corpo inteiro sacode de infelicidade e eu a farei sacudir de alegria logo, logo. Você me dá um tapinha nas costas.

— Tudo bem. Estou bem.

Entendo que você precisa de espaço, retorno à minha cadeira e você dá um grande suspiro.

— Você já viveu com um segredo? Quero dizer, um segredo no sentido de mentira? E um dia você simplesmente não consegue mais fazer isso, cacete? E você tem de soltar?

Eu, de vez em quando, vejo o maldito irmão musical de Candace na TV e quero esmagar a tela e dizer a ele que a irmã não se afogou quando pegava jacaré. Eu anuo.

— É, saquei.

Seus olhos percorrem o ambiente e finalmente pousam em mim.

— Bem, é uma longa história, Joe, mas eis a verdade. Eu menti para você e para todo mundo. Meu pai não está morto. Ele está muito vivo, muito bem e morando em Long Island.

— Uau — eu digo. Você *me* escolheu.

— Eu não aguentava mais — você disse. — Tinha de contar a alguém ou ia surtar.

— Saquei — repito. E saquei mesmo. E penso que você não escolheu *alguém*, você *me* escolheu. E isso significa algo, Beck. Você me caçou, *eu*.

— E você sabe como são as garotas. Se eu contasse a Peach, Chana ou Lynn, ou alguém assim, então elas iriam contar a alguém, essa pessoa contaria a alguém, alguém iria mandar um tuíte críptico sobre isso e *argh*. Por isso pensei em você. Sabia que isso morreria aqui.

— Saquei — repito. E saquei mesmo. Eu guardo muitos segredos, e agora tenho os seus.

— E sinceramente, sabe, de certo modo eu *não* estou mentindo, porque em todos os sentidos ele está *morto* para mim, Joe — você fala.
— Mas a coisa é que ele se casou com uma *advogada*, ela é rica, ele tem dinheiro e eu estou quebrada. E claro que ele não pode só me *dar* dinheiro, não. Eu tenho de circular com a porra de um vestido de Charles

Dickens com a ninhada mimada dele de modo a arrancar alguma coisa dele.

— Isso é muita informação — digo. — *Charles Dickens?*

Você ri e me conta sobre o festival. Eu preciso tomar cuidado agora e agir como se nunca tivesse ouvido falar de tal coisa, e a deixo contar os detalhes, sou metódico em minhas reações e depois balanço a cabeça.

— Isso é muito — digo. — Vale a pena? Aturar isso por um pouco de dinheiro?

— Bem, a vida custa dinheiro — você diz, cruzando os braços. — Se ele pode pagar para seus novos filhos comerem maçãs orgânicas carameladas então também deveria ter de pagar para sua velha filha.

— Saquei — digo. E saquei mesmo. Seu pai e a esposa provavelmente torraram 400 pratas em fantasias de Dickens, chocolate quente e maçãs carameladas. E você não é o tipo de garota que serve mesas. Suas amigas não se preocupam com dinheiro; por que você deveria?

Você termina de enviar um texto, relaxa os braços e baixa as pernas, e quando animais se abrem assim eles querem trepar. Você é meu animal em meu sofá e olha ao redor da minha casa.

— Uau — você diz. — Você realmente gosta de coisas velhas.

— Todas as coisas daqui eu encontrei na rua — digo, orgulhoso.

— Estou vendo — você diz, enojada. Você prefere IKEA nova e estéril, mas enfia os lenços de papel sujos na bolsa enorme. Mulheres, bah. Você mexe os dedos do pé e recomeça a falar sobre o pai. — O divórcio é diferente quando você vem de uma família pobre, sabe? Meu pai conheceu Ronnie na ilha quando ela estava de *férias*. Literalmente, Joe, ele a conheceu em um bar onde minha *irmã* estava trabalhando. E já foi difícil o bastante começar a faculdade como a garota que cresceu onde todos os outros passavam as *férias*. Eu não queria contar às pessoas que meu pai local fugiu com uma *turista*. Já era demais, sabe?

— Não é justo.

— Não é — você diz, e nunca a vi tão agitada. — Ser natural de uma cidade da Ivy League é uma coisa, mas ser assim com um *pai* ausente? Que foda. É um clichê.

— Saquei — digo. E saquei mesmo. Eu a amo por ser a pequena lutadora orgulhosa e brigona que é. Você é poderosa; você mata pessoas. Você é brutal.

— Quando me mudei para cá imaginei que tinha de começar do zero, mas não pensei direito — você diz, suspirando e balançando a cabeça. — Todos da faculdade estão aqui, e se eu contasse aos meus amigos sobre meu pai, agora, teria de lidar com isso, entende?

— Entendo. As pessoas podem ser muito cruéis com essas coisas. Você tem de ficar atenta.

— Ninguém sabe — você diz, e seus olhos são grandes, meus. — Ninguém.

— Exceto eu — digo, e você enrubesce.

— Exceto você — repete, e quase sorri, depois entristece. — E sei que não deveria ser tão insegura, mas ele simplesmente foi embora, entende? Criou uma família toda nova com uma esposa mais jovem e bonita, filhos mais bonitos.

— As crianças não são mais bonitas que você, Beck.

Você não tem uma disposição desconfiada, graças a Deus, e ri, achando que estou supondo.

— *Todas* as crianças são mais bonitas que os adultos, Joe — diz, e suspira. — É apenas a natureza malvada da Mãe Natureza.

— Bem, foda-se ela — digo, e arranco um riso seu. — Você fez sua parte. Você o viu com a família. Ele a ajudou com alguma grana?

Você estica os braços para o teto e para a direita e nota o buraco na parede bem atrás.

— Jesus — diz. — É um buraco grande para cacete.

Eu engulo em seco.

— Um cano furou no andar de cima e eles tinham de chegar lá.

— E aparentemente fizeram isso — você diz, e agora está se ligando no ambiente. Nota Larry, minha máquina de escrever quebrada na mesinha. Olha para mim, pedindo permissão para tocar nela. Eu anuo. Você conta mentiras. Eu acumulo máquinas de escrever. Somos "diferentes. Um tesão".

— O nome dela é Larry — digo. Vou ser honesto com você.

— Você dá nome a todas as suas máquinas de escrever? — você pergunta.

— Não. Eu não dou nomes a elas. Elas me dizem seus nomes quando as trago para casa.

É divertido brincar com você, que não consegue decidir se eu sou pretensioso ou insano, e não sei se você está sendo doce ou superior quando ri.

— Certo.

— Beck — digo. — Claro que dou nome a elas. Estou só brincando.

— Bem, Larry é bonito — você diz, e se inclina para frente, diz alô e brinca com suas teclas. Posso ver sua calcinha. Você faz uma pergunta.

— Posso segurar?

— É pesada, Beck.

— Você pode colocar no meu colo — você diz, e está usando uma tanga rosa sem costura, tamanho pequeno, da coleção Angels da Victoria's Secret.

Pego Larry e a coloco no seu colo, e rezo para que não note que sua calcinha é igual à calcinha enfiada entre as almofadas do sofá. Eu lhe digo que Larry está quebrada por ter caído (rá, rá, rá), e você a acaricia, doce.

— Bem, Larry pode estar quebrada, mas é uma fera bonita, Joe.

— Ela é única.

Você estuda Larry.

— Ela tem um L faltando.

Tenho de mentir, porque não posso deixar você olhar ao redor procurando o L.

— Desde o dia em que a trouxe para casa.

Você olha para mim.

— Tem alguma coisa para beber?

Eu não tenho nada para beber. *Maldito Curtis.* Você volta sua atenção para a máquina de escrever e quer olhar entre as almofadas e ter certeza de que o L não está ali, mas se fizer isso encontrará sua calcinha, e saberá que é sua se tiver um bom olfato, o que acho que tem. Você é como uma criança pequena que precisa de distração, então pego o Twizzler e você pega os dois últimos.

— Você tem mais disso? — você pergunta.

— Temo que não — digo, e agora estou preocupado porque você para de mastigar e seus olhos se fixam em algo no meu quarto.

Você aperta os olhos.

— É aquele Dan Brown italiano que lhe dei?

Quero fechar a porta do quarto, mas isso seria esquisito, então me viro, sigo o seu olhar e me dou conta que está olhando para a prateleira especial que construí para o Dan Brown italiano. Poderia ser pior; eu poderia ter colocado *O Livro de Beck* naquela prateleira.

— Acho que é seu livro — minto.

Você acaricia Larry e sorri.

— Isso é uma graça, Joe.

Eu engulo o resto do meu Twizzler e tenho de tirar você daqui.

— Quer ir conseguir mais Twizzler?

— Cacete, sim — você diz, eu vou até você, você parece ainda menor com Larry no colo, e dá um tapinha nela. — Levante, por favor.

Eu a tiro do seu colo e sua calça cotelê azul-clara tem novas marcas escuras de raspado, eu a coloco em seu lugar normal no chão, você calça novamente as botas, se mete em seu casaquinho de pele e atravessa a sala para longe da prova de meu afeto, sua calcinha e seu sutiã. Que alívio abrir a porta e levar você para fora de minha casa, é um mundo inteiramente novo com você nele. Você para na escada e aponta para uma marca na parede.

— Sangue? — você sussurra, animada e brincalhona, minha ninfa peluda, eu anuo e você ergue as sobrancelhas. — Sangue de *Larry*?

Eu dou um tapa na sua bunda, você gosta, desce a escada aos pulos, eu sou o único que sabe sobre seu pai e logo será a hora da concha vermelha. Você abre a porta que eu tenho aberto por quase quinze anos. Caminhamos para o armazém e você está quase pulando.

— Esta é a área que estão tentando transformar em um bairro histórico? — você pergunta. — Li isso em algum lugar.

— Não. Este é o outro lado de Bed-Stuy.

Minha área faz você se lembrar de "canções de Vila Sésamo e Jennifer Lopez", e todos os caras na loja querem comer você, mas você está comigo. Você gosta da atenção; me diz que se sente uma celebridade aqui, e dá um risinho. Eu pago os Twizzlers e a Evian, e você enfia os Twizzlers no bolso de trás, como se precisasse chamar mais atenção para a sua bunda. Então é assim que seria se você morasse aqui comigo. Seria bom, quente. Antes que você perceba, estamos de volta aos meus degraus.

Sentamos próximos, abrimos os Twizzlers e dividimos a Evian. Duas adolescentes do quarteirão passam, olham feio para você com sua Evian, e você fica doce, e me garante que só bebe Evian porque Peach diz que é *alcalina*, e não está usando sutiã, assim como não estava usando sutiã naquele primeiro dia na loja, e realmente parece um recomeço.

Você acaricia meu cabelo com sua mãozinha fria.

— Quer subir?

— É — eu digo, e desejo, e desejaria ter podido me preparar para você, escondido suas coisas, tomado um banho e calçado meias iguais. Mas você está aqui afora, subindo minha escada, lentamente, me provocando com cada deliberado passo macio.

A partir daí é um borrão. Meu sofá de merda se transforma em uma rede em uma ilha deserta de comercial de Corona, sem a cerveja. Não precisamos de cerveja, não precisamos de nada, agora temos a nós. Eu mantenho os braços em volta de você, você me segura de um jeito que agradaria Eric Carmen. Nós nos beijamos até não podermos mais, depois simplesmente contamos coisas um ao outro. Você me conta sobre o Festival Dickens, a briga com o pai por causa do cigarro, sua madrasta monstro e o motel vagabundo, os meio-irmãos mal-educados, as maçãs carameladas caras demais. Você quer saber sobre mim e eu lhe conto que gosto de você, muito. Voltamos a nos beijar. Continua assim por um tempo, e você está esgotada e relaxada. Quando finalmente adormece seu corpinho está flácido. Não sei se serei capaz de dormir com você tão perto de mim. Você não pode mentir dormindo, e dá um pequeno sorriso, acho, de vez em quando, e chega mais perto de mim.

A única razão pela qual sei que sou capaz de dormir tão perto de você é que na manhã seguinte o som do chuveiro sendo ligado me desperta e você não está mais em meus braços, está nua, molhada, lá.

25

SE você mora sozinho, tem de ser um porra de um esquisitão masoquista para comprar uma cortina de chuveiro opaca. Comecei a pensar nisso no Silver Seahorse, onde a cortina do chuveiro era branca, a não ser por alguns pontos de mofo na base. É como se eles estivessem tentando fazer com que os quartos parecessem *Psicose*.

 Achei que comprar uma cortina de chuveiro fosse a porra mais fácil do mundo, mas você vai à Bed Bath & Beyond e eles têm tipo 600 cortinas escuras que, obviamente, não são uma opção. Então você entra na internet e há milhares para escolher. Não comprei uma totalmente lisa porque você precisa ter algo para que olhar quando está no vaso, mas quando você pensa nisso, essa cortina de chuveiro é algo para a qual você vai olhar

 Todo.
 Maldito.
 Dia.
 Então comecei a estudar as opções na internet. A maioria das decorações traz porcarias que você nunca suportaria todo dia (um mapa-múndi, vá se foder, peixes, um mapa do Brooklyn, vá realmente se foder, bonecos de neve, a Torre Eiffel, sinais náuticos — quero dizer, eu não sou um cretino que compra cachecóis na Urban Outfitters e dá notas a filmes no IMDB). Eu só queria algo engraçado e clássico.

Finalmente escolhi uma cortina de chuveiro clara com uma fita policial amarela dizendo "Polícia, não atravesse". E quando comprei essa cortina de chuveiro nunca imaginei que você estaria do outro lado da fita policial, as malditas faixas amarelas bloqueando minha visão de você. Da próxima vez, vou ficar com uma toda transparente, Beck. Lição aprendida.

E realmente é para o bem, porque não tenho tempo de ver você tomar banho. Tenho de aproveitar a oportunidade para esconder toda Beckfernália e esperar que você não tenha xeretado ao acordar. Eu refaço seus passos. Você deixou a porta do armário do banheiro aberta (mulher típica) após pegar a toalha. Felizmente pegou a toalha de cima e não encontrou seus sutiãs escondidos sob a do fundo. Com sorte, você não abriu o armário de remédios do banheiro e encontrou seu prendedor de cabelos prata arranhado (eu o roubei no primeiro dia em que entrei em seu apartamento, esses prendedores estão por toda parte, você nunca sentiria falta, certo?). Eu precisava dele, porque alguns deliciosos fios do seu cabelo estão presos ali, contendo seu DNA, seu cheiro. Você abriu a geladeira e encontrou sua garrafa de chá gelado Nantucket Nectar diet, pela metade. Seus lábios a tocaram e eu queria manter seus lábios na minha geladeira. Você tomou uma garrafa de água, mas há sempre a possibilidade de que tenha confundido sua garrafa de chá gelado com a minha.

A porta do banheiro é a única coisa aqui que não está ligeiramente estragada, e você poderia ter fechado até o fim, mas não fechou. É como se você quisesse todas as portas abertas o tempo todo, assim como suas janelas em seu apartamento não têm cortinas. E não consigo não ficar excitado por, de algum modo, você querer que eu desse uma espiada em você, neste instante, bloqueada por aquela fita policial amarelo-Garibaldo. Você arqueia as costas e deixa a água bater em um peito, a seguir outro, depois se vira, e gosta de estar aí, em meu chuveiro, em minha casa, e deixa a água correr pelo pescoço e escorrer pelas costas, e pega o sabonete Ivory (meu sabonete), o coloca entre os seios e desce com ele, o deixa cair, e então esfrega a espuma em sua barriga, mais baixo, mais baixo até suas mãos estarem lá, e então assim que estão lá embaixo voltam para seu pescoço e você está segurando, está com tanto tesão por mim neste instante e eu deveria tirar as roupas e entrar no chuveiro, mas se fizesse isso você olharia para a porta se movendo e se daria conta de que seu sutiã branco de biquíni está pendurado na maçaneta. Sei que você ainda não notou. E há uma chance de que nunca note, já que não fechou a porta totalmente. Eu posso agarrar o biquíni e rezar para que você esteja tão envolvida com seu eu encharcado — duplo sentido, querida — que não note, ou posso deixar ali e supor que quando você terminar — de se lavar, não de gozar — estará tão preocupada com se secar e tão cega pelo vapor que não note o próprio sutiã do biquíni.

A quem estou enganando? Tenho de pegar aquele sutiã. Eu fecho os olhos. Rezo. Minha mão treme quando a coloco do lado de dentro da porta e o tiro da maçaneta. Você não nota, tudo está seguro de novo e eu realmente preciso que você suma do meu apartamento. Coloco seu biquíni atrás das comidas congeladas da Stouffer's que eu compro, mas nunca como, e então você sai do chuveiro, sai do banheiro e me chama.

— Ei, Joe, aonde você vai com essa arma na mão?

Por um segundo eu entro em pânico. Você sabe, o biquíni é uma arma e eu estou fodido, mas você está de toalha, pingando, e eu pareço um maldito lunático colado na geladeira.

— Só brincando — você diz. — Sei que é uma piada ruim, mas não tão ruim. Relaxe.

— Parece que você achou as toalhas.

— Espero que não haja problema — você murmura, minha casa não é lugar para andar descalço, você continua a circular porque o piso é grudento e sujo, olha para minhas máquinas de escrever, faz perguntas demais e está pegando minha cabeça empalhada de aligátor miniatura que eu teria escondido caso soubesse que você viria, e isso é errado, totalmente errado, isso não é certo à luz da manhã, e você dormiu aqui e se banhou e se ensaboou sem fazer amor comigo, e em qual universo isso poderia ser uma coisa boa? Suas mãos limpas estão clínicas demais agora e você examina este lugar como se fosse uma cena de crime. Talvez a fita amarela a tenha deixado alerta. Você está perguntando quando comecei a colecionar máquinas de escrever e animais mortos, perguntando de brincadeira se sou um assassino em série, apontando para o buraco na parede e dizendo: — Joseph, me conte novamente sobre o buraco.

E sim, você está rindo, e não quer que eu me defenda tanto, mas isso não é bom para nós, e você está limpa demais e eu tenho sono em meus olhos e tesão de mijo, e sem café e ovos para fazer para você. A torneira pinga (você não fechou até o fim), mas não posso fechar porque você não pode ficar sozinha em minha sala. Você pede licença, vai ao banheiro e lava as mãos com muito sabonete (taxidermia e máquinas de escrever). Quando sai do meu banheiro com as mãos recém-lavadas já acabou comigo, fala sobre faculdade, dá beijo de despedida, sem língua.

Quando você sai eu me sento na banheira molhada e respiro você. Você toda.

— CARA, você não acha que isso é um pouco demais?

Curtis está se defendendo e ficando vermelho, e o merdinha nunca foi demitido antes, e de repente ele adora a Mooney's, de repente se importa, e de repente meu colega maconheiro nunca ficará doidão de novo.

— Curtis, a coisa certa a dizer agora é apenas "Certo, chefe".

Ele fica com raiva, e uma mulherzinha gorda bate no balcão como se fosse uma porta.

— Desculpe, pessoal, mas vocês têm livros de receita Zone?

— Sim — eu digo, e estou prestes a dizer onde, mas de repente Curtis realmente trabalha aqui, realmente se importa, está disparando por trás de mim e levando a doce gordinha até os livros de receitas e falando com ela sobre nossa capacidade de encomendar qualquer livro Zone que seu coraçãozinho gordo possa desejar, falando sobre nossa política de devolução, tão alto que você pensaria que ela é surda, não gorda, é impressionante como as pessoas só se consertam tendo uma arma apontada para a cabeça, e então ouço você ("Ei, Joe, aonde você vai com essa arma na mão?") e aquela manhã foi tudo culpa dele e ele vai pagar. Ele tem de pagar e a senhora gorda quer pagar parte em cheque, parte em dinheiro e parte em cartão de crédito, e fico pensando em como ela vai poder comprar os ingredientes para as receitas do livro Zone, e de repente Curtis é a porra de um policial voluntário, verificando duas vezes a carteira de motorista dela como ensinei, como ele nunca fez, e passando o cartão de crédito do jeito certo, forte e inclinado para que a máquina velha leia a faixa magnética. Está inserindo um marcador em cada maldito livro de receita, e cara, esse garoto, só um desgraçado psicopata perfeccionista maluco demitiria esse garoto, tão bom ele é, tão dedicado.

A senhorinha gorda está contente e assovia para mim.

— Iurrú, querido.

Eu anuo, sorrio, e ela deveria ter me chamado de senhor.

— Você deveria dar um aumento a este jovem — ela diz, e está rosada de circular pela loja. — Eu lhe digo, passei *duas horas* em outra lojinha no centro até alguém ir me ajudar, e este jovem que você tem aqui foi maravilhoso e gentil comigo. E também informado.

Eu gostaria de dizer a ela que em livrarias e cafés, na verdade, é educado deixar clientes e leitores em paz. Quando você importuna as pessoas e se oferece demais para ajudá-las, elas sentem que você as está mandando embora. Essa senhora não sabe nada sobre o mundo, e ainda está tagarelando sobre este *jovem amigável*, e eu gostaria de dizer a ela que esse ansioso Curtis (será que ele começou a tomar anfetaminas ou algo assim?) na verdade já mandou clientes embora assim porque a maioria das pessoas não quer ser interrompida quando está lendo as primeiras páginas de um romance. Ah, eu quero que ela saiba que Curtis fuma maconha quatro vezes por dia, rouba bicicletas e as vende para conseguir trocados. Eu poderia dizer que ele se atrasa em todo maldito turno, caga no banheiro regularmente (grosseiro), e que traiu todas as namoradas que teve, e que quando ela sair daqui, ele, caso não estivesse sendo demitido, debocharia dela em voz alta, e possivelmente até roubaria sua conta corrente. Sim. Ela paga com cheque.

Em vez disso eu apenas sorrio para a garota.

— Você é a razão pela qual abrimos todos os dias. Estamos no negócio de ajudar as pessoas a comprar livros.

— Isto é como aquele filme da Meg Ryan — ela guincha. — Sabe, aquele no qual a garota legal tem a lojinha e se apaixona pelo homem com as lojas grandes?

A porra do Curtis fala:

— *Mensagem para você!?*

— *Mensagem para você* — ela grita, e ri. — Ah, eu adoro esse filme! Vocês têm aqui? DVD?

Essa preguiçosa não vai usar os livros de receita. Vai comprar uma pequena prateleira na Target e conseguir alguém para pregá-la na cozinha. Vai colocar os livros de receita, adorar o jeito que ficaram, jogar uma pizza no micro-ondas e abrir o DVD de *Mensagem para você* que atravessou a cidade para comprar. Nunca voltará aqui.

Quando ela parte, Curtis de algum modo entende. Ele sabe que está acabado.

— Cara, se isso vale alguma coisa, achei que estava ajudando você. Aquela garota era um tesão. Um tesão comível.

— Você não pode dar meu endereço para estranhos.

— Ela disse que conhecia você. E eu disse comível? Muito comível.

Que fique claro que eu só o soquei uma vez, e não no rosto. Melhor lembrar disso, Beck. Não que eu seja um monstro e não que eu o tenha machucado. Eu o demiti, de homem para homem, chefe para funcionário. Não foi pessoal, não foi sujo, e aquela gorda foi a primeira freguesa que ele tratou bem desde a maldita primeira semana. Ademais, você não é comível, Beck. Você é bonita. Há uma diferença.

26

NO dia seguinte à nossa dormida sem sexo você me pediu para encontrá-la no centro. Curtis tinha partido e eu estava sozinho na loja, mas no dia seguinte a uma mulher ficar nua no seu apartamento todos sabem que a única coisa a dizer a ela é sim. Pegamos seu novo decodificador de cabo. O cabo tinha um quilômetro e meio. Depois você me mandou para casa.

E tem sido mais do mesmo nas duas últimas semanas. Hoje você me pediu para encontrá-la na frente de um Starbucks na Herald Square, onde estou agora enquanto você me cumprimenta com um beijo (na face). Você não se senta em meu colo, uma cadeira estofada demais, nem lambe chantili de meu lábio superior. Está em modo diurno, vamos resolver, e as pessoas que passam fazendo compras de Natal provavelmente pensam que sou seu melhor amigo gay. Meu pau dói, Beck. Cadê meu feriado?

— Então a boa notícia é que sei exatamente o que quero.

— Sabe? — pergunto, e espero que me peça para comer você no banheiro do Starbucks.

— Quero dar à minha mãe aqueles fones de ouvido que servem como protetores de ouvido.

— Ah.

Protetores de ouvido digitais são o oposto físico de sexo oral.

— E a melhor notícia é que eu tenho um cupom — você diz, e estamos a caminho da Macy's.

Agora você começa a falar sobre dinheiro. Está quebrada. Finjo que não li os e-mails que você trocou com seu pai esta manhã. Sei que você está esperando para ver se o velho Capitão vai ajudar.

Estamos na seção de sapatos femininos (você não queria protetores de ouvido?), quando você me pergunta sobre Curtis. Eu lhe digo que o flagrei roubando e o demiti. Não digo que foi por ele ter lhe dado meu endereço. Você suspira; "ele parecia um bom garoto". Rá. Vagamos pela joalheria (você não queria só protetores de ouvido?), e você quer saber quando vou contratar um novo funcionário. Digo que a única coisa mais impossível que encontrar alguém bom é cuidar da loja sozinho. Você concorda que a maioria das pessoas é "inempregável", e realmente vai ser assim, papo furado sobre currículos e essas merdas?

— Quer dar um passeio? — você pergunta, e se você quer dizer dar um passeio no meu pau, então sim.

Mas em vez disso você pega minha mão e me leva à escada rolante. Está lotado, suado e natalino, e eu preferia ser as bolas no fundo de uma lata de lixo. Não há privacidade em uma escada rolante da Macy's em dezembro, mas você é impressionante, então vai fundo.

— Então, meu orientador de graduação, aquele em ano sabático que tem bolsa em Princeton — diz, e para, como se a mexicana na sua frente ligasse. — Ele quer páginas antes de nos separarmos, o que obviamente é ridículo.

— Qual é o nome dele mesmo? — pergunto, embora nunca tenha perguntado.

— Paul — você diz, não dá um sobrenome, e a conversa termina, graças a Deus. Saltamos no quarto andar. Está alto e cheira a pretzels e perfume. Toca uma música de Miley Cyrus e está cheio demais aqui. Mulheres vulgares falando alto e arrumando brigas com outras atacam meus sentidos, e eu lhe pergunto se os fones de ouvido são neste andar e você me diz que precisa devolver algo.

Felizmente a fila do Departamento de Jovens Vadias não é comprida, porque a maioria das Jovens Vadias não consegue comprar essas merdas. Na verdade você não estava me contando a história toda, quando é nossa vez você tira da bolsa uma legging e um recibo amassado, a pobre garota atrás do balcão nunca fez uma devolução e, claro, temos de esperar.

— Há uma razão para demorar tanto? — você reclama.

— Bem, você comprou isso há mais de cem dias.

— E?

E que merda, você realmente *está* quebrada, pois por que mais estaria desencavando calças de três meses atrás? Você pega a calça e o recibo e os enfia na bolsa.

— Voltarei quando o gerente estiver aqui.

— Por mim, tudo bem.

Você agora ficou irritada; estava dependendo daquela devolução. Você desconta em todos, em Jovens Vadias passando com raion e néon, sem *pedir desculpas*. Duas piranhas dizem que querem chutar seu traseiro, mas não farão isso; estão no secundário, ficam felizes apenas de chamar você de "piraaanha". Eu lhe digo para se acalmar, você não escuta, e eu quase adoro a escrota que você pode ser, porque um dia desses você vai me amarrar a uma cama, estapear e mandar em mim do modo como manda em todas as pessoas que passam na sua frente. Você está muito acelerada, eu quero brincar com você, e brinco.

— Beck?

— O quê?

— Olhe, não entendo porra nenhuma de roupas de menina, mas essa calça que você estava querendo devolver parece boa.

— Não parece boa em mim.

— Posso ver?

Você tenta conter um sorriso, mas perde.

— Aqui?

— É — eu digo, e você está caminhando mais devagar agora, ninguém está vigiando o provador porque é Natal e Papai Noel sabe que eu sou um bom menino. Descemos o corredor de provadores até o de deficientes, no final. Você não me diz por que está abrindo aquela porta e não me convida a entrar, mas eu a sigo. Sento-me num banco à frente e você fica em pé na frente do espelho de três peças. Tira a calça da bolsa, e o que há com você que ainda está pensando em calças?

Você suspira.

— Olhe, o que eu realmente quero são *jeggings*.

Mas do que você realmente precisa é um orgasmo, e eu lhe digo para experimentar. Você está enrubescendo, safada, uma porta bate e alguém murmura "pegue um provador", e nós *já* pegamos um provador, temos este provador e suas botas de pele saíram, você está abrindo o jeans e ele é tão apertado que quando você o baixa a calcinha começa a descer com ele.

— Venha cá.

— Joe. Shh.

Eu faço um gesto para você se aproximar. Como você, no fundo, é tímida, levanta a calça e até começa a fechar o zíper enquanto anda até mim. Eu olho para você acima, você olha para mim abaixo, começa a se agachar e levar a mão à fivela do cinto, mas não. Eu agarro sua mão, com firmeza.

— Levante.

Você levanta. E quando começo a abrir o zíper você chega mais perto, se mexe e me ajuda a tirar você dessa calça e a colocar você fora dela e jogá-la no espelho, e finalmente, até que enfim, no Departamento de Jovens Vadias da Macy's na Herald Square, o Natal chega mais cedo. Eu provo você. Eu lambo você. E quando você goza, goza a plenos pulmões.

Eu adoro fazer compras.

O sexo clareia a mente e o orgasmo faz bem a você. Saímos do provador e você decide dar à sua mãe a calça que estava tentando devolver — eu sabia que nunca iríamos comprar protetores de ouvido. Você segura minha mão com força e firmeza, descemos quatro andares de escada rolante e você não quer mais olhar as vitrines. A música nos suaviza quando começa "Have Yourself a Merry Little Christmas", minha preferida música triste de feriado. Você me pergunta o que vou fazer no feriado e eu lhe digo que vou trabalhar, claro, e você me diz que vai ter de arrumar um emprego. Você me leva à seção de chapéus masculinos e pega uma monstruosidade vermelha e verde. Eu fujo de você.

— Talvez eu pudesse trabalhar aqui — você diz, sorrindo. — Você poderia vir me visitar nos meus intervalos.

— Você realmente precisa de um emprego?

Em vez de me responder você pega um boné de caça vermelho como o que Caulfield usava em *O apanhador no campo de centeio*, e olha para mim.

— Por favor? É meu livro preferido de todos os tempos.

Eu não consigo dizer não e a amo por não mencionar o livro pelo nome. Eu coloco o boné e você morde o lábio.

— Adorável.

É difícil fazer você me levar a sério usando este boné ridículo, mas eu tento.

— Falando sério, Beck, você precisa de um emprego?

— Você está um tesão — você diz em um guincho, e pega o telefone. — Uma fotografia, Joe. Você tem de me deixar tirar uma sua.

— É melhor eu não ver isso no Facebook.

— Você não está no Facebook, bobo — você retruca. — Sorria.

Você tira minha fotografia, eu lhe dou o boné e você revira a bolsa à procura do cartão de crédito.

— Beck — eu chamo. — Você não precisa me comprar um boné que eu nunca usarei. Falando sério. Você precisa de um emprego?

— Eu sei que não preciso comprar — você diz. — Eu quero.

É Natal, então eu deixo que você me compre o boné e digo que só irei usar com uma condição.

— Qualquer coisa — você diz, e tem uma impressionante incapacidade de ver ao redor.

— Diga que você aceitará um emprego na livraria.

— Sim! — você responde, se anima e joga os braços sobre mim, eu lhe dou tudo o que você quer, tudo de que precisa, e você beija meu pescoço tão suavemente, meus lábios ternamente. Você murmura meu nome — *Joe* — e todos passando provavelmente pensam que acabamos de ficar noivos.

MAIS tarde Ethan aparece para uma entrevista. Eu não tenho coragem de dizer a ele que a vaga foi preenchida. Ele parece um gerbo, é amigável como um filhotinho e ficaria melhor em um abrigo de animais que em uma livraria. Ele fala muito, eu verifico seu e-mail e fica claro para mim que você ligou para Peach e contou a ela sobre nossa excursão de compras e seu novo emprego. Ela escreve:

"Beckliciosa, espero que não esteja se flagelando depois da brincadeira na Target. Lembre-se: fazer algo vulgar não a torna vulgar. Você é apenas humana, pequenina! Por favor, apenas seja carinhosa com ele, provavelmente não é a melhor ideia trabalharem juntos. Talvez fosse melhor trabalhar no campus? Seja como for, fique bem, Peach."

O e-mail de Peach corta o meu barato da Macy's. E se você der para trás? E se trabalharmos juntos e não ficarmos juntos? E se você precisar ter "#noitesdemeninas" em suas noites de folga e eu nunca for às compras com você novamente? Ethan nunca me deixaria na mão; ele trouxe três cópias do seu currículo.

— Você parece terrivelmente ocupado, Joe — ele diz, animado. — Se quiser eu posso sair e voltar um pouco depois! Meu dia está livre!

Eu compro tempo. Não sei se consigo lidar com toda essa energia.

— Quais são seus cinco livros preferidos?

Ele sorri como se eu tivesse acabado de dizer que Papai Noel existe, e leio sua resposta a Peach.

"Ah, foi na Macy's, não na Target, então é mais respeitável... Espero. E você está certa, sei que não deveria trabalhar na livraria. Eu sou muiiito ruim com limites. Por que você sempre é tão inteligente?"

Ethan está no meio de sua análise de *O senhor dos anéis* quando eu o interrompo.

— Desculpe, Ethan. Apenas me dê mais um minuto.

— Você não precisa se desculpar! — ele canta. — Você é o chefe!

Tudo nesse cara tem ponto de exclamação, motivo pelo qual é perturbador seu livro preferido ser *O psicopata americano*.

— Eu adoro um bom susto! Você não, Joe?

Eu prefiro ficção, ele balança o rabo, eu atualizo a caixa de entrada e abro a resposta de Peach:

"Eu apenas me preocupo com você, Beckliciosa. Lembre-se: limites! E eu sinto que não vejo você há séééééculos."

Eu coloco seu telefone de lado e silenciosamente agradeço à sua mãe por pagar a conta. Ethan continua a falar sobre o *Psicopata americano*.

Ele se empolga e ri, e quem é esse cara, cacete?

— Eu simplesmente adoro livros — guincha. — Poderia falar sobre livros até o final dos tempos. Essa é a coisa mais difícil sobre perder o emprego e a namorada. Sinto falta de falar. Eu adoro falar!

Ethan é o homem mais solitário e deprimido que já encontrei em minha vida, e ao mesmo tempo ele está me salvando. E ele é perfeito, exatamente do que preciso. Você não vai cair por este cara, e perto dele eu sou o cara. Eu sorrio.

— E então, Ethan. Você pode trabalhar nos fins de semana?

— Claro! — ele fala, não muito diferente de um gerbo. — Posso trabalhar qualquer hora!

Quando nos levantamos eu me dou conta de que ele é quase 30 centímetros mais baixo que eu. Ele tem caspa e não para de falar com gratidão enquanto o levo à porta.

— Sabe, Joe, sempre tive a sensação de que acabaria com um emprego divertido como este. Para ser honesto, me formar em finanças foi ideia do meu pai. Não minha!

— Bem, isso é bom, Ethan, isso é bom — digo, e ele é que tem problemas com limite. — Você deveria tomar uma cerveja e celebrar.

— Eu não bebo, mas talvez coloque um pouco de rum na minha Dr Pepper diet! — ele exclama, e quando o vejo descer a rua, me sinto orgulhoso como um professor. Fiz uma coisa boa hoje.

Você escreve para Peach e lhe deseja um bom feriado ao sol. Diz que provavelmente vai ficar na cidade, porque fica muito caro ir a Nantucket, e ela responde:

"Doçura, se precisar de um empréstimo, sabe que estou aqui..."

Você responde com um não peremptório, e Peach está partindo para encontrar a família em St. Barts, passar bloqueador solar orgânico sobre todo o seu corpo grotesco e pensar em você. Talvez encontre uma garota nativa, se apaixone e a deixe em paz. Eu mando um e-mail lhe dizendo que você começa amanhã, e você responde imediatamente, do jeito certo:

"☺ Sim, chefe."

Mais tarde naquela noite você me liga para esclarecer a data de início. Quando eu lhe conto sobre Ethan você inicialmente fica confusa.

— Achei que eu tinha o emprego — diz.

— Bem, é o período mais movimentado do ano, Beck.

— Isso significa que eu não vou ter muitas horas?

— Isso significa que você pode ter uma noite livre de vez em quando.

Você saca e baixa a voz.

— Você já está me assediando sexualmente?

Eu não rio.

— Sim, senhorita. Eu estou.

Eu sou um gênio, claro, e Peach pode se foder, porque continuamos a conversar como namorado e namorada. Eu lhe conto mais sobre Ethan e você ri.

— Ele é a anti-Blythe — você diz. — Ela tira os pontos de exclamação nos contos de todo mundo. Literalmente.

— Maldição. Fico pensando em o que aconteceria se eles ficassem juntos na mesma sala.

— Aimeudeus — você diz, e se levanta. — Temos de fazer isso.

— Beck.

— Nós *temos* de juntar os dois.

— O garoto é muito inocente. Não acho que eu possa soltar a Blythe nele.

— Honestamente, Joe. Ethan pode ser exatamente do que Blythe precisa. E vice-versa. Quero dizer, os opostos se atraem, sabe?

— Nós somos opostos?

— Bem, veremos — você diz, e então passamos a falar sobre comida indiana e música, e é uma daquelas conversas que fluem, do tipo que você só pode ter depois de um provador.

Quando finalmente desligamos eu lhe mando os contatos de Ethan para dar a Blythe. Escrevo:

"Feliz Natal!"

Você responde:

"De fato é. ☺"

27

EU adoro ter você na loja. Trabalhar com você me fez voltar a amar o lugar de Mooney. Somos um casal adorável, combinamos, e você adora quando alguém diz isso. Não há mais encontros. Há apenas nós. Você chega aqui antes do turno começar e me dá um beijo de olá. Casais tediosos e comuns arrumam um cachorro para aprender a criar uma criança, mas temos juntos uma loja cheia de livros. Dividimos a carga, rimos dos clientes, discutimos de brincadeira sobre que tipo de música tocar, e somos um daqueles casais dos anos 1950, muito sexistas, pois eu estou no comando e você gosta assim. Você brinca comigo quebrando as regras diariamente, e vive para me manipular. Rimos fácil. Eu levo meu boné de Holden para o trabalho, coloco quando você não está olhando e você cai na gargalhada quando me vê.

— Aimeudeus, Joe, você tem de me deixar sumir com isso.

Eu brinco de brigar com você.

— Você não pode pegar meu boné de Holden Caulfield!

Você ri.

— Não, o que eu não posso fazer é deixar você sair para o mundo usando essa coisa. Eu certamente não estava pensando direito quando escolhi isso.

Gosto da referência ao nosso momento na Jovens Vadias, e deixo você agarrar meu boné. Eu nem sequer tirei a etiqueta de preço, e você fica contente de encontrá-la.

— Agora posso lhe dar algo ainda melhor.

Eu não posso, consigo, acreditar em como me sinto sentimental, quão animado, mas parece que o mundo está do meu lado; o mundo é totalmente feliz na loja de Mooney! Ethan e Blythe estão saindo, o que é impressionante, e vou para a cama pensando no que você vestirá para ir trabalhar no dia seguinte, pensando em quando nossa química irá explodir em uma maratona de foda na sua cama que eu construí. Estamos esperando para fazer sexo porque você diz que isso é *especial*. E é.

Todo dia é Natal, e hoje você chega com um suéter cinza largo de vagabunda que pende do ombro e transforma sua clavícula em uma foto pornô de levantar o pau. Está mastigando minicenouras. Eu lhe digo para ir para casa mudar de roupa.

Você fala de boca cheia.

— Você nunca disse que havia um código de vestimenta.

— Está implícito.

— Pelo quê? — você responde. — Os suéteres largos de Ethan?

— Calma.

— Estou calma, Joe. Só estou pedindo que me fale sobre o código de vestimenta.

— Pense nisto como escola. Você não iria à aula usando isso.

Você joga as cenouras no balcão. Cruza os braços.

— Eu vim da aula.

— Apenas cubra — digo, e quero lhe dizer que por isso os caras em sua turma se sentem autorizados a tentar comer você.

— Cobrir o quê? — você pergunta, e agora quero colocar você sobre os joelhos e lhe ensinar uma lição. Seus problemas com papai são imensos, Beck.

— Cubra a clavícula.

— Bem, por que eu não coloco o seu cachecol?

— Eu deixo você tentar colocar meu cachecol preto, ele a afoga e eu gostaria de pegar você pela clavícula e levá-la para a seção F-K aonde você foi em sua primeira vez aqui quando nem sequer sabia o que estava procurando (eu), e posso fazer isso porque sou o patrão, você quer que eu faça isso e eu quero fazer, mas não vou. Gosto do quanto você quer agora, e vai ficar assim, e eu balanço a cabeça para você, e indico que é para você sair do meio do cachecol, você resmunga e geme, e seu suéter de vadia sobe junto com o cachecol quando você o puxa pela cabeça, e um pervertido nos livros de referência está olhando, e eu estendo a mão, agarro seu suéter e o baixo.

Você se assusta, o aquecedor chia, a trilha sonora de *Hannah e suas irmãs* oferece velhas canções românticas instrumentais, você me trouxe um café como uma boa menina e me deu meu cachecol. Eu o pego, sento no banco junto à registradora, você bate os cílios para mim, aquele pervertido continua a olhar e tenho de cuidar dele.

— Quando voltar — eu digo, erguendo a voz — é melhor estar usando sutiã.

Você ruboriza, tenta não sorrir, veste sua japona e agarra sua bolsa cheia de porcarias que arrastou para cá, e concorda.

— Qual cor?

Não vai demorar para que transemos, e eu dou de ombros.

— Você escolhe.

— Vermelho?

— Tá.

— Preto?

— Vá — eu digo, você vai, eu olho para o pervertido e o chamo, frio.
— Precisa de ajuda, senhor?

— Ahn, não, só olhando.

— Bem, se, e quando, precisar de ajuda, estou aqui — digo, desligo o *Hannah*, coloco os Beastie Boys e espero você voltar, o que você fará, porque adora ficar aqui comigo, e eu já mencionei que esta foi a melhor ideia de todos os tempos? No seu primeiro dia você foi uma tragédia arrogante, fodeu toda venda que fez, cobrou demais, cobrou de menos, vestiu seu maldito suéter da Brown como se precisasse que todos soubessem que você está acima deste tipo de merda, eu lhe disse nada de suéteres e você ficou vermelha porque sabe quando está sendo babaca.

O pervertido pergunta se temos banheiro e eu digo seco, cortante, "não", ele não se despede quando sai e eu aproveito a oportunidade para descer e tocar uma, porque trabalhar com você e esperar você chegar aqui para poder sentir seu cheiro, ver você e estar perto de você todo dia me dá tesão como uma porra de um garoto de escola com uma professora substituta vadia.

Meu telefone toca, você é rápida e me mandou uma mensagem:
"Toc, toc." Há uma foto sua, de sutiã vermelho, e você escreve novamente:
"Isso é apropriado para o local de trabalho?"
E eu respondo:
"Não."
Janeiro é o mês mais morto do mundo e eu poderia ficar aqui embaixo repassando sutiãs o dia todo, você sabe disso e logo retruca:
"Toc, toc." Eu digito:
"Sim?"
E novamente, você, sem rosto, apenas seus peitos enfiados em um sutiã rendado rosa e seus mamilos estão duros para mim, eu não aguento mais, não respondo e você escreve de novo:
"?"
Eu me recuso a lhe dar meu pau desta forma, você está começando a entender isso, e você manda outra foto sua. Sem sutiã. E eu lhe dou o que você quer. Eu escrevo:
"Menina má. Venha cá. Agora."
Você escreve à velocidade da luz:
"Sim chefe"
Sem pontuação, apenas sim, o eufemismo universal para ME COME AGORA, e *chefe*, o eufemismo universal para eu me submeto, e eu me limpo, subo a escada, encontro a Paula Fox que estou fingindo ler sempre que você aparece, tiro os Beastie Boys e coloco uma Beck — é uma coisa recorrente agora, uma brincadeira nossa, somos aquele casal com um vocabulário secreto de canções, livros, olhares e refeições — e quando você chega aqui é quase hora de fechar, eu nem mesmo conferi seu e-mail em vários dias, para você ver o quanto está em mim, e você sai de

dentro da japona e está com uma porra de camiseta de renda transparente, e sorri para mim.

— Isto é inadequado?

Eu fecho a Paula Fox e a canção de Beck "Sexx Laws" começa a tocar, uma ode a algemas e uma foda irracionalmente ótima. Você e eu faremos nossa própria canção de foda, eu me acomodo de modo que estou de frente para você, a porta não está trancada, a placa diz aberto, as ruas estão se esvaziando (uma segunda-feira de janeiro), a *Hannah* foram as preliminares, os textos foram o pontapé inicial e você vem em minha direção, delicadamente, eu abro as pernas ligeiramente, você está em pé de japona com botas me come e eu não aguento mais...

— Você está atrasada. Estamos prestes a fechar.

— Desculpe, chefe. Quando nós fechamos, chefe?

— Agora.

— Ah-ah.

— É — eu digo, sou uma rocha, você não está usando calcinha debaixo dessa saia, sua piranha, você inclina a cabecinha, enrola seu cabelinho e é impressionante como a coisa mais genérica do mundo pode ser tão tesuda: garota seminua em uma livraria pegando um Twizzler, mastigando, lentamente, suplicando, silenciosamente.

— Bem, talvez haja algo mais que eu possa fazer por você — você arrulha, eu faço que não com a cabeça, faço um gesto para você vir aqui agora, você está com o Twizzler pendurado na boca, coloca as duas mãos em meus joelhos, se inclina e balança o Twizzler junto à minha boca.

Eu o mordo. Finalmente.

28

EU acabei de comer você pela primeira vez em nossas vidas e não foi bom, você não gozou sem parar e não gritou. Onde está aquele calor da Macy's quando eu estava com a língua dentro de você? E a quem culpar pela nossa foda rápida? Foi porque não estávamos em um provador ou na frente de uma janela aberta? Ou fui eu? Eu estava sequioso demais? Ansioso demais? Segurei você com força demais? Talvez eu seja melhor chupando você que transando com você, e essa é uma possibilidade horrível e injusta. Foi só uma vez. Eu tenho de fazer de novo? Você quer fazer de novo?

Você não quer fazer de novo. Você não está esquentando enquanto nos recuperamos no chão da gaiola. Você está em cima de mim acariciando meu cabelo e eu não posso ver seu rosto, mas posso sentir o desapontamento em suas mãos, em seu toque, tomado de piedade. As polpas dos dedos tamborilam, eu não consigo soltá-la ou você poderá fugir de mim e eu posso ter de encarar você e não quero fazer isso. Eu resisti uns oito segundos. Nove. Estou repassando na cabeça e não sei como isso aconteceu. Talvez eu tenha tocado punheta demais, talvez você tenha me provocado demais e talvez eu devesse ter trancado a porta.

— Não — você disse. — É muito tesudo com a porta destrancada e a placa de aberto, certo?

Eu deveria ter sido honesto com você e dito que a falta de segurança só me deixaria nervoso. Mas não quis desapontá-la, quis cuidar primeiro das suas necessidades. Você quis transar ali junto à registradora, mas eu disse que não.

— Vamos lá para baixo.

— Mesmo? — você reagiu, e ficou animada. Ficou mesmo. Tenho certeza disso.

Viemos aqui (minha ideia, eu tenho a chave, eu sou o patrão), eu destranquei a gaiola, ordenei que você entrasse, tranquei, você sorriu, eu lhe disse para tirar a saia e você obedeceu (eu sou o patrão), você não estava vestindo calcinha, eu lhe disse para se tocar, você se tocou e eu desejei que a outra Beck calasse a porra da boca. Você queria música, então deixei (eu sou o patrão e posso satisfazê-la eventualmente). Você ficou segurando a porta da gaiola com uma das mãos e brincando lentamente consigo mesma com a outra enquanto eu começava a me despir, e você me observou, sorrindo um segundo, concentrada e pronta no seguinte. Eu mandei que suplicasse, você suplicou que entrasse, eu tirei a calça e você viu o quanto eu queria entrar, e lhe disse para ficar de joelhos, você ficou e estendeu a mão (eu sou o patrão, posso satisfazê-la eventualmente), destranquei a gaiola e entrei. Você me tomou nas mãos e na boca, e ficou olhando para mim e eu soube que era hora de comer você, e deixei você saber que era hora, e você pulou em mim, um animal, me mandou abaixar-me (eu sou o patrão e posso satisfazê-la eventualmente), e então.

E então.

E então eu estava dentro de você e gozei. Estraguei tudo. Gozei rápido e duro e você não disse nada inicialmente, e não agiu como se quisesse que eu a ajudasse a terminar, simplesmente entrou em modo acariciar cabelo (o tipo errado de toque, cacete), e me disse em voz baixa:

— Não se preocupe, Joe. Estou tomando pílula.

E esse foi o momento em que mais tive medo de você, do que poderia fazer a mim e não fazer a mim, porque foi o momento em que me dei conta de que você é a patroa, não eu, e você pode me satisfazer eventualmente, caso queira. Quando finalmente nos levantamos, estávamos ambos com fome e tontos, e havia um velho lá em cima em pé ao lado da registradora, ele olhou para nós, eu totalmente vestido, você de sutiã, e ele sorriu.

— Tenham uma boa noite, meninos. Voltarei outra hora.

Havia algo tão mortalmente antissexual, anticlímax e arrasador nas palavras dele, nos olhos do velho e em seu prazer em nos ver, jovens, com tesão e vivos. Ele se divertiu mais naquele momento que você e eu em nossa primeira foda, não havia como evitar aquilo e não fiquei surpreso quando você disse que deveria ver como Peach estava, pois tinha ficado realmente deprimida. Não fiquei surpreso por você não sugerir irmos para sua cama foder de novo. Eu estava mal e você era a chefe.

Mas isto é o que me surpreende. Um dia depois — não esperou sequer um dia inteiro — você me enviou uma mensagem:

"Oi, Joe. Não posso ir hoje. Desculpe!"

E aquele ponto de exclamação foi o começo do fim de nós, e cometi um erro respondendo:

"Certo!"

E então você faz planos de sair com Lynn e Chana em vez de me ver.

Você: "Sinto a falta de vocês, meninas. Tenho uma sessão de emergência com o dr. Nicky, mas querem um almoço tardio e, ou, happy hour?"

Chana: "Quem é esse? Rá-rá. Ah, sim. Legal."

Lynn: "Já estou de pijama em modo *Housewives*. ☹ Tomem uma por mim."

Então é isso, certo? O verdadeiro fim porque, em vez de me ver, você estava escolhendo ver um profissional de saúde mental e uma amiga para falar de mim. E quando uma garota gosta mais de falar de você que de falar com você, bem, pela minha experiência isso é o fim. Então eu ia me matar, cacete, e a todos na loja, tirar o CD de Eric Carmen e o fazer em pedaços porque deixei de acreditar em mim e no nosso futuro. Eu escrevi para você, patético:

"Certo!"

É uma coisa boa você saber que eu estava prestes a surtar, porque menos de cinco segundos depois de desligar o som — algumas vezes o silêncio é o melhor som —, sentar no banco e pensar em me castrar, como o pervertido em *Pecados íntimos*, você escreveu de novo:

"Mas o que você vai fazer esta noite? ☺"

E tudo ficou bem no universo porque aquele sorriso era sua xoxota molhada escancarada que sabia que eu tinha mais a dar. E fiquei legal de novo. Ficou claro para mim, então, que você ia ao analista para conversar sobre seu problema, e que você gostava mais de sexo quando havia plateia. E você ia ver Chana porque esteve ocupada comigo, ela esteve fora de férias e você queria contar a ela tudo sobre a melhor chupada da sua vida na Macy's. Aquele *emoticon* era seu jeito de dizer que não trabalhamos mais juntos. Nós fodemos juntos. Então eu lhe disse para estar em minha casa às sete, e você respondeu:

"Então vejo você lá!"

Eram 7:12 quando me dei conta de que as velas eram amaldiçoadas. Cinco pequenas velas votivas que peguei na Pier 1 Imports por causa de alguém na livraria que ficou na minha cabeça por alguma razão. Ele parecia legal, como um cara de quem eu seria amigo caso estivesse procurando amigos, ele colocou uma sacola pesada no balcão para poder pegar o cartão de crédito, e suspirou:

— Malditas velas. Mulheres e velas, certo?

— Certo — eu disse, e não me dei conta, mas foi deixada uma marca, e eu nunca mais receberia uma mulher sem velas acesas, só por causa de um marido emasculado comprando Tom Clancy para si mesmo e velas para a esposa que nega sexo. O que faz com que nos tornemos nós? O que nos fode e por quê? Eu não tenho ideia, mas sei que às 7:12 eu comecei a me ressentir daquelas velas e dos pequenos fogos perfumados patéticos em cada uma delas. A pizza estava fria e o vinho que eu comprei — odeio vinho — estava ficando pior a cada segundo. Você não pode deixar o vinho respirar por tanto tempo — e eu sei que você não vem, e era uma questão de tempo até você se cansar de mim, e certamente às 7:14, quando eu estava sentado à mesa — a mesa que eu arrastei para casa subindo a escada para este preciso momento — você escreveu:

"Não me odeie, mas vou ter de furar ☹"

E aquela carinha é seu corpo, fechado, e seus olhos me evitando, e sua renúncia a todas as coisas eu, a todas as coisas nós, e não preciso ler seu e-mail para saber que não posso colocar a culpa disso em Peach, porque ela não é o pau desajeitado, sou eu, e eu coloquei Twizzlers em um vaso para você, Beck. Eu pego o vaso e o jogo na parede, na tapeçaria que comprei de uma senhora na rua para cobrir o buraco na parede e deixar você mais à vontade em minha casa. O vaso não quebra. Apenas quica no sofá, e eu devo ser o pau mole mais mole do mundo. Não consigo sequer quebrar um vaso, e vou na direção das velas, mas não quero incendiar o lugar. Você esteve neste lugar e ainda assim transou comigo. Não posso considerar este lugar responsável, e não posso culpar o vaso, os Twizzlers ou a fita policial de não ultrapasse na cortina do chuveiro, e baixo a mão para uma vela e o fogo é quente, minha pele dói e eu colocaria meu pau em chamas se pudesse, mas sabemos que sou um frouxo de pau mole. Não tenho colhões para fazer isso. O cheiro de pele queimada supera o da pizza fria, e, afinal, é bom que eu não tenha desperdiçado meu dinheiro nas velas.

29

VOU lhe contar uma coisa sobre suicídio, Beck. Se eu fosse dar fim a mim com uma escopeta, um laço ou uma nadada permanente, o que não vou, este seria o momento para isso. Você me dispensou e se passaram "cinco horas e onze dias" desde que você levou nosso amor embora e todas as nossas músicas soam ruim porque nunca "nos verão em pé com altura tão grande" e não, você não vai "ainda me amar amanhã" porque você absolutamente nunca me amou. Eu não sou Bobby Short, e você não quer "desafiar a lógica de todas as leis sexuais" comigo e não está "amando de novo" e você não "ama, ama, ama isso". Eu fui para dentro de você, e você não me quer de volta. Nada é mais engraçado, nem mesmo inventar tuítes surtados de Benji.

"Coca. Porque eu vou dormir quando estiver morto. #cocacola #hahaha"

— Desculpe, mas poderia largar o telefone e olhar para mim? — guincha uma velha metida. Eu aperto tuíte e ofereço ajuda.

A vaca rosna:

— Eu disse que não preciso de sacola. Trouxe a minha.

— Bom para você — devolvo, amasso a sacola de papel e a jogo no lixo só para ela saber quem manda, Ethan suspira, se desculpa com ela, pega a sacola do lixo e foi isso que a minha vida se tornou: eu, Ethan e um bando de cretinos compradores de livros.

Eu passo dia após dia com Ethan, e conhecê-lo não é algo fácil, especialmente agora que não posso contar a você sobre ele. Você reclamou do exaustor alto no banheiro dos funcionários e insistiu em que eu o trocasse, como qualquer um faria; Ethan o chama de "máquina de som" e alega que não o incomoda. Ele é quase um hermafrodita esse garoto, ao estilo da colônia assexuada de 1992, CK One. Sem perguntar eu sei que ele conhece a letra toda de "Gonna Make You Sweat", e ficaria à vontade em uma pista de dança dando passos para o lado, batendo palmas e contando. Alto. Ele é agressivo em todos os sentidos ruins, nasceu tarde demais e aos 41 parece cansado de anos caçando uma vida em cores vivas narrado por Rick Dees. Você pode se sentir mal pelo cara ou pular sobre ele e roubar sua carreira. Ele é um teste de acidez para pessoas, metade dos clientes sorri para ele, metade olha feio, eu digo a ele o tempo todo que deveria trabalhar em uma casa para idosos, e falo sério. Ele poderia discotecar festas dançantes para pessoas em cadeiras de rodas ou suporte de vida. Pessoas com paus tortos cheirando a camomila e vaginas empenadas preguiçosas despertariam para seu desejo total, completo, e tragicamente inerente a um tempo há muito encerrado.

— Tenha um bom dia, senhora!

— Ethan, você não precisa chamar todo mundo de "senhora" — eu digo. — Algumas pessoas, algumas pessoas você simplesmente acena ou termina em "volte sempre".

Ele não escuta, aprende ou se curva, e estou perdendo a paciência com ele, com a vida, com os humanos. Não tenho mais nada pelo que ansiar e com que sonhar. Eu me sinto nauseado quando olho para ele porque ele é *legal* para cacete que não menciona você. Ele não joga a relação dele na minha cara e fala o menos possível sobre Blythe, o que faz de mim um caso de pena. Tudo o que tenho é uma lembrança de merda de nossa breve conjunção sexual, seus oito segundos como um macaco preso no meu pau. Todo dia o calor da Macy's parece mais frio, e as lembranças sexuais são como todas as lembranças, condenadas a desbotar e enfraquecer com o tempo. Você disse a Chana:

"Eu simplesmente fui fundo demais, rápido demais... de novo."

O *de novo* dói, e tudo vai ladeira abaixo. Meus dias começam com Frosted Flakes velhos e jeans recém-rasgado que me esqueci de lavar, não vou lavar; você estava nele. Eu pego o trem para o trabalho e não ligo para os livros porque sei que você não os está tocando. Confiro seu e-mail furiosamente. Você segue com sua vida e não me escreve. Eu arranco a casca de meu dedo queimado pelo fogo da vela. Não quero que ele cure, quero essa dor e machuco o dedo de que você gostou tanto na noite da carruagem a cavalo. Meu dedo solta pus, sangue e dor como tudo mais em minha vida. Se Ethan me disser mais uma porra de vez que eu deveria dar uma olhada no dedo e processar a fabricante da cafeteira — eu tive de pensar rápido, você não pode dizer ao cara novo na registradora que você acendeu o dedo quando levou um pé na bunda —, bem, se Ethan não fechar a cara vai levar um soco nela, com pus e tudo.

E embora você só tenha trabalhado aqui pouco tempo, deixou uma marca permanente neste lugar. E de algum modo parece indecente ter Ethan em seu lugar agora. Ele gosta de coisas novas, Merc, Gap engomada — "Que grande liquidação!", ele exclama como se eu quisesse saber a história de como ele conseguiu seu brim com desconto, suas camisas sociais. "Às terças tudo na seção de ponta de estoque tem um desconto adicional de 40%!", ele me informa, como se para marcar em meu calendário, como se eu tivesse perguntado. E todo dia ele está com um bom humor do cacete, barbeado e tragicamente, pateticamente esperançoso de que mais coisas boas aconteçam a ele. Ter Blythe o fez sentir-se como um vencedor, e agora ele joga na loteria. "Ei, Joe, talvez pudéssemos comprar um bilhete juntos, sabe, como você leu no jornal, aqueles caras que trabalham juntos e ganham juntos!" Todo dia ele tagarela sobre seu café — como se fosse algo que precise ser destacado, que café tem gosto de café —, e quando é janeiro, o mês mais universalmente xingado do mundo, está nevando, o céu parece jeans lavado com ácido e a loja tem de ser enxugada três vezes por dia por causa dos porcos com botas e porcos com guarda-chuvas, ele tem de cantar uma porra tipo "Você não adora um dia cinzento?", e quando o Sol sai para debochar de nós porque está fazendo zero grau, ele fala: nada como o sol de inverno, não é mesmo?

E a pior parte é que ele não me odeia, Beck. Eu posso ignorá-lo, rosnar com ele e ele é meu cachorrinho, sorrindo sempre que entro na loja. Ele também nunca se mataria, mesmo que tivesse perdido uma liquidação com 25% de desconto na Gap. Ele é sereno demais. Um dia, quando começamos, ele apareceu com uma sacola da Bed Bath & Beyond. Quando ele foi dar uma cagada — ele come fibra demais, se preocupa com seu cólon — eu espiei a sacola. Sabe o que tinha lá dentro? Vou lhe dizer o que tinha lá dentro: uma bandeja dobrável. Há uma compra mais triste na porra do mundo? Talvez um CD dos maiores sucessos de C+C Music Factory, mas só. E lembro de pensar que Ethan iria da loja para casa preparar fibras para o jantar, colocar o jantar em sua nova bandeja, ver seriados de rede e pensar em como *The Big Bang Theory* é engraçado. Vai literalmente lamber o prato, dobrar sua bandeja e colocá-la no lugar onde a colocará para descansar toda noite pelo resto de sua vida dolorosamente solitária, fibrosa e organizada. Mas então ele arrumou Blythe. E sei que estão juntos; não sou idiota. E agora parece que *eu* sou o cara com a porra da bandeja dobrável e o mundo está de cabeça para baixo. Você deveria estar aqui, me dizendo o que Blythe conta sobre ele em suas histórias. Eu preciso de você. Preciso de leveza.

Eu odeio Ethan. Eu o odeio por ter Blythe. Quando nós rompemos eles deveriam ter rompido, e eu tento ser normal. Pergunto como eles estão, mas ele me oferece babaquices:

— Não queremos ter pressa e ambos valorizamos nossa independência, então estamos levando lenta e serenamente, sabe?

Não, eu não sei, porque não valorizo minha independência. Eu valorizo sua xoxota. Se eu estivesse nos Reeboks dele — divorciado, acumulando cupons, lento —, eu meteria uma bala na cabeça. Estes são os dias mais negros da história do mundo, e estou surtando. Como se isso não fosse suficiente, ele está tentando aprender espanhol escutando músicas de Enrique Iglesias, e pergunta se pode colocar uma neste instante.

— Claro — eu digo. Não ligo mais. Estou tão morto que sou surdo.

— Eu não tenho de escutar neste instante — ele sugere. — Quer que coloque alguma outra coisa? Tenho uma tonelada de listas aqui. Tenho música de boate, música de rock, música de jazz.

— Ethan, não é "música de jazz". É apenas jazz.

— Joe, você sabe tanto sobre tudo — ele diz, e sempre encontra uma razão para sorrir. Se eu der um soco no nariz dele, vai encontrar uma razão para me agradecer. — Sinto que estou aprendendo mais todo dia!

Eu desço, tranco a porta e confiro seu e-mail. Há um monte de lixo sobre faculdade, discussões financeiras com seus pais, seu pai está ajudando um pouco, e você está choramingando com Lynn e Chana sobre os janeiros. Está tentando se manter ocupada, comprando todo tipo de merda pela internet, colocando no cartão de crédito de papai e depois prometendo a papai que irá devolver. Não tem mais jeito. Você partiu, para compras, eu arranco a nova casca de minha queimadura e vejo o pus escorrer. Não estou curando. Eu me recuso a superar você. Então você escreve a Chana.

"Desculpe, mas não vou poder ir ao show com você semana que vem. É só que, bem, eu sinto falta do Joe."

Se eu tivesse uma bandeja desmontável eu a jogaria na janela e bateria no peito como um bárbaro, como um gorila alfa de pau grosso. *Isso!* Você sente a minha falta! É verdade! Sente mesmo! A contagem regressiva para o apocalipse foi cancelada, você sente a minha falta, eu sopro o dedo, eu adoro a vida e C+C Music Factory, talvez Ethan realmente *aprenda* espanhol, e eu leio:

"Não sei se é ele em si ou o que tivemos. Mas continuo a pensar nele, e continuo quase telefonando, e vou ligar se não sair daqui. Então vou para a casa de Peach em Little Compton meio que relaxar."

E agora estou andando em círculos porque você me ama tanto que tem de deixar Nova York. É oficial. Você está obcecada, e continua:

"Então, novamente, lamento muito pelo bolo. Mas Peach diz que vocês são bem-vindas caso queiram ir."

A resposta de Chana é épica, eu a amo e amo o mundo. Ela é sucinta:

"? Ahn, ok, Beck. Você sente falta de Joe, então vai correr para uma casa de praia deserta no meio do inverno com Peach?"

Você: "Eu preciso de espaço."

Chana: "Bem, sem querer ofender, eu não penso no buraco de Peach como 'espaço'. Eu a vejo na volta."

Você sente a minha falta, você sente minha falta e há um e-mail de Peach:

"Beckliciosa, você manda. Sei que você estava prestes a ligar para Joseph noite passada, e eu me orgulho muito de você por não se render. Você é muito talentosa e está estudando. Claro que isso está em primeiro lugar. E Joseph, mais que qualquer um, iria querer que você fizesse o que é melhor para você. Não seja tão dura consigo mesma, B. Seja como for... Vai ser uma festa em LC. Ah, antes que eu me esqueça, acaba que a maioria dos quartos está em reforma. Odeio fazer isso, mas será que você poderia não convidar C&L? Obrigada!"

Os quartos estão sendo construídos, mas sempre há espaço para mais um. É tempo de férias! E antes de desocupar você precisa se preparar! Todo mundo sabe disso! Eu subo a escada correndo e digo a Ethan que estou indo à Gap.

— Nem pense em olhar nada na frente! — ele recomenda. — Vá direto para o fundo!

— Você é um bom homem, Ethan — eu digo, e falo sério. — Logo, logo estará falando espanhol!

— Obrigado, Joe! Ou melhor... *Gracias!* E lembre-se, é terça-feira!

— Eu sei. Todos os produtos em ponta de estoque com 40% de desconto.

— Você sabe, Joe!

E sei mesmo. Mal posso esperar para conseguir coisas novas. Eu gosto de coisas velhas, mas você gosta de coisas novas, e talvez haja algo de bom em coisas novas. Você *sente* minha falta, e isso é novo, e isso é bom.

30

ESTOU de volta à loja, cercado por novidades, e talvez eu seja mais como você do que sei, porque as coisas novas são excitantes, Beck. Novas bandagens — limpas! —, novo chapéu — lã! —, novo corte de cabelo — curto! —, e uma nova postura — entusiasmado! Deixei Ethan ir para casa mais cedo e ele disse que ficava contente por me ver tão animado. É só uma questão de tempo até você me procurar — você sente minha falta — e eu verifico seu e-mail novamente porque a notícia foi muito boa. Chana está indo para cima de você por causa do seu tuíte de "LC":

Chana: "'LC'? Beck, a única forma de você soar mais babaca é se por "LC" você quer dizer Lauren Conrad. Você não pode chamar de "LC" se nunca esteve lá. E nunca esteve, certo?"

Você: "Ok, você está certa. LC foi um tuíte ruim. Eu só me sinto meio perdida desde Joe."

Chana: "Se você se sente perdida deveria agir como adulta, ligar para ele e vê-lo novamente. Fugir com a princesa Peach é literalmente a pior coisa a fazer."

Você: "Eu sei. É como *Sex and the City*, quando Carrie está em Paris com o russo e diz que não consegue deixar de pensar em como seria se estivesse lá com Mr. Big."

Chana: "Só que é uma bosta de programa de TV onde eles precisam prolongar as coisas. Aqui é a vida real. Pare de ser dramática e ligue para ele. Quem sabe? Talvez ele até passe uma noite em Rhode Island."

Ah, Beck, eu estarei lá toda noite. É isso. Nosso novo começo. Você responde:

Você: "Ah. Isso realmente parece legal."

Chana: "Então faça isso. Convide. Foda-se Peach. Você pode fingir que ele a perseguiu todo romântico e coisa e tal."

Você: "Talvez. Imagine se eu apenas mandasse o endereço para ele e dissesse para ir."

Eu confiro meu telefone esperando uma mensagem sua. Nada. Mas é oficial, você me quer, e é oficial, eu quero você. Não posso ficar sentado aqui esperando. Tenho de agir, e faço isso. Para começar, encontro o endereço da família de Peach na internet combinando uma velha matéria da *Architectual Digest* com Google Maps. Depois ligo para o sr. Mooney e pergunto se tudo bem se eu fizesse uma viagem de carro e fechasse por alguns dias.

—Joe, agora é você quem manda. E você sabe o que eu penso de janeiro. É um desperdício. Tire umas férias. Você merece.

E eu mereço.

Enquanto isso, você trocou e-mails com Chana e Lynn, que também está na Equipe Joe, naturalmente:

Lynn: "Então por que você não foge com ele em vez de com Peach?"

Você: "Por favor, não odeie Peach. Ela está passando por um momento difícil."

Chana: "A vida inteira dela é um momento difícil. Ugh. Próxima!"

Lynn: "Você sabe que tudo está fechado naquela parte de Rhode Island, Beck."

Você: "Meninas, por favor. É só um fim de semana. Nada demais."

Chana: "Agradeça a ela por convidar a mim e a Lynn. Meio que."

Você: "Chana, ela convidou vocês. Pediu que as convidasse."

Lynn: "Isso não é a mesma coisa que um convite pessoal."

Você: "Pessoal, ela está deprimida. Vocês sabem que ela está sendo perseguida, certo?"

Lynn: "Kkkkkk"
Chana: "Quanto ela está pagando a ele?"
Lynn: "Kkkkkk"
Você: "Pessoal… Ela é uma boa pessoa"
Chana: "$em dúvida que $im."
Lynn: "#mandoubemchana"
Você: "☹"

Amo suas amigas por estarem do meu lado. Isso significa muito para mim, e um dia, no nosso casamento, agradecerei a elas por isso. Gostaria de dizer o mesmo sobre Peach, mas ela não está na Equipe Joe. Está na Equipe Beck, e não entende que Equipe Beck e Equipe Joe são a mesma equipe. Você também esteve falando com ela.

Peach: "Quase esqueci, você vai adorar nossa biblioteca. Um monte de primeiras edições, Beck. Spalding era amigo da família, e temos muitos autografados, muita coisa impressionante, edições realmente raras que você não acha em lugar nenhum. Quero dizer, temos um *Ao farol* autografado. Virginia Woolf, bem, é uma história longa que vou guardar para este fim de semana tomando uma garrafa de Pinot."

Você: "Sabe quem iria adorar isso? Aff, claro que você sabe quem iria adorar isso. ☹"

Peach: "Eu sei, docinho. Também prometo que sair da cidade será a melhor distração."

Você: "☹ É, espero que sim."

Eu jogo o telefone na sacola de compras de plástico da Gap. Hora de parar de ler seus e-mails e começar a me preparar para ver você. Mal posso esperar você se render e me escrever. E sei que irá. Você estará sozinha em seu quarto na casa de praia pensando em como seria melhor comigo. Vai me mandar uma mensagem, eu irei para lá, você me deixará entrar, iremos nos esgueirar para cima e fazer sexo de casa de praia. Estou calmo agora que conheço nosso destino. Tudo o que tenho a fazer é chegar a Little Compton e esperar seu chamado.

Eu tranco as portas do porão, desligo as luzes, tento lembrar de onde estacionei o carro do sr. Mooney e fico pensando em se deveria pegar a

95 até o fim. Mas a Lei de Murphy existe por um motivo, então a porta da frente se abre e alguns retardatários entram.

Eu falo no meu tom mais amistoso:

— Odeio fazer isso, mas estamos fechando!

Eu conheço os sons desta loja, e tenho uma sensação ruim. Sei como soa quando alguém tranca a porta da frente e sei como soa quando a placa de "Aberto" é virada para "Fechado". Meu facão está no porão, eu estou em cima e ouço quando eles vêm na minha direção, sejam quem for. Há três deles, caras sem rostos com máscaras de Barack Obama, dois grandes, um menor. O menor brande um pé de cabra e não tenho tempo de me esconder no vestíbulo ou no porão. Quando você não pode vencer você perde, e todos se lançam sobre mim ao mesmo tempo.

Eles atacam.

Eu enfrento como homem e eles me espancam como se eu fosse um escroto, como se tivesse comido a mãe deles. Meu rosto está coberto de sangue e saliva e é possível que meu olho direito não funcione mais. O ataque finalmente termina e eu não sou um homem neste instante, apenas uma coleção de machucados latejando. Abro o olho que ainda funciona. O Obama menor pega meu novo chapéu da Gap no balcão e enfia o punho. E. *E*.

Cacete. Eu reconheço aqueles tênis porque pedi a Curtis para manter os pés sujos longe do balcão pelo menos cem vezes. Então é ele, sua vingança. Curtis e os outros Obamas se mandam para a porta e eu fico no chão, latejando. Não vou sentir pena de mim mesmo. Eu mereci isso. Há coisas que eu fiz, grandes coisas; lembro de *O emblema vermelho da coragem*, de Benji. Claro que em algum momento eu teria de sofrer. Você sente minha falta e estou prestes a ter você, finalmente, este é o momento da virada em minha vida, então claro que é um momento de expiação. Eu sangro e incho. Meu olho esquerdo treme e eu expiei e o aviso de fechado é coerente; há um fecho. Eu finalmente estou livre.

31

É uma longa viagem gelada até Little Compton. O aquecedor do Buick de Mooney ainda está quebrado. Meu chapéu de lã se perdeu, então estou usando o boné de Figawi, de Benji — ou melhor, o boné que Benji roubou de Spencer Hewitt —, mas é de lona, não lã. Em momentos assim, seria bom ser rico, ter um chapéu de lã novo e um SUV novo em folha, e fico refletindo sobre o que estava pensando ao deixar no depósito dos produtos roubados de Benji o cartão eletrônico. Todo aquele butim vai apodrecer até que algum catador compre o depósito em um reality show. Minha tendência é sempre afundar, por isso eu preciso de música, mas esqueci minha música porque tinha outras coisas na cabeça como o fato de que poderia estar cego da porra de um olho por causa de alguém tão banal quanto Curtis. Eu preferiria ter meu bago esquerdo amputado em honra a Ethan Ponto de Exclamação.

Eu estou limitado ao rádio e não há muito além de Taylor Swift em todas as malditas estações. Ela é como uma versão famosa de você, Beck (namora demais, cai pesado demais, fode rápido demais, foge demais), e eu continuo trocando de estação, mas aparentemente Taylor Swift tem uma mansão não distante de LC (nada é longe de lugar algum em um estado tão pequeno), e pode muito bem ser a rainha, a prefeita e a princesa de Rhode Island, porque eles a tocam nas estações de rádio ("Sabe, eu gostaria de ver o cover do Foo Fighters para uma coisa antiga da srta. Swift, ou talvez Arcade Fire!"), tocam nas estações country ("Vamos conferir o último lançamento do mais recente tesouro de Rhode Island, que vocês já sabem quem é, certo?"), tocam nas estações pop ("Nunca somos velhos demais para sentir que temos 22, Rhode Island!"). Bem, foda-se Taylor Swift, porque nunca me senti mais distante dos 22 anos em toda a minha vida adulta, e porque eles não inventaram um solvente para impedir que as autoestradas congelem? A porra toda está escorregadia.

Paro para abastecer e confiro seu Twitter. Acabou de tuitar de Mystic, Connecticut. Como você é menina, incluiu uma foto da Mystic Pizza.

"Viagem de limusine até Mystic Pizza em Mystic a caminho de Little C. para retiro de inverno em cabana? #feitoefeito #pepperoni #melhorquesexo #casadepraia"

Minhas associações com Mystic, Connecticut não têm nada a ver com a porra do filme de Julia Roberts. Mystic é um lugar ruim para mim. Eu vim aqui uma vez com minha turma do quarto ano, em excursão. Na época eu tinha uma queda por uma desajustada estranha e soturna chamada Maureen Grady, apelidada "Mo". A maioria dos garotos é babaca, assim como a maioria dos adultos, então sim, muitas pessoas a chamavam "Ho Mo". Estávamos lá passeando com a turma pelo convés de um veleiro e era tedioso, então Mo e eu nos separamos e penetramos no porão proibido.

No escuro Mo me disse que ia tirar minha virgindade. Eu tentei correr e ela me prendeu no chão. Eu a soquei, fugi e contei aos professores. Mo também contou uma história, e ela era boa de choro. Quem você acha que foi mandado à porra do psicólogo, ao gabinete do diretor, ao conselheiro com a porra da boneca do mostre onde a tocou? Não Mo Grady! Mas eu não vivo do passado. Mo agora é um caco (uma assistente jurídica com dois divórcios, um perfil em OkCupid e um cão pomerano chamado Gosling — obviamente ficará sozinha para sempre). Eu prefiro viver no presente, motivo pelo qual afasto todos os pensamentos sobre Mo, entro no Twitter de Benji e mando:

"Não há nada mais doce que uma nativa. #InvernonaNantucket"

Você oficialmente para de seguir Benji. E envia uma mensagem direta:

"Você está morto para mim. Morto."

Eu sorrio. Dou tapinhas nas minhas costas porque Benji agora está no céu, e eu estou lidando com um descongelador quebrado, neve molhada e gelo. Viver é mais difícil que morrer, Beck, e eu daria qualquer coisa para comer uma pizza com você. Lavo as mãos no banheiro do posto de gasolina, e no momento é difícil olhar para o meu rosto. O maldito Curtis e seus capangas me marcaram. Há um grande corte de Halloween em minha testa e outro na bochecha. Jogo água fria e sigo em frente, assim como o coração de Celine Dion fez em Bridgeport.

Faço um tempo relativamente bom até Little Compton considerando a neve e meu rosto. Minha visão está embaçada e tendo a olhar a estrada com o olho esquerdo. A neve ainda cai quando chego à periferia da cidade. Estou nervoso. Não me sinto bem em balneários com sorveterias e gente que gosta de barcos, e tenho de desacelerar. Estes pneus carecas não dão conta da neve e o Buick parece o Sloth de *Os goonies*.

A estrada é mais forte que o Buick, as lojas estão todas fechadas e as luzes se apagaram para a temporada. É como se toda a população de Little Compton estivesse escondida na mansão de TayTay. Mas os animais ainda estão à solta. E quando eu percebo o cervo que está atravessando a estrada em disparada e meto o pé no freio, já é tarde demais. O Buick geme e acerta o cervo, e agora somos um só, carne e aço, um carro-tornado girando pela estrada, para as árvores e através das árvores. Eu perco a noção do tempo. Perco o equilíbrio, fecho os olhos, e o cheiro de borracha e carne queimadas me sufoca. Tudo. E então.

Nada.

QUANDO acordo só há silêncio. A dor, os galhos no meu colo bloqueando a visão. Mas há muitos milagres no Buick: estou vivo. O boné de Figawi está em minha cabeça. E meu telefone está intacto. Só passei vinte minutos apagado.

— Uau — eu digo, porque isso tem de ser dito.

Tudo o que vejo são cacos de vidro, casca de árvore e folhas. É como se uma árvore tivesse comido o Buick, e por um segundo temo que não haja escapatória. Sangro em minhas roupas quentes, mas isso não é novidade. Eu mais uma vez sou abençoado, porque nada neste carro é eletrônico. Posso destrancar a porta amassada e sair desta fera americana gloriosamente analógica. Caio na neve vermelha. Sangue de cervo. Sangue meu. Mas estou vivo.

Confiro o e-mail; você ainda não tentou entrar em contato comigo, mas irá. Eu vou ao Google Maps e realmente estamos destinados, Beck. Estou destinado a ficar com você, pois meu telefone confirma que eu estou a 71 metros a oeste da casa de Peach Salinger em Plover's Way, 43.

Mas é uma subida íngreme até a rua. Algo ruim aconteceu a todas as partes do meu corpo quando atingi aquele cervo. Levanto o pé direito, e minha perna esquerda vibra. Desloco o peso para o pé direito, mas então minhas costelas mordem. Caio na neve e deixo o frio penetrar em minhas roupas.

— Paciência, Joe — eu digo. — Paciência.

Engatinho para frente alguns metros e noto duas placas, parcialmente obscurecidas. Uma é um sinal de trânsito simples, universalmente conhecido. A outra é mais afetada, em uma superfície branca:

"Huckin's neck beach club inc. Não ultrapassar. Somente sócios. Fique fora das pedras. Proibido saltar ou mergulhar. Não há salva-vidas. Nade por sua própria conta e risco."

A natureza está do meu lado, pois essas regras não se aplicam no inverno. Uma pequena guarita junto à placa está fechada por causa do inverno.

— Certo — eu digo e avanço, mais forte que o coração de Celine Dion.

Como um soldado saindo de uma trincheira, fico colado ao chão. Meus braços não estão tão fodidos quanto minhas pernas e meu tronco. Suo profusamente, com dentes batendo e olhos claros, depois desfocados, depois claros, depois desfocados. Mas preciso chegar lá, e volto a calcular a distância no telefone: estou a 68 metros.

— Você está de sacanagem? — digo em voz alta. — Eu só avancei *3 malditos metros?*

Minha boca está seca e eu a encho de neve. Neste ritmo chegarei até você no verão seguinte. Fecho os olhos. Eu posso fazer qualquer coisa. Posso fazer qualquer coisa, você *sente* minha falta e a parte mais difícil será esta caminhada, e você poderia chamar a qualquer momento, poderia. Enfio as mãos na terra coberta de neve e consigo algum apoio. Tenho de fazer uma flexão de mentira com os joelhos, sinto um esgar e uma pontada, mas faço, Beck. Estou em pé. E encontro um jeito de mancar que funciona para mim, um passo lateral de zumbi, como se sentisse a falta de um irmão xifópago. Confiro o telefone, e o ponto azul está sobre o ponto vermelho.

Eu.

Estou.

Aqui.

Mais três passos e chego à rampa, e uau. Isto não é uma *cabana*, Beck. É uma mansão de um conto de fadas sobre uma rainha malvada do litoral que toma todo o dinheiro da cidade e constrói uma rampa de carros, desnecessariamente longa, escondida em arbustos e dando, como um rio, em uma garagem de quatro carros foda-se o mundo. A casa tem dois andares, três se contar o terraço. O jardim dianteiro é um carpete impecável cintilante de neve branca nova, e as luzes cintilam de dentro enquanto estrelas pairam acima, esperando entrar. Se Thomas Kinkade, o pintor da luz, trocasse pinceladas com Edward Hopper, seria muito como isto.

E o silêncio! Eu esperava ouvir o mar, mas o oceano também dorme, e posso ouvir flocos de neve derretendo, galhos torcendo. Eu sempre ouço tanto? Minha respiração está rascante demais, e se você conseguir ouvir dentro daquela cabana? Eu recuo instintivamente. Ouço uma gota do meu sangue pingar na neve recente, frágil. Não posso deixar traços; Peach achará que seu perseguidor está de volta e chamará a Guarda Nacional. Não quero assustar você, então sigo para oeste na direção da casa vizinha. Temos sorte, Beck. Os vizinhos não partilham a paixão da família Salinger pelo paisagismo. Essa propriedade é exuberante, tomada de árvores e a neve não é uma folha impecável que eu possa perturbar. Este é um silêncio que a maioria das pessoas morrerá sem conhecer.

E então um guincho, e Peach berra:

— Beck!

Eu me encolho. Mas posso dizer pelo grito dela que você está atendendo ao chamado, correndo para a ala oeste da cabana. É minha chance, e eu disparo na direção da parede leste e me permito olhar dentro do salão. (É assim que os ricos chamam as salas de estar.) É enorme. Um gigantesco sofá modular azul-marinho serpenteia como uma gorda cobra amorosa. A mesinha de centro é feita de armadilhas de lagosta recicladas, soldadas e cobertas de vidro. E brilha graças às chamas que estalam na lareira.

Quando eu a ouço rir, fico finalmente certo de que não morri. Fumaça sai da chaminé, e não espanta que Taylor Swift tenha comprado uma casa aqui. Posso ouvir o Elton John — Peach realmente está de férias, substituindo sua preguiçosa balada de corrida levemente suicida pela condescendência ligeiramente mais picante de "Goodbye Yellow Brick Road". Ah, e eu posso sentir o cheiro de maconha. Eu me agacho quando você entra correndo na sala.

O litoral faz bem a você, e Deus, eu sinto sua falta. Você está em pé diante da lareira, de pernas separadas como se prestes a ser revistada — você está tão acesa quanto o fogo, viva —, de legging preta e aquele suéter cinza que você vestiu no dia em que fizemos sexo. Quando você se curva ligeiramente para aquecer as mãos sobre o fogo, sinto uma ânsia incontrolável de pular através da janela e entrar em você.

Mas Peach entra na sala, arruína a cena, lhe oferece uma taça de vinho — típico —, você beberica e ela volta à cozinha. Não ficaria surpreso se houvesse um Rohypnol lá dentro.

Você *sente* minha falta. E eu sinto a sua. Dói ver você junto à lareira, dando as mãos ao calor, do modo como eu dei minha mão ao fogo, apenas diferente. Imagino empurrar você para o abismo vermelho e saltar atrás, com você, para que possamos queimar juntos, para sempre, uma árvore de vida, luz, sexo.

E, claro, Peach entra na sala de novo e lhe diz que o jantar estará pronto em uma hora. Ela quer jogar buraco — ela tem 8 anos de idade —, você obedece à anfitriã e se junta a ela no sofá modulado gigantesco.

Minhas mãos estão dormentes, mas doendo, e está frio demais para ficar aqui; não sou um animal, e qual é meu plano? Eu me dei conta de que vim para cá com sonhos, não planos. Meu sonho: você me manda uma mensagem. Eu finjo que estou em Nova York e espero três horas. Depois sigo pela rampa de Peach. Você corre para fora antes mesmo que eu tenha colocado o carro em ponto morto. Você dá pulos — alegria! —, me oferece um jantar — filé e batatas —, e então transamos a noite toda em um dos quartos não reformados.

Eu não tenho um plano ou um plano B, e não pensei direito nas coisas. Você é uma boa amiga, educada e amorosa. Claro que você precisa de um tempo com Peach. E eu estou um caco, com dor e sangrando. Meu carro está nas árvores e não tenho força suficiente para caminhar de volta à cidade e conseguir uma pensão. Eu agacho e volto até a propriedade vizinha.

A porta da frente está trancada (de se imaginar), e o mundo é iluminado pelo luar na neve (graças a Deus), então contorno até os fundos sem cair ou fazer barulho. Há uma garagem de barcos — de se imaginar — e a porta está destrancada — graças a Deus. Eu penetro e me enrolo em uma lona. Meus ferimentos renascem no calor, como se houvesse cães invisíveis me mordendo, trincando os dentes. Eu sinto dor. Mas me levanto. Você sente minha falta e esse pensamento me eleva acima da dor. Eu me acomodo no canto esquerdo mais distante onde o vento não pode me morder com tanta força.

UM policial lança o foco de uma lanterna sobre meu rosto. Eu vejo a arma e não preciso de um espelho para saber que pareço com e cheiro como um zumbi. O policial é dotado de um barítono retumbante.

— Diga seu nome.

Eu tusso sangue antes de fornecer meu sobrenome. O policial guarda a arma. Progresso. Eu me sento. Progresso. Ele é o homem mais americano que a América já produziu, pele escura em uma cidade branca com neve branca. Ele examina meu boné Figawi, que segura nas mãos como se tivesse um código de barras no logotipo da Mount Gay Rum. Deve ter caído enquanto eu dormia. Ele sorri.

— Você velejou em Figawi, Spencer?

— Duas vezes — respondo, e agora sei por que Stephen King não consegue parar de escrever sobre a Nova Inglaterra. Eu estou sangrando. Um cervo está morto. Eu estou invadindo. Meu carro solta vapor na floresta. E este escroto quer conversar sobre velejar.

Ele me devolve o boné.

— É amigo dos Salinger? Eu notei atividade aqui. Você se perdeu?

Eu morrerei se ele disser o nome Salinger novamente, e balanço a cabeça.

— Não. Estou perdido.

— Para onde está tentando ir?

As perguntas me irritam e o estresse intensifica minha dor. Tudo está errado e minhas costelas produzem uma pontada. Eu tenho um esgar. O policial fica preocupado (sim), estende a mão (obrigado, Departamento de Polícia de Rhode Island). Eu a aceito, e seguro.

— Policial, honestamente, nem sequer sei onde estou. Meu GPS pifou lá atrás. Eu me perdi. Estou um lixo.

— Então é seu o Buick na floresta.

— É — eu digo. Bosta.

— Spencer, você bebeu alguma coisa esta noite?

Estou prestes a perguntar por que ele está me chamando de Spencer, mas lembro do nome bordado no boné. Spencer Hewitt. Alívio.

— Não, senhor.

— Você fumou alguma coisa?

— Não. Mas talvez o senhor queira me perguntar sobre o cervo que saiu do nada e me deu uma cabeçada.

Ele sorri e eu tenho um esgar. Ele fala com a estação, por rádio, sobre o tempo de espera da emergência, e temos de sair daqui agora. Você está perto, a poucos passos. Pelo que sei você já está acordada, esfregando o sono dos olhos, acalmando a paranoica Peach. E se ela viu o carro de polícia? E se o policial acendeu as luzes? E se pediu reforço?

E se você está lá fora neste instante dando uma declaração à polícia? Eu vomito sobre a lona.

— Coloque para fora, Spence — ele diz, de modo reconfortante. — Vamos colocá-lo em uma ambulância logo.

Mas ambulâncias são brilhantes e barulhentas. Eu tenho de ser forte por você, e consigo me levantar.

— Não é necessário, policial.

— Tudo bem — ele diz. — Mas vou levá-lo ao hospital.

Eu irei a qualquer lugar para me afastar de você, e ele me ajuda a mancar para fora e na direção do carro. As árvores bloqueiam a visão da casa de Peach, de modo que mesmo que você estivesse em pé à janela do salão, não poderia me ver. O policial Nico — nome legal — não deixou as luzes acesas — cara legal —, o carro policial é um híbrido — só em LC —, e estamos seguindo, alívio.

Nico é um bom homem, amistoso, me distraindo com histórias de seu tempo de jogador de futebol americano na universidade de Rhode Island. Ele adora isto aqui. É de Hartford e se anima me contando histórias sobre malucos que aparecem por aqui esperando dar uma espiada em Taylor Swift.

— Como se ela fosse sair com qualquer perseguidor, certo?

— Certo — digo.

— Tente tirar uma soneca — ele diz. — Temos uma boa viagem.

Admito que é legal ter alguém cuidando de mim, alguém querendo que eu tenha sono suficiente. Eu posso relaxar aqui dentro, as portas trancadas, o aquecimento ligado, a divisão sólida. Logo eu estou do lado de fora, com frio, sonhando com você em um velho vestido dickenseniano drapejante, você.

O Charlton Memorial Hospital fica em Fall River, Massachusetts, a apenas 32 quilômetros de distância. Mas 32 poderiam muito bem ser vinte anos-luz, porque o lugar é depravado, barulhento e fedorento, o anti-LC. Quando Nico abre a porta do carro, uma muralha de fumaça de cigarro me consome. Uma dúzia de drogados degenerados fica ali tentando conseguir oxicodona. Sinto a tentação de perguntar ao policial Nico por que ele não me levou ao hospital ao qual o pessoal do verão vai, mas qual o sentido? Aqui estamos. O cara na nossa frente tem uma faca ensanguentada se projetando do bolso de trás e está tentando dizer à enfermeira que teve um acidente com a porta de um carro. Um colegial saberia que ele estava mentindo, mas ainda assim ele suplica.

— Só um comprimido basta, Sue.

Mas Sue é dura.

— Tome um café, vá a uma reunião e desapareça.

Não sou um viciado miserável e Nico tem poder, então somos imediatamente conduzidos a um quarto. Fica claro que Nico costumava trabalhar nesta cidade, mas partiu porque ela foi "mastigada, engolida e cuspida" por heroína e oxicodona. Ele balança a cabeça e eu devo estar olhando furioso para os desesperados na sala de espera, porque Sue sorri para mim.

— Qual o problema, garoto? — debocha. — Glamour demais para você?

Ela dá uma gargalhada, e seu sotaque é tão forte que sinto pena das palavras que saem da sua boca. Nico dá um risinho.

— O garoto não é daqui.

Ela não ri mais.

— Não brinca, Sherlock. Você tem um documento que eu possa dar às meninas lá na frente?

— Não — minto. — Fui roubado.

— No estacionamento?

— Em Manhattan — respondo com minha voz de Whit Stillman.

Sue olha para o teto, e fico aliviado quando o médico abre e fecha as cortinas. Sue sai, e meu médico estende a mão.

— Sou o dr. Kasikarnaski — diz. — Pode me chamar de dr. K.

Eu anuo, balançando a cabeça, como um cara que velejou em Figawi faria.

— Excelente — respondo. — Sou Spencer.

O dr. K. examina minhas feridas e pergunta quem fez aquilo.

— Bem — eu começo. — Foram vinte e quatro horas movimentadas. Eu fui atacado em Manhattan. Estava saindo do Lincoln Center e caminhando, e quando vi, você sabe, bum.

Eu me esquecera de que Nico estava ali, e ele fala:

— Quem estava tocando no Lincoln Center?

Eu dou de ombros.

— Estava só passando — digo, e tenho um esgar para lembrar a todos que eu sou o paciente. — Seja como for, depois saí da cidade e peguei aquela tempestade. Tive um acidente. Um cervo. E, bem, aqui estamos.

— Aquele seu velho Buick — diz Nico. — Qual o ano dele?

Eu faço uma careta e indico que preciso de um minuto para me recuperar. Felizmente Nico e o dr. K. começam a conversar sobre carros antigos, sobre a frente quente que se aproxima — vai ser um período quente, segundo Sue, que entra e sai — e todos fazem isso em vez de me perguntar o que um velejador elegante como eu está fazendo em uma fera marrom antiga. O dr. K. tira as luvas e as joga no lixo. Diz que minhas costelas não estão quebradas e os ferimentos do corpo irão curar. Mas meu rosto é outro papo.

— Você já tomou pontos? — ele quer saber.

Eu nego com a cabeça.

Uma enfermeira grávida com maquiagem pesada entra com dois cafés e dois pães doces. Não acredito na minha sorte. Estou morrendo de fome.

— Helen, não precisava — diz o policial Nico pegando o conjunto.

— Por favor — ela diz. — Sei que você não tem ninguém em casa para cozinhar. Um homem do seu tamanho precisa comer.

Assim como eu, mas Nico mastiga e engole meu pão doce, o médico pega uma seringa e me diz para fechar os olhos.

— Isso vai doer — diz, e quando Jude Law disse isso a Natalie Portman em *Perto demais* ele não estava brincando, e você não está aqui para segurar minha mão.

A injeção na testa não apenas dói, ela mata. Nico me dá tapinhas nas costas.

— Respire, Spence, você aguenta.

O médico dá outra injeção, dessa vez na bochecha. Manda que fique imóvel e espere o anestésico fazer efeito. A enfermeira grávida fica embromando, com tesão por Nico.

— E então, Nico, como está se saindo na Cidade Marrenta?

— Bastante bem — ele diz, rindo. — E você?

— Melhor se eu tivesse uma bela xícara alta e robusta de chocolate quente para me manter aquecida à noite, certo, Nico?

Nico se diverte, e a enfermeira grávida rebola ao partir.

— É só dizer, coisa quente.

De repente eu gostei daqui, do modo como as pessoas são tão claras sobre o que querem — oxicodona, o pau de Nico, café — e quero fazer parte das coisas, então sussurro para Nico:

— Acha que tem mais pão doce por aí?

Em vez de me responder ele fecha a cortina, criando privacidade. Pega um bloco e eu desejo que o remédio anestesiasse meu cérebro. Não gosto daquele bloco nem da caneta, e ele começa:

— Sei que você não tem identificação, mas poderia me dar seu endereço?

Eu invento uma coisa qualquer e espero que tenha terminado, mas estamos só começando. Nico quer saber sobre mim. Ele viu o carro; viu meu sangue na rua; foi como ele me encontrou, e eu rezo para que a neve esteja derretendo. Rezo para que você e Peach fiquem do lado de dentro. Não quero que você veja meu sangue.

— E o que estava procurando? — Nico pergunta. — Achou que aquela era a sua casa?

— Eu estava tonto, não sei.

— Você foi em linha reta para aquela casa, Spencer. Por que não tentou o posto de gasolina mais à frente na rua?

— Eu não o vi — digo, e por que ele está me atacando?

— Mas você realmente achou que haveria alguém em casa?

— Não sei — respondo. Não quero fazer isto. Eu quero um pão doce.

— Conhece alguém em LC, Spencer?

— Eu nem sequer sabia que estava em LC — comento, e é hora de aumentar a aposta. Eu sei como lidar com um policial; vou dizer o que disse quando fui apanhado roubando doce quando era um pequeno vagabundo. Engulo, e meu lábio inferior treme. Eu posso encenar. E eu gaguejo. — O-olhe, não quero falar sobre isso, e não tem nada a ver com nada, mas minha mãe morreu. Simplesmente morreu.

Ele fecha a caneta e o bloco.

— Spencer, eu lamento. Não tinha ideia.

É fácil chorar, pois eu sinto sua falta, ainda não sei como voltar para você, e você ainda não me ligou para dizer que sente minha falta. Nico me consegue um pão doce e eu o engulo. Quando o médico volta e me costura eu não sinto nada.

TRINTA minutos depois Nico e eu estamos de volta ao estacionamento, e ele quer me levar à estação ferroviária. A cena lá fora piorou. Há uma grande festa de viciados discutindo quais emergências são mais liberais com sua oxicodona. Um cara com uma jaqueta esfarrapada da North Face tenta arrombar um Mazda com um pé de cabra. Nico berra:

— Ei, Teddy. Mais respeito!

Teddy cumprimenta o policial Nico e eu aceito meu destino.

— Tem certeza de que não é problema?

— Não — ele diz. — Mas espere. Como você vai pagar o trem?

Boa pergunta, policial. Eu dou um tapinha na perna.

— Cartão de crédito de emergência escondido.

— Bem pensado, Spence. Esteja sempre preparado.

Eu balanço a cabeça.

— Sempre.

Nico me garante que "Leroy" irá rebocar meu Buick e deixá-lo em forma.

— E não vai roubar você.

— O senhor é o melhor, policial Nico — digo, e aperto sua mão com firmeza.

Ele me deixa na estação, que é quase tão ruim quanto o hospital. Ele me ajuda a sair do carro e os viciados fazendo hora se espalham como baratas. Entro na estação e me sento. Quando ele parte eu saio. Abro o bolso interior da jaqueta e tiro a carteira. Não acredito que todos acreditaram na minha baboseira sobre a carteira ter sido roubada. Mas então dou outra olhada nas pobres almas condenadas. Claro que eles acreditaram em mim; veja o que eles têm de enfrentar. Eu saio e chamo um táxi.

— LC, por favor.

O motorista bufa e olha feito para meu boné Figawi.

— Quer dizer *Little Compton*?

Nova Inglaterra: toda a amargura, muita navegação. Nenhuma baboseira.

32

EU acordo em uma garagem de barcos diferente, a bons 800 metros à frente da casa de Peach. Nico, Sue e o médico estavam certos sobre a frente quente; estamos agora em um novo mundo e aquela tempestade parece ter sido um milagre, uma aberração. Realmente *é* como verão. Impressionante o quanto dez graus e sol parecem bons depois de você ter sangrado a menos 11 com um vento de *vá se foder*. E então, ainda mais importante, ninguém me encontrou dessa vez. Acho que a Mãe Natureza está compensando por meu acidente, saio da garagem de barcos e que alívio não ser atingido por um vento gelado. Eu me encolho no mato alto das dunas. Você e Peach são apenas pontos no horizonte. As duas estão se alongando; você vai correr por ser uma boa hóspede. Meu telefone está morto, o que é um problema, pois se você me escrevesse no meio da noite suplicando que fosse, eu nem sequer saberia. Vejo, vocês, meninas partirem pela areia, e corro pelas dunas para poder me esconder caso necessário. Quando chego à casa de Peach o corte em meu rosto lateja novamente (maldito Curtis), mas a porta dos fundos está aberta como eu esperava. Vocês não sentem medo aqui, o que é uma boa notícia para mim.

Tudo na casa dos Salinger é bonito, tudo na casa de minha família era lamentável, e esta nem sequer é a casa em que eles moram. É uma extra! Há um armário inteiro cheio de carregadores de iPhone e eu conecto meu telefone. Preparo uma xícara de café na cafeteira Keurig e imediatamente queimo a língua. Deixei pegadas molhadas por todo o piso, e não é assim? É como se a casa soubesse que eu sou classe trabalhadora e quisesse que eu pegasse uma porra de um esfregão.

Eu uso um trapo, porque eles não têm toalhas de papel. (Tenho certeza de que estão salvando o mundo.) Eu me agacho, esfrego, e odeio Peach. Ela é dominante e grudenta; foi grosseira ao desconvidar Lynn e Chana. Eu solto o telefone — 10% carregado —, mas ainda nada de mensagem sua. Coloco o carregador no bolso, subo a escada e descubro que todos os seis quartos estão em condições impecáveis, limpos, prontos para convidados. Peach é uma doente seriamente patológica, e não sou nada como Peach. Eu sempre lhe dou espaço. Elton John sibila baixo por toda parte por causa do sistema de som de primeira linha, e posso imaginar Peach suplicando com ele em uma corte de fãs. Ela suplica para ser sua fã número um, mas sir Elton bate o martelo, manda um funcionário de coleta confiscar toda a sua música daquela piranha metida, e ela tem de ir trabalhar como recepcionista no Walmart.

Mas tenho de dizer que a roupa de cama é demais. Você dormiu aqui noite passada, cheira a você, eu pego a legging que você jogou no chão e sinto seu cheiro. Meu rosto se acalmou no calor, graças a Deus, enrolo a legging ao redor do pescoço, apertado, estou de pau duro para você e gozo facilmente com você enrolada em mim, apertado.

Há apenas 70 mil toalhas Ralph Lauren neste lugar, então certamente os Salinger não sentirão falta daquela que uso para me limpar, meu café ainda está quente e eu o viro porque é reconfortante aqui e mereço isso. Vasculho sua bolsa de viagem, alinho calcinhas e sutiãs, me perdi em você e agora estou em apuros.

Você e Peach estão de volta à casa, na cozinha lá embaixo, tirando os tênis, rindo ou chorando, não sei dizer. Não posso descer a escada e fugir porque as tábuas corridas rangem sob meus pés. Ouço sua voz e odeio casas velhas. Elas vigiam como o "big brother", e um cara não consegue mover um músculo sem ser descoberto. Dou quatro passos gigantescos para o corredor — café ainda na mão — e vou nas pontas dos pés o mais suavemente possível para o quarto principal que fica quase acima da cozinha. Agacho no closet de cedro só por garantia, e novamente estou trancado enquanto você e Peach estão livres. Estou certo de que você está chorando, não rindo, tenho de dar uma mijada e não há opção. Eu mijo na caneca.

Peach deve estar abraçando você, e eu a ouço chutando a parede na *sala da lama*, um marco arquitetônico dos brancos extremamente ricos; eles acham que você precisa de um espaço exclusivamente dedicado a tirar as malditas botas. Ela chuta, resmunga e fala em tom monótono:

— Não importa o que eu faça, minhas botas ficam imundas. É como se o inverno me *quisesse*, ou algo assim!

Ela diz que está tentando fazer você rir, mas você não a acha engraçada (alguém acha?), ela lhe diz para parar de chorar, você soluça, eu estou tentando mijar silenciosamente em uma xícara de café e Peach não é muito boa em consolá-la, Beck. Eu faria melhor, poderia fazer melhor. E quero saber o que há de errado. Se você tivesse me procurado como queria, agora eu a estaria abraçando. Seu choro é tão alto que eu me sinto seguro de sair do closet e seguir para a porta.

— Leia novamente — você exige.

Peach suspira e lê:

— "Caros amigos de Benji"...

— A pobre mãe dele — você geme.

Peach continua:

— "É com grande tristeza que informamos que nosso filho Benji é considerado morto."

Você interrompe:

— Eles não deveriam estar procurando?

Peach está aborrecida. Lê acima da sua voz.

— "Seu precioso veleiro *Courage* foi encontrado naufragado perto de Brant Point. Como alguns sabem, Benji luta contra o vício há algum tempo. Ele recentemente informou a amigos que estava em Nantucket."

— Aquele maldito tuíte — você diz.

— Eu sei — diz Peach. — Odeio drogas.

Graças a Deus pela tecnologia, porque, honestamente, estou começando a surtar. Eu entro no site do *Nantucket Inquirer and Mirror* e lá está, uma velha foto de um Benji sóbrio de terno juntamente com uma foto de seu barco, agora destruído. Não há testemunhas que tenham visto Benji em Nantucket, mas seus pais confirmam que ele sacou dinheiro em New Haven e que essa não seria "a primeira vez que nosso filho é presa de seus demônios". O chefe do porto confirma o desaparecimento do barco. E eu confirmo que não tive nada a ver com isso. Aparentemente o inverno em Nantucket pode ser violento, e a mãe de Benji diz ao *Mirror*: "Pelo menos ele morreu fazendo o que ama". Não sei se fala de heroína ou de velejar. Nunca me senti tão sortudo na vida.

Peach assoa o nariz, você ainda está chorando, ela diz que as duas deveriam seguir para Turks e Caicos e você ri, mas ela diz que fala sério.

— Você sabe que já fiz isso antes. Por que não podemos? Arrumamos uma mala. Vamos. Ainda melhor, *não* arrumamos uma mala. Você vai adorar lá, garanto.

— Eu tenho aulas — você diz, e há um brinde quando ela lhe serve uma bebida.

— Fodam-se as aulas — ela retruca, uma tentativa fracassada de ser indecente. Ouço um zíper, e ela geme.

— Aimeudeus, há algo melhor que sair de uma roupa à prova d'água suada?

— Rá — você diz, e está tão desanimada que quero abraçá-la.

Ouço mais chutes enquanto o horrendo striptease continua e Peach declara:

— Eu juro, é como se minha calça de elastano estivesse colada em minhas pernas. Eu literalmente tenho de descascar, porque coçam tanto que vou explodir.

Eu poderia vomitar, e você está calada.

— Espero não ser problema eu me trocar aqui mesmo — diz Peach. — Algumas vezes eu me canso de ter de subir para fazer as menores coisas. E argh, não poderia estar mais quente!

Você diz que está bom, e eu a ouço arrancando o elastano de seu corpo ossudo. Ela sai da sala e retorna, e você gosta do que vê, porque exclama:

— Uau.

— Meu pai é obcecado por roupões — ela diz, e graças a Deus você está se referindo aos roupões. — O Ritz faz os melhores. Temos um zilhão em cada casa. Quer?

Você quer, ela pega e prefere se trocar no banheiro. Quando volta se empolga.

— Como está dentro desse roupão?

— É impressionante — você diz, e você não é uma dessas garotas que chamam tudo de *impressionante*.

Peach anuncia que vai fazer vitamina de couve, e ela poderia trancá-la aqui dentro e jogar fora a chave que você nem sequer se daria conta, não é? O liquidificador barulhento é meu salvador, e como um ninja eu voo pelo corredor, descendo a escada dos fundos (só para empregados), que leva ao corredor entre a cozinha e o salão. Felizmente há portas ao estilo *saloon* que bloqueiam a escada, porque quem quer olhar para a porra de um empregado, certo? Posso ver tudo daqui. Vocês garotas vestem enormes roupões combinando, você se joga no sofá, coloca um copo de uísque e a vitamina na mesa de centro, aquela de armadilha de lagosta. Ela acaricia seu pezinho com o pezão dela.

— Não fique triste.

— Eu não deveria ficar triste — você diz. — Ele me tratou como merda.

— Ah, Beckliciosa, não foi sua culpa. Os meninos não conseguem evitar. São intimidados por garotas como nós.

— Não acho que Benji tenha se sentido intimidado — você diz, Peach tira os pés da mesa e os coloca no chão. Esfrega as mãos, produzindo algum calor.

— Você, minha querida, precisa de uma massagem.

Você ri, mas ela fala sério, passa para o chão, se ajoelha, esfrega seus pezinhos bonitos e você geme — gosta — e diz que ela é boa nisso, e ela sorri. Ela gosta de você gostar, e continua subindo pelas pernas até as canelas, e não sei dizer se ela abre suas penas ou se você abre as penas, mas sei que suas pernas estão abertas e ela trabalha na parte de baixo das coxas, você relaxa a cabeça, costas, expira, *ahhnn*, os braços caem para o lado, ela está chegando lá, subindo até lá, subindo por suas coxas, você está gemendo, está.

Ela se senta e de algum modo se coloca entre suas pernas. Abre seu roupão, seu corpo está nu, seus mamilos estão duros, ela esfrega seus quadris, você diz não, mas ela manda você ficar quieta, você fica quieta, ela beija seu seio esquerdo e segura seu outro seio, com firmeza, força. Você protesta, mas ela a cala, você obedece, ela beija seu pescoço e move uma das mãos para baixo, você não luta, você não faz nada, você está recebendo e ela está errada.

Você está tonta — o uísque que ela lhe deu bate com mais força de dia, depois de correr — e sentindo minha falta, chocada por causa de Benji, e ela deveria ser sua amiga. Há instantes você estava um lixo, soluçando, e que tipo de amiga reage a uma amiga com perturbação emocional evidente tirando vantagem dela, chupando seu lóbulo? Você ainda não a tocou, mas seu corpo está aberto para ela, e nem sequer acho que você está aqui no momento, você está longe em sua cabeça, e finalmente está de volta e seu corpo inteiro trinca, suas pernas se fecham e Peach recua. Você está em pé, fechando o roupão.

— Desculpe.

— Esqueça — Peach diz, e toma a vitamina de couve direto da jarra.

— Vou tomar uma chuveirada.

— Peach, espere. Temos de conversar.

— Beck, por favor — ela resmunga. — Algum dia pensou que provavelmente é por isso que os caras não conseguem lidar com você? Quero dizer, apenas relaxe. Não precisamos analisar toda coisa idiota.

Ela sai pisando duro com sua vitamina de couve, vejo que você se sente responsável, e isso não é certo. Você a chama e ela responde aumentando o volume do Elton John. Ouço uma porta bater. Você chora, e como ela ousa colocar a culpa em você? Você entra na cozinha — felizmente não escolhe o caminho da escada de empregados — e volta com o telefone. Estou tremendo. É isso. Aí vem você. Ligue para mim,

Beck. Ligue para mim. Mas você disca um número e meu telefone não vibra.

— Chana, sei que está puta comigo, mas preciso de sua ajuda. Benji morreu, Peach está lá em cima chorando, eu nunca deveria ter vindo e não sei o que fazer. Ligue para mim.

Você sobe, esmurra a porta, suplica que ela saia, diz que lamenta até ficar rouca. Ela a ignora, e é malvada. Ela montou uma armadilha e você nem sabe disso. Passo pelas portas ao estilo *saloon* e parto.

33

É uma vergonha que esta praia seja desperdiçada com pessoas como Peach. Todas essas mansões à beira-mar estão vazias, embora esteja atípica e gloriosamente quente. (Batendo na madeira.) A praia não poderia ser mais impecável, mas nenhum dessas porras de donos de segundos imóveis pega o carro e vai até LC prestar respeitos. Que idiotas. Eu, por outro lado, sou um agradecido veranista.

Ontem eu segui as trilhas que você e Peach deixaram até o píer que entra na baia. É um grande lugar para se esconder, esperar. Há penedos dispersos — fique longe das pedras — e há um passeio de madeira gasto que termina na areia. Eu cavo um buraco sob o passeio e acho que está mais quente aqui que em qualquer das malditas garagens de barco. Embora seja impossível comparar, considerando como estava frio na noite do meu acidente.

Seja como for, o Sol está nascendo e agora não vai demorar. Logo Peach estará aqui, sozinha.

Candace adoraria isso aqui. Na última vez em que vi o Sol nascer em uma praia eu estava com ela. Não é hora de pensar em Candace, mas como posso evitar? Vimos o Sol nascer em Brighton e, à medida que brilhava mais, mais ela tentava romper comigo. Eu pedi a ela que caminhasse até a água comigo. Ela concordou. Nesse sentido ela era cruel; uma garota mais legal teria dito não e me deixado chorando sozinho, mas ela queria me ver no pior estado, então ficou por perto.

"Eu *estou* largando você", ela disse.

Então vá, piranha. Vá.

Não foi culpa minha Candace ter me seguido até a beira d'água, e não foi culpa minha eu tê-la apanhado, tê-la segurado na água e tê-la visto passar para o grande além. Ela queria estar lá, ou não teria ido até a água comigo. Ela sabia que estava me matando, e sabia que eu não era do tipo que cai sem lutar.

Não culpo Peach por ser tão infeliz, do mesmo modo como não culpo Candace por querer fugir de sua família. Que vergonha sentir tanta raiva por causa do que você *não* tem que acaba tratando mal o que *tem*, como se não fosse nada. Ela não é grata por ter uma casa extra em um lugar onde o maior perigo é a porra de Taylor Swift. Ela é muito como Candace, que não era grata por sua voz, seu talento.

Eu tenho pouco tempo, então caminho alguns passos para a margem. Gosto do jeito como a água vem e apaga meus passos. Penso naquela porra de poema da escola em que o cara caminhando na praia não está sozinho porque Jesus o carrega nos ombros, e sorrio. Durante anos eu pensei que era o contrário, que o cara no poema carregava Jesus, sabe, do modo como um Hare Krishna carrega seu pandeiro, do modo como um garoto judeu carrega uma Torá em seu bar mitzvah. Eu não penso em Jesus Cristo como sendo o cara que dá a carona nas costas a cretinos, e eu nem sequer deixo pegadas, então toma essa, poema de escola. Admito que estou meio mal-humorado. A última coisa que comi foi aquele pão doce. Atravesso o passeio construído por uma família com algum problema para andar sobre areia branca, retorno até meu esconderijo e espero.

Finalmente vejo Peach sair para o pátio, um ponto vermelho quente à distância. Ela se alonga, desce o passeio trotando, e aí vamos nós. A cada segundo eu posso ouvi-la mais claramente, sua respiração, os pés batendo e o Elton John berrando no telefone. Ela passa por mim, como um sussurro, eu salto do buraco como um boneco de mola e corro atrás. Ela não me ouve. Ela é destemida nesta praia. Eu a agarro pelo rabo de cavalo. Antes que possa gritar eu a jogo na areia e monto em suas costas. Ela luta, chuta, mas sua boca está na areia, Elton não para de cantar — "*sitting like a princess perched in her electric chair*" — e eu pego a pedra no bolso.

Ela vira a cabeça para o lado, e seus olhos são mais bonitos do que eu tinha me dado conta, me reconhece e manda:

— Você.

Ela pode ser a mulher mais forte que já conheci, e embora suas últimas palavras tenham sido ditas, ela ainda luta, gargareja. Sua pele queima, *vermelho Nantucket*, e todo o exercício instilou nela uma força sobre-humana, uma capacidade pulmonar que confunde minha cabeça. Eu não a culpo por lutar. Como ela foi criada por monstros intolerantes e odiosos, nunca celebrou a vida, e acho que por isso reúne forças — aquelas pernas ainda tremem — para maximizar seus últimos momentos na Terra. As pontas dos dedos procuram meu braço; é tarde demais, Peach. Os olhos seguem rumo ao norte, na direção do alto da cabeça, e todos podemos aprender algo com uma trágica e precoce morte. Que perigo, culpar outras pessoas por seus problemas. Que desperdício de uma vida. Se ela tivesse largado a família escrota, mudado para um de seus paraísos estrangeiros ensolarados e sido bartender ou instrutora de pilates, qualquer coisa, não importa, poderia ter se juntado a uma garota legal que pensasse igual e prestado respeito a todas as suas bênçãos — saúde, cérebro, músculos — sendo sincera consigo mesma. Ainda assim, fodam-se os pais dela. Não faça um bebê se não for capaz de amor incondicional.

Ela está murchando, Elton está mais alto que as ondas, e "*I don't hear you anymore, we've all gone crazy lately, my friends out there rolling 'round the basement floor*" e eu devo a ela uma ajudinha. Acerto sua cabeça com a pedra e ela finalmente fica quieta. Eu a viro, e estou tremendo. Ela partiu, em paz, mas e quanto a mim? Elton canta "*you almost had your hooks in me, didn't you dear, you nearly had me roped and tied*" e eu me sinto amarrado e preso aqui, sozinho com a morta e pesada Peach. Elton parece mais alto ou é só porque Peach está mais quieta? Tento me concentrar em movê--la, mas então ouço um passo de corrida e paro. Em pânico. E se você decidiu dar uma corrida? E se o policial Nico correr nesta praia? Tenho de agir rápido. Encho os bolsos dela com pedras só para o caso de ela não afundar. Tenho de catar mais pedras, porque este agasalho tem muitos bolsos, e Elton "*would have walked head on into the deep end of the river*".

Preciso me acalmar. Fecho os olhos e vejo os olhos abertos de Candace no lixo enlameado da praia, em Brighton, abro os olhos e tiro o telefone de Peach do suporte no braço. Agora é meu telefone e eu corto Elton enquanto ele jura: "*they're coming in the morning with a truck to take me home*". E ergo o corpo dela. Peach está tão vestida, e Candace estava quase nua, vestindo apenas um vestidinho preto sobre o biquíni. Era verão, garotas bêbadas se afogam, acontece, a família aceita que ela nunca voltará para casa — e eu caminho até a água. É inverno. Garotas tristes caminham para a água para morrer. Acontece.

Eu não estou longe das pedras, e carrego Peach Salinger para o píer. As pedras são suaves e secas, e estou firme. Peach está pesada por causa das pedras nos bolsos, por causa do peso de sua infelicidade. Conto até três e então a jogo no oceano. As ondas dão as boas-vindas do mesmo modo como a água em Brighton abraçou Candace. Começo um e-mail de Peach para você. É muito fácil saber o que dizer:

"Beck, preciso ir embora. Ultimamente, quando corro, é como se Virginia Woolf estivesse correndo comigo. Ela disse: 'Eu pensei em quão desagradável é estar trancada do lado de fora; e pensei quão pior, talvez, seja estar trancada do lado de dentro'. Ela estava certa. É pior estar trancada dentro esperando alguém que não vem. Muito pior. Aproveite a cabana. Eu amo você, Beckliciosa. Tchau, Peach Is."

Meu corpo está escorregadio de suor, meus músculos doem do esforço e dou um sorriso porque entendo sobre o que Peach estava falando antes. Eu adoraria tirar minhas roupas agora. Elas *realmente* coçam.

* * *

VOU conferir você uma vez antes de partir. Passou menos de uma hora desde que lhe mandei o e-mail de Peach, e você parece estar lidando com isso com *aplomb*. Está com Bowie no máximo e experimentando as roupas de Peach no salão enquanto dança, liga para Lynn, Chana, sua mãe, e faz a festa. Você está feliz, Beck. Diz a Lynn o que contou à sua mãe e o que contou a Chana:

— Não é culpa minha. Peach fugia mês sim, mês não na faculdade. Inferno, quem não faria isso com tanto dinheiro? Ademais, acho melhor. Ela pareceu quase *feliz* por Benji ter morrido. E sim, sei como isso parece doentio.

— Esqueça Benji — diz Lynn. — É triste, mas morrer não o transforma em um cara bom. Tem conversado com Joe?

Isso, Lynn!

— Não — você diz. — Mas quero.

Isso é tudo de que preciso. Vou embora.

Subo a rua deserta até a cidade. O pessoal de Nico, na oficina, é superamigável. Não tem muita coisa acontecendo (não diga), e eles adoram o "clima de verão é um prêmio", então minha fera marrom já está pronta para ir. O conserto custou 400 pratas, estou contente de ter vindo preparado. A Nova Inglaterra não é um lugar de sorte para mim, Beck, então peguei um adiantamento de salário antes de partir. As estradas estão livres e o telefone de Peach tem muita música boa. Talvez minha sorte na Nova Inglaterra esteja mudando.

ESTOU quase em casa quando lembro da caneca com meu DNA na cabana. Piso no freio, fundo. Mas não tenho de me preocupar. Pessoas com segundas casas dão chaves para empregadas, carpinteiros e decoradores. Não vou me preocupar com uma caneca de mijo seco, não depois do bem que fiz.

Ademais, isto é sobre você, e seu Twitter confirma que você já está de volta à Bank Street. Sei que levará tempo para que você se abra, lentamente, "pétala a pétala, com a chegada da primavera". Mas você vai se abrir. Peach não pode mais arrastar você para baixo. Você está livre. Ela nunca reduziria o controle, e você será uma pessoa totalmente nova sem aquela pressão. Ela pode descansar agora. Você pode relaxar. E quando o primeiro perfume de primavera tomar o ar você passará por uma livraria em uma carruagem puxada a cavalo e se descobrirá ruborizando, madura de desejo. E irá me procurar, *Joe.*

34

MEU telefone não está quebrado. Eu liguei da loja para ele várias vezes por dia nos últimos dias. Você não está fora do mapa. Você está aqui em Nova York, vivendo, escrevendo e tuitando:

"Há algo mais romântico que neve nova à noite? #imobilidade #amor"

Não há razão lógica, tecnológica ou romântica para o fato de que você não me ligou ou mandou e-mail desde que voltou de LC. Já são "vinte e três minutos e treze dias" desde que Peach saiu de cena. O ferimento em meu rosto é teimoso, mas houve progressos e sou menos monstruoso a cada dia. E isso é apenas outra lembrança de que um tempo precioso se passa. Não consigo entender você, Beck. Você não está trocando e-mails com caras novos e não está mandando e-mails para suas amigas sobre nada *romântico*, mas está escrevendo sobre *caras*. O último conto que escreveu foi sobre uma garota (você, dã, elas são sempre você) que vai ao médico e descobre que tem um pênis enfiado nela. Ela liga para todos os caras com os quais já esteve para ver se eles ainda têm pênis. A lista de sujeitos é muito longa (um exagero, tem de ser), e todos ainda têm paus. Finalmente ela admite que há um cara para o qual não ligou por ser casado e com filhos. Ela não quer devolver o pau; quer que ele largue a esposa, apareça e o pegue. Como Blythe disse em sua crítica por e-mail, "Não há um final de verdade, um clímax, nenhum sentido. Não estou presumindo que isto seja baseado em algo real em sua vida, mas caso seja, talvez devesse pensar em engavetar esse conto e o rever assim que tiver se distanciado um pouco de suas emoções".

E, naturalmente, estou preocupado. Você tem visto esse dr. Nicky *duas vezes* por semana desde que voltou. E então escreve esse conto mal disfarçado sobre trepar com um cara casado. Claro que eu liguei para marcar uma consulta. Como mais poderia me assegurar de que ele não está tirando vantagem de você? E não que eu seja o único preocupado.

Chana: "Você está mesmo na terapia! Que porra! Como você consegue bancar isso?"

Você: "Novas prioridades. Nada de álcool, nada de compras, apenas escrever, fazer diários, crescer."

Chana: "Certo, Beck. Mas lembre-se, o dr. Nicky é... O dr. Nicky."

Mas hoje é um dia bom, porque o elevador acabou de chegar ao décimo segundo andar, eu saio para o corredor e encontro a porta da sala de espera aberta, como o dr. Nicky disse que estaria. Estou um pouco adiantado para a consulta, o que é bom, pois tenho tempo de revisar minha nova identidade.

Nome: Dan Fox (filho de Paula Fox e Dan Brown!)

Ocupação: gerente de café

Distúrbio: Transtorno obsessivo-compulsivo. Eu sei um monte de merdas sobre TOC por leituras.

Eu já me sinto bem e gosto da sala de espera, as paredes azul-bebê e este sofá azul-bebê. E o prédio por acaso é no meu bairro preferido, o Upper East Side. Elliot tinha um analista em *Hannah*, e quem sabe? Talvez não esteja acontecendo nada entre você e o dr. Nicky. Talvez ele apenas seja realmente bom no que faz. É possível. Em apenas duas semanas você descobriu muito sobre si mesma.

Sei disso porque Nicky lhe dá dever de casa. Você tem de escrever uma carta para si mesma todo dia. E você faz isso:

> *"Querida Beck. Você só sabe empurrar ou puxar no que diz respeito a caras. Admita. Assuma. Conserte. Com amor, Beck."*

"Querida Beck. Você fisga homens e perde o interesse quando os tem. Não usa sutiã para que os caras olhem para seus mamilos. Use sutiã. Nick vê o que você está fazendo. Isso é bom. Ser vista. Com amor, Beck."

"Querida Beck. A intimidade a aterroriza. Por que sente tanto medo? Você só sente prazer quando está interpretando um papel. Por que não pode ser você mesma? Nicky a conhece e aceita. Da mesma forma os outros. Com amor, Beck."

"Querida Beck. Você acha que não pode amar até ter superado seus problemas paternos. Mas talvez não vá superar seus problemas paternos até se permitir amar. Nicky está certo. Você cresce por intermédio do amor. Você não adia o amor até parar de crescer. Com amor, Beck."

"Querida Beck. Não é culpa sua ter nascido em uma ilha. Claro que você se identifica com uma ilha. Mas menina querida, você não é uma ilha. Seja habitada. Dê boas-vindas ao amor. Com amor, Beck."

"Querida Beck. Não há problema em ser ressentida com sua mãe. Ela a inveja. Com amor, Beck."

"Querida Beck. Não seja sua pior inimiga caçando caras que não a querem. Seja sua melhor amiga e aprenda a amar caras que a querem. E lembre-se, ninguém é perfeito. Com amor, Beck."

Esses e-mails realmente me ajudaram a sobreviver a esta seca. Agora sei que você não se afastou de mim por causa do sexo. Você se afastou de mim porque tem problemas. Então, talvez em mais ou menos um mês, quando eu for fundo na terapia e estiver escrevendo cartas a mim mesmo, talvez esteja na cama com você tarde da manhã de um domingo. Talvez então eu me entenda melhor e partilharemos nossas cartas de terapia na cama.

A porta do consultório se abre, o ar cheira a pepino e o dr. Nicky não é o que eu esperava.

— Dan Fox? — ele diz.

Consigo dizer alô e apertar sua mão. Eu o sigo até o consultório brutalmente bege e me sento no sofá, mas cacete, Beck. O dr. Nicky Angevine é jovem. Eu supus que ele estivesse na casa dos 50, mas certamente tem 40 e poucos. As paredes são cobertas com capas emolduradas de discos de rock clássicos — Rolling Stones, Bread, Led Zepellin e Van Morrison. Ele mexe no computador, se desculpa por precisar de mais um minuto e digo que está tudo bem. Ele calça Vans, se aferrando à juventude. É um retrato da contenção com seus cabelos ondulados grossos submetidos com gel e olhos azuis invasivos que parecem cheios de lágrimas. Não sei dizer se é judeu ou italiano, ele termina com o computador e se senta na cadeira de couro. Pega um jarro de água. Há pepinos na água, daí o cheiro.

— Posso lhe oferecer? — ele pergunta, e novamente isso não é o que eu esperava.

— Claro — digo, pego a água, e cacete, Beck. Esta merda é o paraíso.

— Eu devo lhe dizer de imediato — ele fala. — Eu mantenho um registro, mas não faço muitas anotações. Prefiro guardar tudo aqui.

Ele aponta para a cabeça, sorri, e poderia ser um assassino em série ou o cara mais legal do mundo, mas não há meio-termo para esse cara. Não espanta que tenha feito psicologia. Tinha de descobrir algum modo de se impedir de agir de acordo com seus pensamentos distorcidos e perversos. Quando ele sorri, seus dentes quimicamente clareados saltam, totalmente deslocados em seu rosto cansado e triste.

— Bem, Dan Fox — ele diz. — Vamos descobrir que porra há de errado com você, certo?

Tenho de dizer que é realmente fácil falar com ele. Eu esperava o consultório de um médico, mas isto é como ficar no quarto de alojamento universitário de um cara de meia-idade. E se estivéssemos na faculdade ele iria para a aula e eu poderia invadir seu computador e achar todos os arquivos sobre você. Mas isso não vai acontecer; somos adultos, e ele tem um trabalho a fazer. Quer saber quem me bateu e eu conto sobre o acidente a caminho de uma viagem para esquiar (a batida em LC) e sobre ser assaltado depois de fechar o café (Curtis e seus amiguinhos). Então ele começa a ficar um pouco mais pessoal e pergunta:

— Você tem namorada, Dan?

— É.

Eu poderia facilmente ter uma, então tudo bem. Digo a ele que não estou aqui por causa da minha namorada; ela é ótima. Digo que quero ajuda com meu TOC.

— Qual a sua obsessão? — ele pergunta.

Eu sei tudo sobre espelhar, Beck. Uma das melhores formas de fazer alguém confiar em você é se concentrar no que vocês têm em comum.

— Na verdade é meio que engraçado — digo. — Todos os discos que você tem aqui. Não sei como ou por que, mas eu fiquei psicoticamente obcecado com um vídeo do Honeydrippers.

— Eu adoro o Honeydrippers — ele conta. — Não é "Sea of Love", é?

— Você conhece.

Eu digo, e ele é meu novo melhor amigo. E eu sou bom nisso, acho. Digo a ele que não consigo deixar de ver o vídeo (você), pensar no vídeo (você) e desejar poder viver dentro do vídeo (você). Digo a ele que perdi o interesse por tudo por causa desse vídeo (você) e preciso ter algum controle.

— Sua amiga está perdendo a paciência com você?

— Não — digo, porque se eu tivesse uma amiga ela estaria feliz demais de estar comigo para perder a paciência. — Sou eu que estou perdendo a paciência comigo, doutor.

— Doutor nada, garoto — ele diz, e balança a cabeça. — Não sou doutor. Tenho apenas um mestrado.

Quero lhe perguntar por que você o chama de dr. Nicky se ele não é realmente doutor, mas não posso fazer isso, e ele diz que é justo que me conte algo sobre sua própria vida.

— O que você tem é o que recebe, Danny. Sou um maconheiro barra, baixista fracassado de 45 anos com um mestrado em psicologia. Adoro rock 'n' roll e originalmente entrei nesse campo por ser naturalmente um artista de bosta. Mas então me dei conta de que realmente gosto de ajudar as pessoas, então aqui estamos hoje.

— Isso é legal, Nicky — digo, e a primeira vez que eu digo o nome soa engraçado saindo da minha boca, uma nova palavra em meu vocabulário. *Nicky.*

Digo a ele que soa bem e conversamos sobre crescer — ele é do Queens e eu sou de Bed-Stuy. Acaba que terapia é apenas falar, e talvez você realmente esteja apenas tentando *crescer*. Talvez um dia eu até possa *ser* um analista. Eu poderia fazer isso. Poderia emoldurar meus livros preferidos e colocá-los em uma parede de uma sala bege e conversar com pessoas como eu, como você.

Nicky diz que é hora de enquadrar as coisas e fazer um plano. É besta que eu esteja ansioso por dever de casa?

— Danny, temos muito trabalho a fazer aqui. Para começar, você vai aprender que mora em uma casa.

Eu nunca morei em uma casa, apenas apartamentos. Mas anuo.

— E há um rato em sua casa — ele diz. — O vídeo. E a boa notícia é que é apenas um rato.

E agora você é um rato, Beck.

— Ele não é forte como você, Danny — ele diz, muito sério agora. — Aquele rato é pequeno. Você tem braços, mãos. Tem destreza.

Você só tem uma xoxota e eu concordo com ele.

— Você pode alcançar a maçaneta, Dan. Pode colocar armadilhas. Armadilhas.

— Sabe, Danny, a vida é uma bosta, e às vezes fica escuro em sua casa.

Ele aponta para a cabeça e eu aquiesço. Fica muito escuro aqui dentro.

— E é quando os ratos aparecem.

Você entrou na minha loja e começou esta coisa, nós.

— Algumas vezes fica tão escuro que só o que você pode fazer é escutar a porra daquele rato circulando, comendo sua comida, cagando no seu chão e está tão escuro que você não consegue ver a maçaneta — ele continua. — Você se esquece de que há uma maçaneta e o que nós fazemos aqui é acender a luz, Danny.

— Certo.

— Nós colocamos as ratoeiras, Danny.

— Certo — digo, mais alto que antes.

— E abrimos a porta, pegamos o esfregão e espantamos aquele rato daqui — ele diz, e soca o ar. — E algumas vezes não precisamos nem sequer fazer isso, porque algumas vezes nós matamos o rato.

Não desta vez.

— E isso não acontece em um segundo. Não vou mentir, Danny. Mas é viável.

— Você já trabalhou em construção? — pergunto. A maioria dos caras no nosso bairro trabalharam, em algum momento, e gosto da ideia de Nicky e eu termos coisas em comum, sermos iguais.

— Dois verões, lá atrás — ele responde, e eu estava certo. — E você?

— Dois verões, lá atrás — digo, ansioso demais. Que otário imitador, mas Nicky sorri e penso nas últimas semanas e noites que passei no chão, apoiado na parede com sua calcinha nas mãos, olhando para o buraco na parede que fiz por sua causa e cobri por sua causa. — É, doutor...

Ele balança a cabeça e eu rio.

— Quero dizer, Nicky. Eu preciso encontrar a maçaneta.

— Você vai encontrar. E se o conceito de casa/rato não servir para você, pode pensar no vídeo como uma espinha. Você pode espremer e acabou. Para sempre, sem cicatrizes, se cuidar da sua pele.

Você não é uma espinha, você é um rato, e eu falo:

— Achei que não devíamos espremer espinhas.

— Isso é besteira — ele diz, e confere o relógio. — Então. Gosta das quintas-feiras?

DEPOIS, quando desço a rua, me sinto como uma pessoa mudada, Beck. Cinquenta minutos com Nicky e é como se eu tivesse olhos novos. O mundo parece diferente, como se tivesse colocado óculos 3-D, fumado um baseado ou fodido você loucamente. Estou animado, mas careta, e vou para o parque, onde vejo o vídeo de "Sea of Love" pela primeira vez em muito tempo. A garota no vídeo é meio bonita, com os cabelos louros de Bowie, e a terapia já está funcionando. Quero dizer, ver esse vídeo anticonvencional, viajante, me deixa feliz, e não tenho sido feliz ultimamente. E a melhor parte é que não estou mais com medo. Você não está dormindo com Nicky. Só está experimentando uma transferência. Eu sei sobre isso de *O príncipe das marés*. Acontece. Nicky tem mestrado, Nicky é o cara e ele nunca quebraria a dinâmica doutor-paciente. Isso se aplica, mesmo ele não sendo doutor de verdade.

Caminho até o metrô, depois desço a escada. Eu gosto da vida, Beck. Sinto toda essa nova paciência. Posso esperar você me ligar. Sou forte o bastante para lhe dar tempo. Esqueci de conferir seu e-mail, e seu telefone está mais pesado do que estava esta manhã. Escrevo para mim mesmo, embora ele não tenha pedido:

"Querido Joe. Você tem uma rata em sua casa, e quando ela estiver pronta você a beijará e ela se transformará na garota dos seus sonhos. Seja paciente. Seja aberto. Sinceramente, Dan Fox."

Não me senti tão perto de você em duas semanas. Eu adoro terapia, adoro mesmo.

35

NA minha sessão seguinte eu contei a Nicky como me senti animado ao deixar seu consultório bege. Ele disse que minha reação é comum — eu sou normal! — e tudo diz respeito a um novo ponto de vista.

— Eu tenho um lugar no norte — ele contou. — Vou para a floresta a cada duas semanas. Não por causa do ar fresco, mas por causa da perspectiva fresca.

Em minha terceira sessão conversamos sobre o vídeo (você) e Nicky me fala sobre o que chama de estratégia do gato.

— Eu tinha uma vizinha que alugava o gato. Sabe por quê?

— Para ajudar pessoas deprimidas? — pergunto. Errado.

— Se alguém no bairro tinha problemas com ratos, a sra. Robinson emprestava o gato por um dia ou dois — conta. — E Danny, a coisa legal dos gatos é que, quando eles aparecem, os ratos sentem o cheiro e vão embora.

— Então se eu começar a ver outra coisa, vou parar de assistir ao vídeo.

Ele assente. Não conversamos. Algumas vezes isso acontece aqui, um silêncio abrupto. Nicky diz que é normal; você tem de processar as coisas. Eu *processo* a ideia de uma vida sem você. Eu sairia com outras garotas (inimaginável), daria caminhadas e talvez encontrasse pessoas com as quais jogar basquete ou sentaria em um bar escuro assistindo ao noticiário, cairia no sono em minha cama sem seu telefone na mão e acordaria sem nosso telefone pressionando minha carne. Minhas mãos doem de verificar obsessivamente seu e-mail; talvez fosse legal ter dedos que não doessem. Não sei como seria estar aqui sem você dentro de mim, Beck. Sei que você é muito com o que lidar. Eu estou cansado.

Nick sente que acabei de processar. Ele se acomoda na cadeira.

— Tente isso esta semana — ele diz. — Faça um diário disso e me conte como está indo.

Eu gosto de ter dever de casa, saio do consultório e descubro que o mundo está cheio de mulheres. Então talvez eu *queira* descobrir sobre a vida sem você. Quase tinha me esquecido de garotas. Elas estão por toda parte, Beck, na plataforma do metrô há universitárias de jeans apertado com as cabeças enfiadas em Kindles, garotas velhas roliças agarradas a sacolas reaproveitáveis de legumes, donas de casa de meia-idade com sacolas gastas da Macy's e da Forever 21, e uma loura tesuda que é tão pequena que faz você parecer um gigante, veste roupa de hospital, parece recém-lavada, eu estou totalmente olhando, cacete, e ela sorri. O jogo começa.

— Eu conheço você? — ela pergunta, e tem um pouco de sotaque, Long Island, penso.

— Não — respondo, e ela anda até mim, não para longe de mim, cheira a sanduíche de presunto e álcool para as mãos. Gosto dos peitos dela.

— Não me conhece mesmo?

— Desculpe, não.

— Então por que está olhando para mim, porra?

— Não sei — digo, e penso em o que Nicky diria. — Acho que devo apenas gostar de olhar para você.

O trem para guinchando e as elétricas contas verdes que são os olhos dela travam em mim, mulheres aleatórias entram no metrô enquanto mulheres aleatórias saem e nós dois de olhos travados como animais no cio. Ela tem sobrancelhas finas, unhas compridas pintadas, nada como as suas, o que é bom. Eu nunca poderia amar esta garota. Mas certamente posso praticar com ela.

Ela começa.

— Quem te deu uma surra?

— Sofri um acidente.

— Um acidente — ela debocha. — Essa é boa.

— Eu fui assaltado.

— Então você simplesmente conta a porra de uma mentira sobre isso antes mesmo de saber meu nome?

— Acho que devo apenas gostar de mentir.

Eu sou bom nisso e Nicky ficaria impressionado.

— Bem, e se eu for o tipo que não sai com mentirosos?

— Então deve ser ruim ser você.

— Que porra está acontecendo neste instante?

— Quer saber, quem se importa? — digo, e estou ligado como o Donkey Kong. — Se esta conversa estivesse acontecendo em um bar escuro e estivéssemos os dois bêbados seria perfeitamente normal.

O nome dela é Karen Minty, ela morde o lábio brilhante e diz na minha cara:

— E se sua avó tivesse bolas seria seu avô.

Karen Minty decide ali mesmo que vai fazer sexo comigo e eu sei disso. Ela é muito mais fácil de ler que você, e eu não poderia pedir um gato melhor, e começa com um drinque obrigatório em um bar de cretinos lotados de garotos da NYU que bebem cerveja americana em baldes. Você odiaria aqui, mas ela adora o lugar. Este bar foi escolha dela, então agora é minha escolha e eu a levo a um buraco na Houston que sei que irá impressionar — eu estava certo, ela é de Long Island — e ela fica impressionada com o Botanica Bar, toma Greyhound, um coquetel à base de gim e suco de toranja, e diz merdas que você nunca diria como:

— Sabe como conheço este drinque? Leonardo DiCaprio toma. É verdade.

— Sabe por que a comida de hospital é uma bosta? Por que eles *querem* que você morra. É verdade, Joey. É verdade. É muito mais barato, porra, e nem tanta gente teria de dobrar se você tivesse mais leitos vazios.

— Sabe que eu tive a sensação de que ia conhecer alguém esta noite? Eu não devia dizer isso, cacete, malditos Greyhounds, mas Joe, eu

tive essa porra de sensação. E então você estava me encarando — diz, e arrota. — Você precisa tirar isso, Joe.

— Minha camisa?

— Esse curativo na sua mão.

Eu me esqueci de que estava lá. Veja o que você fez comigo. Ele começou quando queimei a mão na vela. Depois a cicatrização foi interrompida porque arranquei a casca por causa do que você me fez. Em seguida, Curtis me espancou quando eu estava correndo para me aprontar para ver você. E então, claro, bati de carro quando estava procurando você. Eu estou vendo um padrão, Nicky diz que na vida tudo tem padrões, e agora Karen Minty agarra minha mão como se pertencesse a ela. Karen Minty é forte para cacete, e sussurra em meu ouvido:

— Poupe energia, Joey. Você vai precisar dela.

Ela arranca o curativo da minha mão, e antes que eu possa me encolher, me beija. E acaba que os lábios de Minty também são fortes. Minha mão não dói mais.

Quando entramos em um trem, acho que nenhum dos dois sabe para onde o trem está indo. É um milagre que o trem esteja vazio, sem nem mesmo um vagabundo, um gângster ou uma piranha. É um milagre que Karen Minty lamba o ponto no meu rosto em que Curtis me detonou, a língua dela é mais afiada que a sua, eu arranco a roupa dela — está usando fio dental —, ela me agarra e transamos no metrô às quatro da manhã, e quando Karen Minty goza ela grita — "isso, Joe, isso, sou sua, goza agora, agora!" — enfia as garras em minhas costas, os olhos reviram e quando ela termina as pernas ainda estão presas em mim, vibrando. Eu me agarro à coxa dela, desejando que ela fosse você. Ela enfia aquela língua pontuda na minha garganta, a recolhe e olha para mim.

— Eu amo você — ela diz, e ama o que eu fiz, e ela cai na gargalhada, salta de mim e se enrola no meu casaco. — Seu rosto, Joey, aimeudeus. Você deveria ver a porra do seu rosto agora, estou só sacaneando.

— Eu sei — digo. E não irei me preocupar; a maioria das garotas fica maluca para cacete por alguns minutos depois de transar. Simplesmente é assim.

Ela está na defensiva.

— Eu nem conheço você.

— Eu sei — repito, e ela se enrola em mim, não para longe de mim, e olho para nós na janela. Nós aparecemos e sumimos à medida que as luzes piscam no túnel, esta noite eu vou dormir pela primeira vez em muito tempo, Karen Minty vai me fazer um sanduíche de ovo e me dar uma chupada pela manhã. Eu simplesmente sei, algo naqueles Greyhounds, algo naquela boca. Ela realmente me ama.

Eu sou o melhor de todos os pacientes, porque já achei um gato de rua.

NO dia seguinte vou à loja, estou de ressaca como todo cretino e cheio de um sanduíche de ovo que foi uma ideia ruim. Karen Minty tinha boa intenção, mas provavelmente ainda estava bêbada demais para cozinhar. Eu disse que tinha sido legal. Ela me disse que ia aparecer na loja. Eu não a encorajei, Beck. E agora tenho Ethan me enchendo o saco — chegou cedo, novamente — e quer saber se estou doente.

— Está resfriado, Joe? Ou simplesmente foi molho demais?

Só Ethan chama álcool de *molho*, eu destranco a porta e se fosse um terapeuta como Nicky não teria de lidar com Ethan. Eu o mando para Ficção para pegar a seleção básica, e ligo a música. Carma é uma merda. A primeira música que toca é "You Are Too Beautiful", de *Hannah e suas irmãs*. Eu corto. De repente me dou conta. Eu traí você, eu nos traí.

Minha cabeça lateja. O sino da porta toca, e todo ruído dói, especialmente aquele que vem agora, a garota que acabei de comer, Karen Cacete Minty. Quero cortar os pulsos.

Mas ao mesmo tempo estou morrendo de necessidade de café, e ela leva dois copos quentes — Starbucks, que surpresa —, e dá de ombros.

— Não sabia como vocês gostam, então peguei tudo.

Ela coloca um saco de papel pesado no balcão. Ethan vem pulando para a frente da loja, e ela é assustadoramente amigável com ele desde o princípio.

— Você deve ser Ethan, certo? Joe me contou sobre você.

Quão bêbado eu estava noite passada? Ethan não consegue conter a alegria com a ideia de eu falar sobre ele para alguma garota, e praticamente baba sobre Karen Minty. Ela não perde tempo em se sentir em casa, e olha para mim.

— Então, como você gosta do café, Joe?

Eu digo que "não, obrigado", ela vira os olhos, pisca para mim e chama:

— Ei, Ethan?

Ele tropeça em si mesmo ao correr de volta. Só Ethan. E diz que é puro, dois cubos de açúcar, e ele é:

— Creme e Stevia. Ou Truvía. Ou Splenda. E se não tiver, qualquer açúcar de verdade dos pacotes marrons. Mas nunca Equal!

Enquanto isso Karen está olhando fundo em meus olhos e pensa que vai me trazer café pelo resto da vida. Eu amo você, não ela, e, porra, ela é uma daquelas garotas. Sorri duro para mim e pisca.

— Obrigada, Ethan.

E não há escapatória. Eu não fiz só um carinho nesse gato. Eu o adotei.

36

ESTAR com Karen é chocantemente eficaz, pelo menos no sentido de que você está cada vez mais longe de mim. Tento ver a parte boa disso: posso praticar como namorado, e isso é bom para nós. Mas me sinto mal quando estou acariciando a bunda dela na cama, dobrando as calcinhas fio dental dela na lavanderia e mandando à mãe um bilhete manuscrito de agradecimento depois do jantar de domingo. É errado da minha parte trair você. Mas, saiba disso, Beck: todo dia encontro um jeito de visitar suas fotografias no meu telefone. Eu sou fiel. Sete semanas de vida com Karen Minty, onze semanas de terapia e Nicky acha que estou fazendo grandes progressos. Não estou mais tão deprimido. Leio seu e-mail e sei que você ainda está fazendo aquela coisa — nada de álcool, nada de compras —, e agora que estou vendo o dr. Nicky entendo plenamente por que ele a faz querer se concentrar.

— Você parece muito mais feliz do que estava no dia em que começou aqui, Danny.

— Obrigado — digo. — Eu me sinto mais feliz.

— E as coisas estão indo bem com Karen?

— As coisas estão ótimas com Karen — respondo, e tecnicamente estão. Nicky riu quando contei pela primeira vez sobre ela. Disse que uma garota é um gato muito mais eficaz que outro vídeo no YouTube. Ele está certo.

— Sei como parece, Danny — ele diz, sorrindo. — Depois que conheci minha esposa acho que não parei de sorrir por dois anos.

Eu solto.

— Ah, nós não vamos nos casar, Nicky.

Ele faz aquela expressão de sei tudo e eu continuo.

— Quero dizer, ela não é para mim.

Ele insiste.

— Agora você não parece tão feliz. Tem medo de se casar?

— De modo algum — digo, e é verdade. Eu me casaria com você em um piscar de olhos.

— Então o que há de errado com Karen, Danny?

Ela não é você.

— Ela é só... Nada.

— Ela é nada — ele diz, e ergue as sobrancelhas. — Uau.

Eu dou um grunhido.

— Quis dizer que não há nada de errado com ela.

— Ainda assim — ele diz, e é como eu sei que o tempo terminou. — Tenho um dever de casa para você. Quero uma lista de dez coisas de que você gosta em Karen. O gato ajuda a manter o rato longe. E lembre-se. Pensar no gato é melhor que pensar no rato.

— Certo, Doc — digo, e a coisa de "Doc" é uma piada nossa, sabe, porque ele não é doutor. Eu tento fazer meu dever na volta para casa, mas só continuo a pensar em você.

Ainda estou tentando, alguns dias mais tarde, sentado no sofá assistindo ao programa preferido de Karen Minty, *O rei do bairro*. Ela ri de uma piada que não a faria sorrir, e amo você porque você não ri fácil. Ela tira o fio dental de dentro da bunda e amo você por suas saudáveis calcinhas de algodão.

Ela geme.

— Eu adoro Kevin James para cacete.

— Ele é bom — minto. Eu amo você porque não adora Kevin James, e, caso risse de uma de suas piadas, ainda não o adoraria.

Entra um comercial do Burger King — cacete, Karen Minty adora comerciais — e ela mostra o dedo para a TV.

— O cacete, BK. As batatas de lá são uma bosta, certo, Joe?

Eu faço o jogo e dou um sorriso, mas amo você porque poderíamos estar casados há cem anos e você nunca me perguntaria o que acho das batatas do BK, porque você nunca diria BK, e, se estivesse falando sobre batatas fritas, isso seria mais que sobre fritas. Elas teriam significado. Haveria uma história ali. Você é cebola e Karen é uma cereja ao marrasquino, e amo você porque cebolas são mais complicadas que cerejas. Estou condenado.

Quase me esqueci de que a cabeça de Karen Minty está no meu colo, e ela olha para mim acima.

— Querido, você está bem?

— Sim — digo, e passo a mão pelo cabelo dela, do jeito que gosta. — Só pensando no meu dever de casa.

Karen não aprova.

— Falando sério, Joe, acho que essa merda é desperdício de dinheiro.

— Eu sei.

— No hospital todos os escrotos são analistas. Cada um deles é um maldito traidor, mentiroso e mais maluco que os pacientes.

— Nicky não é assim — digo.

Ela bufa.

— O cacete que não. Eles são traidores e mentirosos, Joe, traidores e mentirosos.

Você nunca se repete, porque é criativa, e Karen não é, e ela belisca meu mamilo.

— Joe, olhe para mim.

Eu olho para ela.

— Cuidado, moça.

— E sobre o que você fala lá dentro, afinal? Quero dizer, você é perfeito, Joey.

— Ninguém é perfeito — digo, e pareço um professor. — E eu tenho um pouco de TOC.

— É — diz Karen Minty, rindo. — Você tem TOC... Com a minha xota.

Você nunca diria algo tão grosseiro, eu acaricio Karen Minty, vejo Kevin James e sinto tanta falta de você que me sinto doente. De repente tenho de sair. Eu levanto.

— Ei, onde é o incêndio? — Ela reage e abraça minha almofada. Ela é muito carente.

— Vou à loja — digo, e pego as chaves.

— Quer companhia?

Ela não é misteriosa.

— Não — respondo, e pego o casaco.

— Precisa de dinheiro? — pergunta, e se senta. Ela é patética.

— Não — digo. — Fique aqui. Volto em um segundo.

Desço a escada correndo e paro. Eu poderia fazer qualquer coisa a Karen Minty e ela ficaria. Ela fincou as garras em mim, Beck. A mãe dela está tricotando um suéter para mim e o pai quer me levar para passear em seu barco um domingo desses. Eu me sento no patamar. Talvez agora que estou longe de Karen Minty, eu possa fazer uma lista de coisas de que gosto nela.

Número um: Karen Minty foi criada com três irmãos, então ela é tolerante.

E é verdade. Ela é tolerante. A FedEx está fodendo a nova Nora Roberts e posso colocar Karen no metrô e mandá-la ao centro e ela irá até lá, arrastará uma caixa de livros de volta no metrô, subirá a escada e chegará à loja. E se eu pedir, Karen descarregará os livros, colocará preço e empilhará. Ela não reclama, Beck. Ela quer ser convocada, como um moleque tentando fazer o bem na véspera do Natal caso Papai Noel esteja vendo. Posso até pedir a ela para limpar a poeira que notou enquanto fazia a pilha.

Número dois: Karen Minty gosta de limpar.

"Eu cresci em uma porra de um chiqueiro" — ela gosta de dizer. "A única forma das porcarias ficarem limpas é se eu limpar, e eu gosto das porcarias limpas, então aí está."

Número três: Karen Minty gosta de cozinhar.

E é boa nisso. Eu não como tão bem há não sei quanto tempo, comida caseira de verdade (uma lasanha que continua com gosto bom mesmo depois de cinco dias na geladeira), e o corpo de corredor que eu estava desenvolvendo quando rastreava Peach Salinger (que ficaria absolutamente horrorizada com Karen), bem, eu ainda tenho em grande parte porque Karen gosta de cozinhar, comer, limpar e foder. E ela pretende fazer todas essas coisas comigo para sempre. Encontrei um pequeno fichário plástico de receitas que pertenceu à mãe dela. Mandei uma mensagem perguntando sobre as receitas e ela respondeu:

"É que estou cozinhando muito mais na sua cozinha do que na minha."

Qualquer coisa que eu queira, a qualquer momento, posso pedir e ela pode fazer, porque a mãe sabe fazer tudo. Eu levei um resto de lasanha para Ethan e ele acha que a mãe dela deveria fazer um livro de receitas. Ela é boa assim.

Número quatro: Karen Minty gosta de fazer sexo...

Assim como você gosta de falar merdas sobre Blythe e de provocar — seus mamilos ficando duros na loja no primeiro dia —, bem, Karen Minty simplesmente gosta de montar em paus. Todos os paus; dá para dizer que ela foi muito comida, e isso não me incomoda. Sou o melhor que ela já teve; palavras dela, não minhas.

Número cinco: Karen Minty sabe que Ethan é boa gente.

Saímos uma vez com Blythe e Ethan. Foi ruim. Blythe recusou os Greyhounds de Karen e disse a ela que Leonardo DiCaprio bebe "muitas bebidas, Karen. Você é tão ingênua assim?". Uau. No dia seguinte Ethan chegou à loja se desculpando — "Blythe não tem muitas amigas! Espero que Karen não esteja magoada!" — e Karen apareceu enquanto ele estava lá. Karen disse a Ethan que Blythe é "superinteligente" e "terrivelmente bonita". Quando Ethan foi dar uma cagada, Karen me disse que achou Blythe uma escrota. "Ethan deveria estar com uma garota legal", disse. "Mas os caras legais *sempre* ficam com as escrotas. Eles não rompem se você os desafiar. É preciso dar um tempo a ele. Ele acabará largando." Karen Minty realmente é uma *enfermeira*.

Há dois dias ele me perguntou, totalmente sério, se planejo pedir Karen em casamento.

— Ethan, são apenas dois meses.

Ele deu de ombros e me disse pela décima quinta vez como pediu sua ex, Shelly, em casamento após seis semanas.

Disse secamente a ele:

— E veja você como terminou.

— Quando você sabe, sabe.

— Bem, eu não sei, Ethan.

— Bem, melhor você começar a pensar em saber — disse, e pela primeira vez ele tinha barba por fazer, outro milagre. — Porque ela decididamente sabe.

Número seis...

Isso é inútil. Talvez Dan Fox ame Karen Minty, mas eu não amo Karen Minty. Eu amo você. Eu amo sua profundidade, suas cartas a si mesma, e estou errado ao enganá-la. E, sinceramente, ela é agressiva demais. Do contrário, por que Ethan e Nicky estariam falando de casamento quando estamos saindo há menos de dois meses? E lá vem ela, descendo a escada do prédio aos pulos atrás de mim.

— Buu — ela grita.

E eu me encolho, embora soubesse que ela estava vindo.

— Ai meu Deus, você se assusta fácil demais — ela diz, e ri. Senta ao meu lado, apoia a cabeça no meu ombro e suspira. — Eu não me assusto nunca. Quando era criança meus irmãos tentavam me sacanear tanto que, não sei. Acho que apenas perdi todo o meu medo ou algo assim.

Está uma noite agradável. Há crianças brincando do lado de fora. Será primavera quando menos se esperar. Karen Minty boceja.

— Que noite, não é?

— É — respondo.

Ela ouve o timer do forno, me puxa para perto e dá um de seus beijos duros e autoritários em mim.

— Quer enchiladas?

— Eu alguma vez não quis enchiladas? — digo, e ganho outro beijo.

— Bem, venha. Primeiro enchiladas. Depois você prometeu me ajudar com os meus cartões.

Eu guardo as chaves da loja e a sigo escada acima para minha casa.

Número sete: Karen Minty tem uma bunda maravilhosa.
Número oito: Karen Minty faz enchiladas maravilhosas.
Número nove: Karen Minty mistura cartões de favores sexuais com seus cartões da faculdade de enfermagem, de modo que aleatoriamente eu mostro a ela um cartão que diz "Arranque minha camiseta".
Número dez: Karen Minty gosta de foder.

Depois que fodemos eu olho minha lista e me dou conta de que deixei de fora o número seis.

Número seis: Karen Minty sabe o que quer. Ela quer ser profissional de flebotomia.

Ela não reclama de seu dever de casa porque sabe o que quer. Ela quer tirar sangue das pessoas; quer se especializar em flebotomia.

— Eu tenho uma agulhada boa para cacete, e quando você está há oito dias de cama com veias fodidas e sua intravenosa entope porque uma vagabunda idiota fez merda com seus remédios, a coisa mais importante no mundo para você é uma boa agulhada. Não um grande médico, uma boa agulhada. E eu quero ser a agulhada de que o mundo inteiro fala.

Você entende isso, Beck? Não é como se ela quisesse tuitar sobre ser enfermeira — "Twitter o cacete, eu prefiro a vida", ela disse outro dia. Há em tudo uma simplicidade que é realmente boa para mim, e sei disso porque minhas bochechas estão coradas, minha barriga está cheia, meu pau é a vara de que o mundo inteiro fala — é só perguntar a Karen — e eu acordo, quero sair da cama e cuidar da vida. Mas também acordo pensando em você.

TERMINO de ler minha lista para o dr. Nicky. De início ele não diz nada.

Estou impaciente.

— E aí, Doc?

— Você me diz, Danny.

— Eu fiz meu dever de casa. Agora é sua vez.

O dr. Nicky simplesmente olha para mim, eu simplesmente olho para o dr. Nicky. Ele faz isso com você?

— Tudo bem, Danny. Vou lhe perguntar uma coisa — diz, e se inclina para frente. — Karen sabe que você não a ama?

Não posso mentir para ele sobre Karen. Ele não pode me ajudar a não ser que eu diga a verdade.

— Não. Ela não sabe.

— Mentiras não pavimentam o caminho para a alegria — ele diz, e algumas vezes ele me lembra um rabino, não posso acreditar que costumava pensar que você fazia sexo com ele. — E se há uma coisa que aprendi em quase cinquenta anos neste planeta é o seguinte: se você não começa com um amor louco, o tipo de amor sobre o qual Van Morrison canta, então você não tem força para a distância toda. O amor é uma maratona, Danny, não uma prova de velocidade.

Eu mando:

— Quanto a você? Você ama sua esposa?

— Não — ele diz, muito rápido. — Mas *amei*.

A caminho de casa depois da terapia eu estou deprimido e confiro seu e-mail. Você respondeu sim a um RSVP para uma festa em uma pista de boliche elegante para babacas. Sei que você não irá; você não vai mais a parte alguma. Você só vai ao dr. Nicky porque ele é... O dr. Nicky. Mas sei que Karen Minty irá comigo à pista de boliche e se sentará lá até eu dizer que é hora de ir para casa.

Ela se senta comigo no bar moderno perto das pistas e não somos dali. Somos as únicas pessoas que não fazem parte da festa. Estão todos ao nosso redor, conversando sobre o guarda-roupa de Lena Dunham — Karen Minty quer saber: "Quem é Lena Dunning?" —, sobre os suspensórios vintage do macho alfa — Karen Minty mastiga o canudinho e dá de ombros —, e sobre a Campus Dance na Brown — Karen Minty joga uma partida de Jewels no telefone. Você não aparece na festa, Karen Minty está apaixonada por mim e eu não a amo, não consigo. Já se passou muito tempo desde que vi você e a vida poderia ser mais fácil se eu pudesse me transformar em um fã de *O rei do bairro*. Mas não posso, Beck. E de todas as pessoas, você entenderia. É como a carta que você escreveu para si mesma hoje.

"Querida Beck. Louisa May Alcott está certa. Uma garota extraordinária não pode ter uma vida ordinária. Não julgue a si mesma. Ame a si mesma. Amor, Beck."

37

EU li livros suficientes e vi filmes suficientes para saber que Nicky fodeu tudo quando me contou sobre a esposa. Não me surpreendo quando ele me diz que precisamos *conversar*. Ele aceita toda a responsabilidade pela violação, por cruzar os limites entre paciente e terapeuta. Eu nunca vi o cara pior, Beck. E ele é uma pessoa tão boa, como o sr. Mooney antigamente, antes daquela vez que ficou com raiva de mim. Não suporto escutá-lo se atacar.

Eu apelo:

— Ei, vamos lá, Doc. Pare de se açoitar.

Não sei se está rindo ou chorando, e ele poderia ser o único cara na Terra capaz de fazer as duas coisas ao mesmo tempo. Ele é um malabarista, e Deus o abençoe, pois eu nunca conseguiria me desculpar com outro cara por dizer as porras de coisas sobre minha própria vida.

— Danny — ele diz. — Tudo o que posso fazer por você agora é dar uma indicação. Quer uma indicação?

Há manchas de sementes em sua camisa e as roupas estão amarrotadas, como se estivesse com elas há tempo demais. Eu sei como animá-lo e digo que não preciso de uma indicação porque estou melhor. Ele sorri. Eu continuo. Digo que não tenho um rato em minha casa porque ele é o melhor analista que há.

— Como está indo com Karen?

— Está bom — digo. Quero que ele se sinta realizado. — Falando sério, o rato está morto.

— Uau — ele diz, e de algum modo parece invejoso. Ou talvez esteja apenas triste.

Digo que sua teoria de rato-gato é genial e ele gosta de que eu use essa palavra, *genial*. Claro, não digo que quero me cobrir de queijo e manteiga de amendoim de modo a fazer o rato voltar. Ele merece mais.

— Estou feliz por você, Danny — ele diz. — Você trabalhou duro, fez seu dever de casa, e isso é tudo seu, garoto. Descobrir o que o faz feliz é uma jornada.

Você me faz feliz.

— Você disse.

— Ser obcecado não o fez feliz — Nicky continua. — E você sabia disso. E, mais importante, você agiu a partir desse conhecimento e decidiu se colocar acima de sua obsessão. Você é inteligente, Danny.

— Não sei como agradecer, Doc.

— Desejaria ser tão inteligente quanto você — ele diz, e novamente tem aquele olhar triste de olhos opacos enquanto fala sobre como é difícil fazer o rato ir embora.

Estou sentado e pensando em você, minha rata amada. Nicky está certo. Talvez você nunca mais apareça, pode ter partido, sei que é possível que tenha se mudado, poderia até estar saindo com alguém. Mas a coisa mais importante que sei é que quero a possibilidade de você mais que a realidade de Karen Minty.

— E o que posso dizer, Danny? Também estou muito feliz por seu gato ter funcionado. Quando você veio aqui eu estava preocupado. Você não parecia bem. Parecia um prisioneiro.

— Eu me sentia um — digo. E sentia mesmo. Eu sinto.

— Mas então você conseguiu um gato.

— Amém — respondo. Imagino Karen Minty de quatro com seu corpinho pendurado na boca.

— Ei, eu entrei no YouTube e vi aquele vídeo do Honeydrippers hoje logo antes de sua chegada — diz, e os olhos arregalam. — Posso entender sua obsessão. Aquele vídeo é uma viagem, aquele cara de sunga, aquele paletó. O que aquele paletó está fazendo naquele cabide?

Nós rimos, mas a tristeza dele é como uma febre que se revela em seus olhos, em sua boca. Eu me sinto mal por mentir, e o telefone dele toca.

— Desculpe. Mas tenho de atender.

Ele diz que tem de sair — "merda no ventilador em casa" —, agora que ele rompeu a dinâmica médico-paciente pode voltar a partilhar — e promete retornar em cinco minutos. Fecha a porta e eu imediatamente olho o computador. Quis acessar aquele computador na primeira vez em que pisei na sala. Você vive ali, em algum lugar, e a tentação de encontrar o mar de amor é esmagadora. Eu juraria que você está chamando de dentro do disco rígido, me atraindo para seu próprio mar, e não consigo resistir. Eu realmente sou como o cara no vídeo. E é esta a minha grande chance. Nunca estive sozinho aqui, e foda-se. Corro para a escrivaninha de Nicky, teclo a barra de espaço e mergulho.

Olhar para o protetor de tela com a foto de família de Nicky com esposa e filhas que me deixa culpado. Estou violando nossa confiança, e a família de Nicky é tão inocente, posando diante da Nicky's Pizza em Chestertown, NY. Há algo patético em um adulto obrigar a esposa e as filhas a posarem em um dia chuvoso diante de uma pizzaria só porque ela se chama Nicky's. Eu me sinto mal pelo cara, mas quero você, minimizo o vídeo de Honeydrippers — ele é um bom homem, realmente estava assistindo — e procuro o disco rígido. Uau. O dr. Nicky não escreve sobre minhas sessões, suas sessões ou as sessões de alguém. Ele apenas dita seus pensamentos no iPhone e baixa os arquivos de MP3 para o computador. Há uma pasta chamada GBeck com um monte de arquivos de áudio. Tenho aquela sensação de Van Morrison sobre a qual Nicky estava falando. Envio a pasta para mim mesmo. Deleto o e-mail na pasta de enviados. Esvazio a lixeira. Consegui.

Mas não. Acabou. Eu fodi tudo.

Nicky está de volta com um sorriso desapontador, e suspira.

— Danny, eu lamento muito. É culpa minha. Eu lhe digo que o vídeo está aqui e saio. Estou perdendo a noção, Danny.

Eu respiro. Eu consegui, afinal.

— Não é não, Doc — digo, e falo sério.

Ele parece fraco, e a voz está instável.

— Que tal aquela indicação?

Eu pego a indicação, aperto a mão dele e *saio*. Estou triste por Nicky, mas nada chega perto de minha animação por causa dos arquivos, *GBeck*. No elevador eu faço algo que nunca faço. Rezo para que Nicky encontre alguém que possa lhe dar aquela sensação Van Morrison, para que seus dentes clareados não pareçam tão risivelmente deslocados no seu rosto cansado e triste.

O elevador me desova no saguão e Danny Fox está morto. Quando saio eu tropeço, a porra de uma rachadura na calçada. Há um buraco negro em minha mente: estou maluco? Eu poderia simplesmente continuar a comer os ovos e a xoxota de Karen. Poderia recomeçar com a indicação de Nicky e tentar levar a vida sem você.

Poderia.

Mas a verdade é que gatos me entediam. Eu preferiria ouvir as fitas de Nicky falando sobre você do que ter um intercurso com Karen Minty. E se Van Morrison não é maluco, então eu também não sou.

"Querido Joe. Você não é uma pessoa de gatos. Você quer um rato. Com amor, Joe."

38

TENHO de comprar fones de ouvido na porra de uma delicatessen porque preciso saber agora mesmo o que Nicky disse sobre você, e o atendente fala sem parar, não sei por que tantos cretinos se dedicam ao setor de atendimento ao cliente, eu agarro os fones e murmuro "obrigado, babaca", saio dali, tento rasgar o pacote e está fechado apertado demais e eu grito, algumas pessoas na rua se afastam de mim como se eu fosse o Hulk explodindo de dentro de sua camisa social, me enfio na travessa e levo tempo para rasgar o plástico e tirar os fones, jogo fora as instruções e não consigo enfiá-los no telefone rápido o bastante enquanto desço a escada correndo, passo o cartão do metrô e aperto *play* no primeiro MP3, entro no trem e me sento em frente a um negro cego que sorri sem motivo.

"Certo, primeiro dia, Beck. Sexo feminino. Vinte e poucos anos. Hipersexualizada. Problemas com limite. Problemas com o pai. Alega estar aqui para resolver problemas com homens, mas parece não se dar conta de que eu tenho uma aliança no dedo. O único modo de se comunicar é pela sedução. Cruza as pernas várias vezes e veste uma camiseta leve sem sutiã. Busca atenção. Pergunta diretamente sobre transferência, grave transtorno narcisístico. Insiste em me chamar de dr. Nicky a despeito de minhas repetidas declarações de que não sou médico. Pergunta repetidamente se sou casado e se tenho uma boa vida sexual com minha esposa, de modo a evitar discutir a própria vida. Diz que dormiu com seu terapeuta na faculdade. Repetidamente. Pergunto por que não procura uma profissional do sexo feminino e responde que tem uma mãe, não precisa de outra. Possivelmente limítrofe, predadora, tendências masoquistas."

O negro cego está olhando para mim, não pode ver, não posso ficar puto com ele, avanço para outro segmento. Talvez o seguinte seja melhor. Tem de ser.

"Marcia foi uma porra de um pesadelo esta manhã. Mack dormiu demais novamente, Amy está gripada e Marcia simplesmente é incompetente como mãe. Eu quase cancelei, mas me descobri aliviado de saber que veria Beck. Comecei a ansiar por meu tempo com essa jovem. Eu me vejo fazendo contagem regressiva, pensando em o que ela irá vestir naquele dia. Ela torna minha vida suportável, maldição. Agora quem está perguntando sobre transferência? Hoje ela se apresenta de calça de agasalho e uma camiseta sem forma, cabelos desgrenhados e pele brilhante. Não consigo deixar de sentir que ela se vestiu mal para mim, o que é mais íntimo que se vestir bem para mim. Estabelecemos metas: ela quer confiança sexual. O que eu acho divertido, porque ela é sexo."

Eu aperto *pause* e quero que o negro pare de sorrir. Quero que o mundo pare de sorrir. Eu avanço. Aperto *play*.

"Ela alega que eu a abri, que está tendo uma pausa muito necessária de homens, que está se dando conta de coisas sobre o pai, coisas sobre sua vida amorosa, e tudo isso depois de apenas algumas sessões porque eu sou o médico mais impressionante que ela já teve. Digo a ela novamente que não sou médico. É terrível que eu adore quando ela me chama de dr. Nicky? Não responda. (Suspiro.) De qualquer forma, digo a ela que não existe cura milagrosa. Ela me ignora. Diz que algo se acendeu dentro dela. Diz que nunca se sentiu tão em sintonia consigo mesma. Diz que conversar comigo é o melhor momento de sua vida. Está se apresentando mais sexualmente, com meias até os joelhos e saias. Acho que sabe que estou me encantando por ela. E, meu Deus, acho que ela está se encantando por mim. Penso demais nela. E algumas vezes me preocupo que ela saiba. Eu deveria interromper a terapia, mas não consigo. Estou tão cansado de Marcia e da máquina de lavar quebrada, e Beck é... Um alívio."

Aperto *pause*. Olho ao redor. Gostaria que houvesse alguém que eu pudesse socar na cara. Eu nunca socaria um cego, e aperto *play*.

"Sei que deveria dar a ela uma indicação e mandá-la embora."

Aperto *pause* novamente porque estou ficando surdo de raiva. Ele não teve problema de me dar uma indicação. Tudo bem chutar Danny Fox para a sarjeta, mas você tem de ficar. Aperto *play*.

"O diário dela é produtivo. Ela é receptiva à minha sugestão de que precisa estar em uma relação de modo a abordar seus problemas. Repetidamente me diz que temos uma ligação. Eu não a encorajo, mas só consigo pensar nessa ligação. Como posso estar tão disposto a aceitar o fracasso no trabalho? Mas não estou disposto a aceitar quando uma paciente muito inteligente me chama de gênio. Talvez eu a tenha curado em questão de semanas. Será que minha autoestima caiu ao ponto em que eu já não ache ser isso possível apenas porque comprei a máquina de lavar errada?"

Ele ama você, está atrás de você, e o cego está sorrindo, agora em pé, tateando, e somos todos caçadores, somos, e eu avanço.

"Digo a Diane que estou começando a ter sonhos com Beck. E claro que Diane me diz para interromper o tratamento. É o que um bom terapeuta diria, e Diane é uma boa terapeuta. Mas eu não consigo. Beck está se abrindo para mim e confia em mim o suficiente para me contar sobre o travesseiro verde que usa para se masturbar. Para se masturbar! O histórico é revelador. O pai foi embora. Então ele pediu à mãe dela que mandasse para ele, por correio, seu travesseiro de pescoço. A mãe passiva concordou, mas Beck já tinha roubado o travesseiro. Em minha fantasia, estamos no meu consultório, ela vai até mim e pede para se sentar no meu colo. Eu digo que não, mas ela não se detém. Monta em mim. Eu agora fantasio sobre ela o tempo todo, e a máquina de lavar ruim na verdade é boa, porque, agora, temos uma porta na lavanderia e posso tocar punheta lá e pensar sobre Beck sem ser flagrado. Na minha cabeça, quando estou dentro dela ela me chama de astro do rock, astro da piroca, e não me sinto vivo assim em anos. Ficar com Marcia parece mais uma traição. Como se eu estivesse traindo Beck, embora nada esteja acontecendo. A cada dia estou mais desligado de minha família. A verdade é feia: eu preferiria ter Beck."

Em algum momento durante aquela gravação o cego saiu do trem. Eu perdi minha estação, os fones bloqueiam meus ouvidos, um lixo barato, eu os arranco do telefone e os jogo na janela em frente. As pessoas estão me olhando e as pessoas que se fodam. O trem para e sou o primeiro a sair. Não consigo ficar com mais raiva do que estou neste instante. Eu me sinto um merda e quero arrancar minha própria cabeça porque não posso acreditar que caí na babaquice dele. Não consigo acreditar que disse a ele coisas que nunca conto a ninguém. Viro a esquina e vejo Karen Porra Minty sentada na porra do meu patamar com uma cesta de piquenique, e gatos deveriam ser mais inteligentes que isto, mais frios que isto.

— Surpresa — ela diz. — Preparei um piquenique!

Você consegue acreditar que Karen ainda existe? Eu quero entrar e jogar máquinas de escrever nas paredes até elas afundarem e os ratos se tornarem danos colaterais, caindo para a morte, gritando, e Karen Minty — *minha namorada* — tem de estar aqui com uma cesta de piquenique de verdade. Eu nunca tinha visto uma na vida real, apenas em desenhos, em livros, e não quero ir a um piquenique. Sinto cheiro de alho, alecrim e o creme de limpeza Noxzema que Karen passa sobre seu rosto apertado e pontudo desde menina. Acabou. Se ela soubesse o bosta que eu sou, se soubesse que *paguei* a um merda casado que vai seduzir e *comer* o amor da minha vida, ela não ia querer me levar a um piquenique. Eu preciso que ela vá embora. Isto não tem nada a ver com ela. Isto é falha de Nicky, e eu digo que não estou com fome.

Ela *está* com fome, se aproxima e eu me afasto.

— Joe, que porra?

Eu não sou Joe, eu sou Dan Fox, e falo alto.

— Jesus Cristo, Karen! Dá para entender a porra de uma indireta?

E é isso. Ela está em pé, tremendo.

— Vá se foder.

— Isso é inteligente.

— Foda-se a sua inteligência — ela rosna. — Acha que sou um capacho de merda que você pode comer e foder quando quer? Acha que sou uma porra de boneca de pano?

— Sim — digo, sem perder tempo. — É exatamente o que você é.

E é verdade. Eu estou errado sobre todo mundo. Você é uma piranha, Nicky é um escroto e a Doce Karen, a caçamba de porra, está fervendo de fúria contida. Ou seria tristeza? Ela estremece, a cesta faz seu antebraço tremer, eu sou a porra de um babaca, ela é a profissional de flebotomia que *me* ama, a mim, e se Nicky não estivesse apaixonado por você nada disso estaria acontecendo. Mas ele quer você, aquele frango tem um cheiro delicioso e eu sou um idiota.

— Sente-se — diz Karen Minty, e eu a deixo me ajudar a baixar ao patamar. Como Nicky pode fazer isso a Karen? Ela trabalha duro; a cesta está cheia. Ela tem coração; mês passado ela carregou um aspirador de pó o caminho todo até a minha casa. Aspirou debaixo do sofá. Vestiu shortinhos de puta, um top e encontrou lugares sujos que eu não sabia que existiam.

"Você não quer ratos", ela disse. "Do contrário eu não virei mais aqui."

Ninguém nunca transformou um aspirador de pó em uma dúzia de rosas, em um coração pulsante. E como tudo de ruim, isso também é culpa de Nicky. Foi ele quem me disse para arrumar um gato. Karen ficaria comigo para sempre, produziria filhos quando eu quisesse filhos e trabalharia em dobro para podermos ir à Flórida uma vez por ano, eu tenho tudo isto aqui em uma *cesta de piquenique,* e aquele alecrim cheira a paraíso. Mas a coisa é que ela nunca ouviu falar de Paula Fox ou *Magnólia,* ou tentou transar com seu analista casado. Ela não é "diferente. Um tesão" como nós. Ela segue as regras; ela não ousa tocar o buraco na minha parede porque isso é "para o zelador consertar". Ela respeita limites e foda-se Nicky por eu desperdiçar o tempo dela e partir seu coração.

— Por que está puto comigo? — ela pergunta, trêmula. — Pensei que você acharia legal um piquenique. Está uma maravilha ao ar livre.

— Karen.

— Ah, foda-se — ela diz, e sabe que a estou largando. Ela dá um pulo do patamar e sai correndo, chorando, sumiu. Eu nunca a verei novamente, levo a cesta de piquenique para cima e espalho tudo em meu apartamento cheirando a Minty. Eu me farto de peito de frango, batata assada, couve-flor em molho cremoso e vinho tomado direto na garrafa. Devoro como se fosse a última ceia, porque é. Eu enterrei Dan Fox hoje e agora tenho de cuidar de Nicky. Não há como evitar, Beck. Escuto as gravações dele a noite toda. Ele se aproveitou de você no lugar mais seguro do mundo. Ele está em sua cabeça, um rato em sua casa, e certamente a enganou para pensar que o ama. Não podemos ficar juntos com ele controlando seu pensamento. O dr. Nicky é... O dr. Nicky: um porco casado ganancioso. E ele estava errado sobre mim. Eu não tenho um rato em minha casa. Eu tenho a porra de um porco.

39

NÃO me lembro da última vez em que estive tão perto de uma escola. Muita coisa mudou. A escola pública (EP) 87 na 78 Street tem um slogan, cacete: "Uma família sob o Sol". Eu passei o começo da manhã nos degraus do Museu de História Natural tomando café, aprendendo sobre Nicky e esperando que as famílias saíssem da cama e fossem para "sob o Sol". A viagem para esta escola foi chocantemente fácil, em grande medida graças à cunhada de Nicky, Jackie. Eu a encontrei na página do Yelp sobre a Nicky's Pizza, onde ela contribuiu com inúmeras fotos de "nossa grande família desfrutando de nossa "*za* preferida!". A conta de Jackie no Yelp me levou à abundante página de Jackie no Facebook, que apresenta muitas entradas nas "cabanas do norte!", na Nicky's Pizza (dã) e, mais importante, na "EP 87! A melhor escola da cidade!". Melhor página do Facebook no mundo!

Realmente, eu deveria entrar para o Yelp apenas para endossar suas ofegantes resenhas de restaurantes. Devo isso a ela. Eu sei tudo sobre Nicky.

Então, hoje estou vestido como corredor, porque se há um lugar no mundo onde você não pode relaxar sem ser perturbado é em uma escola. Acaba que estou em uma forma de merda. Não corria desde Peach. Estou correndo em círculos, realmente fazendo jogging — desde as quatro e meia da manhã, escutando os malditos diários de pervertido de Nicky para me manter concentrado. Desço a Columbus, viro à direita na 77, passo pelo parque vazio, viro à direita na Amsterdã, depois à direita na 78, passo pela EP 87 e repito. Eu já dei não sei quantas voltas quando tudo vale a pena porque vejo Nicky descendo a rua. Ele hoje me parece diferente. Eu me acostumei a sentir pena dele pelo modo como era tão curvado, os olhos voltados para o chão. Mas agora parece apenas mau. Sua corcunda é uma punição por seus pecados. (Você.) Um pai deveria estar cuidando da filha, mas Nicky deixa a cabeça caída.

Suas filhas são mais velhas, e aquela foto no computador deve ter sido tirada há algum tempo. Ele segura a mão de Amy (Amy é aquela que eles tiveram em vez de divorciar) e manda Mack ir mais devagar. Mack é aquela que eles tiveram para fechar o negócio — mais velha, distante. Para mim tudo bem correr no lugar, pois estou usando óculos escuros e fones de ouvido, e se há um cara que todos no Upper West Side ainda recebem de braços abertos é o maldito corredor.

Nicky leva essas crianças para a escola (e o que aconteceu com esta cidade que os pais entram na escola com as crianças, cacete? Aliás, ninguém segurava a porra da minha mão ou a de alguém antigamente), uma mãe olha feio para mim, eu aceno e sorrio (eu naturalmente bom!), e ela acena, supondo que esqueceu meu nome e me conhece da associação de pais e professores, da academia ou sei lá o que, e vamos lá, Nicky, saia daí porque correr no lugar não é como correr em círculos, temos trabalho a fazer, eu e Nicky, e não temos muito tempo porque você deve ver Nicky amanhã à tarde, uma hora, e decidi que isso não irá acontecer.

NICKY é prova viva de que mãos desocupadas são a casa chifruda e traidora do diabo. O cara está muito descontraído, Beck. Após deixar as meninas na escola ele tomou o longo caminho para casa, conversou pelo telefone — com você — e depois desapareceu no prédio dele. Não vi ninguém tocar a campainha na casa dele, então não é que ele estivesse recebendo pacientes. Ele e a esposa saíram três horas depois, discutindo por causa da máquina de lavar — por isso o casamento me assusta, eles estão discutindo sobre a máquina com defeito há meses — e eu os acompanhei na caminhada. Se Nicky tivesse colhões a deixaria, mas ele não tem. E não estou puto com você por ficar caída por ele. Eu não a culpo. Quanto mais escuto as fitas, mais vejo em Nicky o que ele é: um manipulador muito talentoso e doentio. Eu não percebia a sacanagem dele, então não posso exatamente culpar você por cair em seu encanto. E se você pensar bem, é meio que doce que ambos tenhamos sido enganados. Somos parecidos. Eu sorrio.

A esposa de Nicky, Marcia, não é nada como você. Ela é desajeitada e ruidosa. Leciona psicologia em várias universidades locais e virtuais. É uma mártir de pernas gordas com um tapete de ioga sobre o ombro. Eu odeio parecer grosseiro, mas a ioga não está adiantando. Ela usa uma viseira de campanha contra o câncer de mama — dá para ver que essa mulher está sempre reclamando de alguma coisa — e os cabelos estão presos em um rabo de cavalo baixo e lamentável. Essa não é uma mulher feliz, Beck. Ela é grosseira. Cruza os braços quando eles passam por sem-teto, como se os sem-teto fossem tentar alguma coisa com ela. Eu poderia sentir pena de Nicky, mas fatos são fatos: em algum momento da vida ele pediu Marcia em casamento.

Vê-lo caminhar com Marcia é deprimente. Apenas ela fala, sobre festas de aniversário, pediatras e aulas de ioga para crianças — como se crianças não se alongassem sozinhas. Há vitaminas a comprar, babás a serem demitidas e o pobre Nicky se curva mais a cada quarteirão. Quando eu finalmente matá-lo, estarei acabando com sua infelicidade. Você não o quer, Beck. A vida não combina com ele. Todo o poder que ele tem na sala bege com os discos na parede desaparece quando ele sai do seu parquinho. Ele quer atravessar, mas a esposa puxa seu braço. Ela manda:

— Sinal verde.

Eles atravessam quando é seguro — *risos* — e entram em uma casa comum. Confiro o endereço no Google e, naturalmente, eles estão lá para terapia de casal. Cinquenta minutos depois eles saem, murchos. Caminham em silêncio até uma academia e se abraçam, ao estilo familiar, antes de ela desaparecer em seu refúgio de ioga com mulheres parecidas. Sigo Nicky pela rua e ele fica menos curvado a cada quarteirão.

Ele chega a seu destino, Westsider Books, e sai uma hora depois empertigado, com três novos discos usados (e nenhum livro, tsk, tsk). Eu o sigo até chegarmos à Urban Outfitters, ele entra com a sacola de discos, olha todas as roupas, experimenta camisetas, procura uma música depois da outra no Shazam e finalmente sai sem comprar nada. Agora é rumo à escola, onde pega as filhas e as leva de volta para casa. A mais nova está feliz e falante, e a mais velha, melancólica e calada, e as pessoas precisam ter cuidado ou acabam com vidas que não desejam. Sorte nossa termos nos encontrado um ao outro, você e eu. Fico perto do prédio dele como se esperasse um parceiro de corrida. Aí vem Marcia com uma amiga cujo gosto por roupas é igualmente terrível.

Marcia suspira, e fica claro para mim que ela suspira muito.

— Ele disse que preferiria se matar a se afastar dos filhos.

— E o que você disse?

— Disse que acho que todas as crianças ficam melhor com pais felizes que com pais casados. Disse que o divórcio não é mais um estigma.

A amiga concorda, e seu brinco cintila.

Marcia continua:

— E depois ele disse que é mais fácil para mim ser despreocupada em relação a divórcio porque meus pais tinham um casamento feliz. Mas você sabe que Nicky é um mártir. Os filhos dele *nunca* vão lidar com um divórcio!

A amiga suspira. Mulheres suspiram. Muito. Ela relaxa.

— Talvez você devesse criar um perfil dele no Match.

As amigas dão uma gargalhada, e a amiga diz que só estava brincando.

Não há respostas fáceis, elas fazem planos para reunir as famílias — porque parece divertido — e Marcia sobe para a casa que não quer, o homem que não ama. Agora eu sei realmente por que Nicky se tornou analista. Ele precisava de alguém com quem falar, porque se casou com a mulher errada. Ele sabia que estava abrindo mão de sua música, mas não sabia que estava abrindo mão do amor. Começo a sentir pena dele de novo, porque sou facilmente influenciado. Eu me enfio no metrô e observo duas enfermeiras resmungando do trabalho. Penso em minha enfermeira, Karen, e em como ela deve estar infeliz neste momento.

Não posso lhe dizer o alívio que é voltar para o meu bairro. Matar Nicky vai ser difícil. Mas é necessário. Você está obcecada por ele; ele é *um rato em sua casa*, e por causa do meu atual processo de raciocínio, quase surto quando vejo um policial no meu sopé. Ele bloqueia a porta da frente, é um gigante e meu cérebro congela — #BenjiPeachCandacecanecadeurina — e sou eu quem ele procura. Como Ethan diz, *quando você sabe, sabe*. Esse policial gigantesco segura o cassetete, e não está de sacanagem.

— É você, Joe?

Demanda tudo o que restou em mim para conseguir caminhar na direção desse homem quando tudo o que eu quero é correr.

— Venha aqui — ele diz. A coisa triste em ser pobre é que os poucos garotinhos do bairro que correm por ali nem sequer reagem; este é só mais um dia.

— Posso ajudá-lo? — pergunto, porque sou inocente, eu sou. Eu desejaria ser Dan Fox, mas ele também não é bom, não mais.

— Sim, pode — ele diz enquanto subo os degraus. Agora estou bem na frente dele. Os poros dele são enormes, os antebraços são maiores que os meus, o pescoço tem muitas veias, aposto que seu pai era policial, e o avô também. — Você pode me dizer quem acha que é, porra.

— Ahn — eu digo, e quase mijo na calça. — O que é isto, ahn, isto é sobre o quê?

Ele debocha de mim.

— Isto é sobre o quê?

Acontece muito rápido. Ele me agarra pelo colarinho e puxa para perto. Seu hálito é de cebola, cebola crua. Ele espuma.

— Seu merdinha.

Eu vou morrer? Fecho os olhos e ele aumenta o aperto na minha camisa. Eu sou inocente, inocente até prova em contrário. Ele cospe em mim. E então me solta.

Eu não limpo o rosto, e recuo um passo. Ele bate o cassetete no cimento.

— Sabe, é melhor respeitar este uniforme, garoto. Porque se eu não estivesse de uniforme, chutaria sua bunda, jogaria seus ossos na caçamba ali e garantiria que ninguém o encontrasse.

— Eu la-lamento — digo, gaguejando, ele provavelmente me odeia mais por causa de minhas roupas de corrida yuppies, e balança a cabeça.

— Sabe, minha irmã... — Ele está soluçando, fazendo estalos, e agora reconheço a cadência, é a de Minty. — Minha irmã Karen é uma santa, seu escroto. Ela é tão bonita por dentro quanto é por fora, e você, você, seu veadinho. Você não tem direito.

Irmã, e eu posso respirar novamente, estou implorando o perdão dele, dizendo que ela era boa demais para mim e ele não cai nessa. Eu calo a boca.

— Não se sacaneia Karen Elise Minty — ele diz, erguendo o cassetete, eu me encolho e não quero morrer, não posso deixar você assim. Ele bate o cassetete no concreto junto aos meus pés. — Levante, maldito maricas.

Ele me agarra pela garganta. E isso também é culpa de Nicky. Foi ele quem me empurrou para cima de Karen e depois me fez afastá-la. O gigantesco policial Minty agarra minha garganta, solta e esmaga o concreto uma última vez com o cassetete. Vai embora rápido, e não espanta que Karen Minty queira ser profissional de flebotomia. O irmão tem uma boa agulhada. Por que ela não teria?

40

CUIDAR de Nicky vai ser mais fácil do que pensei. Ele é uma pessoa que faz o bem, Beck, e uma vez por semana pega o trem para a área do Queens, que ainda é tomada por crack e crime, para aconselhar drogados que tentam ficar sóbrios. Mas esta noite ele será um alerta para todos os babacas do Upper West Side que acham que podem pagar por seus pecados com quatro horas por semana. Esta noite, Nicky que não é doutor, exceto para você, será atacado por viciados em drogas.

Eu tomo um gole de uísque e abro a primeira página de um livro de autoajuda, *Quando coisas ruins acontecem a pessoas boas*. Os amigos de Angevine darão esse livro à esposa dele quando for encontrado morto no Queens. A morte de Nicky será vista como uma tragédia. Suas filhas crescerão sem pai (até a mãe conseguir um substituto, o que provavelmente acontecerá em questão de semanas), e haverá uma beleza simples e perversa em seu falecimento. Sem suspeitos, sem confusão, sem malfeitoria, um assalto simples, carteira desaparecida, o cara estava no lugar errado na hora errada. Os amigos de Marcia Angevine ficarão junto a ela com bolos de café, seus próprios filhos e garrafas de vinho e lhe dirão como lamentam por sua perda. Mas sei que ela estará agradecendo ao Senhor por seu ganho.

É hora, Beck. Nicky sai da casa de recuperação e olha para os dois lados como um bom menininho branco. Baixa a cabeça e começa a descer a rua, e a esposa deve ter lavado seus tênis Vans, pois eles estão especialmente brilhantes de tão brancos. Ele é *um rato em sua casa*, e desejaria que você não o quisesse. Mas claro que quer, Beck. Ele é como o pai que você nunca teve, e você quer destruir a família dele. E isso é natural. É o ciclo de agressão, e era trabalho de Nicky ajudá-la a superar esse desejo.

Mas Nicky não fez seu trabalho. Ele é um porco. E não há final feliz possível para essa confusão. Se eu o deixar viver, você acabará conseguindo o que acha que quer. Ele vai comer você na sala bege, chorar com a esposa, suplicar por um divórcio, vai procurá-la — porque ele está certo, *você é sexo* — e a verdade é que no instante em que ele estiver disponível, sem aliança, sem mais branqueamento de dentes, você não vai querê-lo.

Ele a está levando a caminho do inferno, ele deveria manter distância de você, e não manteve. E você deveria ligar para mim — *você sente minha falta* — e não ligou. E eu a conheço muito bem, Beck. Você é carisma, você é doentia, e por alguma razão você é um ímã para pessoas fracas e frouxas como Peach, como Benji, como Nicky. Eu acelero o passo e seguro meu cassetete novo. (Fui a uma loja de equipamento militar para relaxar depois daquela babaquice com o policial Minty; é justo que *todos* estejamos armados contra policiais que se acham acima da lei.). Eu trinco os dentes. Eu estou alcançando-o, e posso fazer isso, um golpe forte para baixo. Mas então sinto uma vibração no bolso. Não tenho escolha a não ser me enfiar em um beco. Nicky vai se virar caso ouça um telefone, eu não posso fazê-lo parar, não consigo respirar, minhas mãos tremem e eu olho para o telefone.

É você.

Ligando para mim.

Você, finalmente, decidiu agir de acordo com seus sentimentos.

Seu nome fica lindo no meu telefone, brilhando no escuro acima do seu retrato de biquíni branco. Eu olho para você, reluzindo. Eu sorrio; também eu reluzo. Você me surpreende, você me encanta, e você sente minha falta. Tento fazer meu coração desacelerar, o dr. Nicky já está a quarteirões, eu levo o telefone ao ouvido e falo.

— Bem, olá, Beck.

— Joe? — você diz, suave como sua pele. — Consegue me ouvir?

Eu perco a voz e tusso. Não sou eu mesmo porque estava prestes a matar Nicky com um cassetete porque ele estava tentando transar com você. Estou tonto e você parece embriagada quando fala de novo.

— Joe? Consegue me ouvir?

— Sinal ruim — digo. — Estou esperando o trem.

Direta como um ditador, você faz sua exigência.

— Preciso que você venha aqui. Pode vir aqui? Pode vir aqui agora?

Eu nunca estive tão certo de alguma coisa em minha vida, e respondo, com força:

— Sim.

Eu aperto "encerrar ligação" e mal posso acreditar na sua noção de tempo. Preciso de um minuto para dar um jeito na minha cabeça. *Você ligou*. Jogo o cassetete em uma pilha de lixo. Minha mão ainda dói de agarrá-lo e meu coração dói da chicotada. *Você ligou*. Você voltou! Estou mais calmo agora, caminhando, e será legal sair daqui e chegar a você. *Você ligou*, e eu não posso deixar de acreditar que a despeito de toda a idiotice de Nicky, ele pode afinal ser bom no que faz. Você certamente está melhor agora. Você ligou para *mim*, não para ele. Pego um táxi, porque estou feliz demais para ir de metrô. Fico pensando em o que você está vestindo, e não consigo chegar até você rápido o bastante. Eu deixo *Quando coisas ruins acontecem a pessoas boas* no banco de trás do táxi. Não preciso mais dele. Eu tenho você.

41

NOSSO travesseiro, aquele da IKEA, ainda tem etiqueta e está no chão, debaixo de sua mesa. Eu a seguro nos braços e você chora. Está bêbada e eu não faço pergunta alguma. Não permitirei que você e seu travesseiro me deixem mal. Ademais, você parece tão bem quanto eu me lembro, melhor. Sua casa está uma bagunça, o que me faz acreditar que realmente tem *crescido*. Agora há cortinas — isso é um progresso — e você está quase sem lágrimas. Eu acaricio sua cabeça, olho para nosso travesseiro, respiro você, seu cheiro, suas maçãs apodrecendo no balcão. Não consigo deixar de sorrir, e quanto mais você chora, mais largo eu sorrio, e finalmente não resta mais nada, você para, sussurra:

— Desculpe.

— Ah, tudo bem. Eu mando a conta da lavagem a seco.

Se você fosse Karen Minty daria uma gargalhada, mas não é, e tudo o que faz é sorrir.

— Não lembro da última vez em que ri.

— Há apenas uns dois segundos, Beck.

Você estica os braços acima da cabeça e gira, para a esquerda, para a direita, depois seus braços caem e você olha para mim.

— Você deve achar que sou maluca.

— De modo algum — digo, e não acho.

— Ah, vamos lá, Joe. Eu vejo você, ficamos juntos e então simplesmente desapareço.

Faço uma piada.

— Na verdade eu estava no sul da França em uma missão secreta para o FBI.

Você não ri, não está com disposição para brincadeiras idiotas e eu a amo por ser tão honesta, tão presente e todo o trabalho duro valeu, porque tudo levou a este momento.

Você fala:

— Eu meio que queria que você fosse do FBI.

— Sério? — reajo, e não gosto do que está por vir.

Você estremece. Eu não.

— Peach está morta, Joe.

E você soa exasperada, e isso não deveria acontecer. *Peach está em Turks e Caicos, maldição.*

— Está brincando.

— Encontraram o corpo dela em Rhode Island.

— Não.

— Sim — você diz.

Não, impossível. Eu coloquei uma tonelada de pedras nos bolsos dela. Quando caminhei com ela para aquele píer ela devia pesar uns 70 quilos. Isso é besteira. Fiz um bom trabalho. Eu fechei os bolsos? Sim, cacete, fechei os bolsos. Nada mais está legal. Os zíperes eram de plástico e devem ter se desintegrado. Malditos zíperes.

— Eu simplesmente não consigo acreditar — diz. Há muitas coisas horríveis que você poderia me dizer agora, e se me trouxe aqui sob falsos pretextos e o FBI estiver aqui, espionando?

— Rhode Island?

— É. Rhode Island.

Eu falei com gente demais naquele estado. Fui descuidado e amigável, há o policial Nico e o dr. K, todos aqueles doidões e o cara da oficina. E se eles juntaram tudo? E se sabem? A caneca de mijo passa pela minha cabeça, e o que foi que eu fiz?

— A família dela tem uma casa lá — você diz. — Estivemos lá, e achei que ela tinha ido embora. Quero dizer, ela me mandou um e-mail melodramático, mas Peach é assim. Eu não achei, sabe, que ela estivesse falando sério.

— Deus do céu — digo, e você iria me visitar na prisão ou sentiria medo?

— Imaginei que tinha ido embora porque ela faz isso às vezes! — conta, pega a garrafa de refrigerante diet, toma um gole, e eu gostaria que você continuasse. — E não tive notícias dela nos últimos meses, mas você sabe como são esses velhos amigos que você passa anos sem ver e um dia conversa e está tudo bem? Espere.

Você gruda a cabeça no telefone e não sei o que quer dizer, porque se eu passar mais de um mês sem ver o sr. Mooney é superestranho, mas como posso pensar na porra do sr. Mooney neste momento? Você está com uma escuta, Beck? Está tentando me fazer confessar? Por isso colocou *cortinas*? Eu confiro o relógio. 22:43.

— Desculpe — você diz. — Só coisas da faculdade. Seja como for, onde eu estava?

— Ela desapareceu.

— Ela não desapareceu. Ela cometeu suicídio.

— Deus do céu!

Louvado seja!

— Eu sei — você diz, e termina o refrigerante. — Como eu não percebi?

Você está indo para a cozinha, pegando a vodca no congelador, os copos na pia — Karen Minty não deixa copos na pia, mas Karen Minty não tem a capacidade de chorar que você tem — e vai me contar uma história, e Karen Minty não sabe contar uma história.

— Não sei por onde começar.

— Pelo começo.

Você se senta ao meu lado e não nos beijamos há um longo tempo, mas Deus, eu senti falta de estar perto de você, de antecipar suas palavras, sua voz.

— Estávamos em Little Compton, essa comunidade litorânea em Rhode Island. Ela estava bastante deprimida, mas eu também. Lembra daquele cara, o Benji, meu ex, drogado?

— Acho que sim.

— Bem, ele morreu. Quero dizer, isso era possível, porque ele é maluco. Mas ainda assim — diz e morde o lábio inferior. Você está bonita.

— Ele morre, depois ela morre. Eu sou a Garota Mortal.

Eu a amo por transformar isso em uma coisa sua, por dar a si mesma um nove. Você é muito flagrantemente *você*. Eu lhe digo o que você quer ouvir.

— Beck, você não é a Garota Mortal. Parece que apenas conhece pessoas perturbadas.

Você me corta.

— Já são *dois* amigos meus mortos em questão de meses. E sabe o que eu acho, Joe? Acho que isso é o universo me punindo por ser a porra de uma mentirosa. Eu minto, digo que meu pai está morto e agora meus amigos estão morrendo. Quero dizer, obviamente é o que está acontecendo.

— Que seja — digo, porque sei que quando você está bêbada não faz sentido discutir os benefícios da vida sem Peach e Benji. — Mas não é culpa sua.

Você bufa.

— O cacete que não é.

— Então fale comigo. Estou aqui.

É engraçado ver você tentar decidir se me conta sobre a sessão de massagem com Peach, e decide que não.

— Peach saiu para correr, o que ela fazia toda manhã. Mas aparentemente dessa vez ela encheu os bolsos de pedras. E isso foi culpa minha, Joe. Eu fui a última a vê-la com vida. Eu deveria saber.

Eu fui o último a vê-la com vida, mas deixe para lá.

— Beck, você não pode se culpar pelo que ela fez. Ela estava deprimida. Você sabia disso. Você era uma amiga boa para cacete, e isso não tem nada a ver com você.

VOCÊ

Você faz um gesto para que eu pare de falar, eu coloco vodca nos copos sujos, você procura o telefone, que caiu no sofá com um monte de outros lixos, busca e acha o e-mail que Peach escreveu para você, aquele que *eu* escrevi. Sei que não sou mais um suspeito e não consigo deixar de pensar que isso é meio que tesudo, ouvir minhas palavras saindo da sua boca. Você termina de ler e olha para mim.

— Virginia Woolf. Eu deveria ter sabido. E não fiz nada.

— Você não pode salvar alguém que não quer ser salvo.

— Mas ela queria ser salva — você diz, e prende o cabelo em um coque alto. — Eu só não pude fazer isso.

— Não pode fazer o quê?

Você toma um gole, eu lembro de você nua, quero minha vez e tomo um grande gole.

— Isso tem de morrer aqui por motivos óbvios, mas você tem de saber. Ela tentou me comer, Joe.

— Ah, cara.

Sim, você está se abrindo, "pétala a pétala", está acontecendo.

— Eu a rejeitei, claro. Imediatamente — conta.

Mais uma vez não consegue resistir a mentir, a roubar algum dinheiro no tabuleiro de *Banco Imobiliário* quando os outros jogadores saíram. Você é pilantra, até o osso, uma restauradora, e eu a admiro, Beck. Você nunca para de fazer melhorias na sua vida. Você tem carisma. Você tem visão. Algum dia talvez tenhamos uma casa de fazenda decrépita e você pintará as paredes até encontrar o tom certo de amarelo, e eu irei provocá-la, mas você vai adorar como fica com tinta no rosto. É quando você faz sua verdadeira arte, e é quando sua mágica acontece. Você precisa de uma plateia, ao vivo — eu — não um analista, não um computador.

— Como ela recebeu isso?

— Não bem.

— Que merda.

— E a coisa mais triste é que não foi a primeira vez que isso aconteceu.

— Que merda...

Você toma um gole e está constrangida demais para olhar para mim. Ou talvez apenas bêbada demais.

— Está horrorizado?

— Beck — começo, e coloco minha mão no seu joelho —, não estou horrorizado por sua melhor amiga amar você. Eu não a culpo.

Você pula em mim, forte e inteira, descuidada e agarrando. Arranca a camiseta, e suas mãos quentes estão sob a minha camisa — minha camisa marcada por suas lágrimas —, seu beijo é molhado e sequioso, você morde meu lábio e há sangue, um toque de doçura, salinidade. Você tira meu cinto rápido, uma profissional sob influência de álcool. Desta vez quando eu fodo você sou o rato em sua casa, você não consegue se livrar de mim, e você quer se livrar de mim porque odeia o quanto me deseja, odeia como eu sou seu dono quando estou dentro de você, e como você nunca mais vai querer nada além de mim — Nicky quem? — e em algum momento suas emoções se transformam em apenas uma, suas lágrimas por Peach, sua xoxota latejando por mim, seus peitos zumbindo por minha causa, tudo em você existe apenas por minha causa e eu arranco a Peach de você a pau, eu arranco o Benji de você a pau, e o Nicky de você, eu sou o único homem no mundo e desta vez eu acordo primeiro. Vou ao seu banheiro, entro na banheira, mijo em todo o piso do chuveiro e marco meu lugar, meu lar, você. Pego o travesseiro da IKEA embaixo da mesa, arranco a etiqueta e o levo para a cama. Você está semiacordada quando eu enfio o travesseiro sob seu queixo e você ronrona.

— Hum. Joe.

Quando saímos da cama sabemos que agora estamos juntos. Não é sobre se sairemos para tomar café; é apenas questão de decidir aonde ir. Sentamos em frente um do outro em uma lanchonete e passamos seis horas lá porque não conseguimos nos cansar um do outro. Eu finalmente consigo me afastar, dar uma mijada, e quando estou fora você manda um e-mail para Lynn e Chana:

"Cacete. Joe. Joe."

Quando voltamos para a mesa, recomeçamos tudo.

42

NOSSOS primeiros oito dias juntos são os melhores dias da minha vida. Você tem aqueles enormes roupões felpudos do Ritz-Carlton. Você me conta essa história elaborada sobre roubá-los quando em férias de primavera com Lynn e Chana. Eu adoro que você adore contar histórias. Você não tem como saber que eu sei que os roubou da casa de Peach, e eu não conto! Vivemos nesses roupões, você gosta de me divertir, e faz isso.

Dia dois de nós, estamos de roupão fazendo nada e você anuncia a Regra dos Roupões:

— No meu apartamento, pode ficar nu ou de roupão.

— E se eu não seguir a Regra dos Roupões?

Você vai lentamente até mim e rosna.

— Você não vai querer saber, garoto.

Prometo cumprir a regra e gosto de você ligada, adulta. Sua terapia funcionou, porque seus problemas paternos sumiram, e comigo você é uma mulher, não uma garotinha. Você não está mais mandando e-mails para si mesma, e porque faria isso? Você tem a mim para conversar, e ah, nós conversamos. Van Morrison não sabe porra nenhuma sobre o amor, pois você e eu estamos inventando o amor em nossos roupões do Ritz-Carlton, com nossas conversas de virar a noite, com nossos momentos de silêncio que são, como você diz, "o oposto de desconfortáveis".

Estamos vivendo um do outro, não precisamos de sono e no dia cinco temos mais piadas particulares que Ethan e Blythe. Assistimos a *A escolha perfeita* na Netflix — você diz que é seu filme preferido, mas não tem o DVD; você é fascinante — e você aperta o *pause*. Você se enrola em mim e me diz que sou o melhor, eu a provoco sobre adorar o filme, você dá um risinho, bufa, então lutamos e quando elas chegam ao campeonato ou algo assim estamos na cama, trepando. Você me ama mais que qualquer coisa, me diz que sou mais inteligente que os caras de seu programa de graduação e os caras que conheceu na faculdade, lemos juntos um dos contos de Blythe, eu o classifico de solipsístico e você concorda.

Na manhã seguinte eu acordo primeiro — quem pode dormir com você no mundo? — e noto que você levantou mais cedo. Você é como uma criança no melhor sentido, deixa uma trilha de migalhas de pão aonde quer que vá e sua trilha me leva à cozinha, onde o dicionário está aberto e a palavra solipsístico está suja de cobertura de chocolate do bolo de chocolate pela metade no balcão. Eu adoro você por prestar atenção, sem disfarçar.

Você não quer que eu parta, mas eu tenho de ir trabalhar.

— Mas quero que você fique — você discute, e mesmo sua agressão é doce. — Ethan não pode dar conta?

— Odeio lhe dar a notícia, Beck, mas você deveria ter pensado nisso quando estava juntando Blythe com ele.

Você dá um grunhido, bloqueia a porta e deixa o roupão cair.

— Você está violando a Regra do Roupão, Joe.

— Cacete — eu digo, você me acerta, finalmente eu saio, o dia passa muito lentamente e trocamos tantas mensagens que meus polegares estão caindo. Eu quero levar para você todos os livros do mundo, mas me decido por um dos meus preferidos que você nunca leu, *No lago dos bosques*, de Tim O'Brien.

Você me deixa entrar em casa, pega-o com mãos ternas, me beija com seus doces lábios macios de Guinevere.

— Sabia que tinha uma razão para estar esperando para ler este livro — você diz. — É como se soubesse que um dia alguém me daria ou algo assim.

— Bem, fico contente por ter esperado.

No dia sete inventamos um jogo: Scrabble falso. A regra é que palavras reais não são permitidas. Você se sai com "calibrat" e eu soletro "punklassico", você me bate, se vangloria e eu adoro você toda excitada com a vitória. Você adora vencer, eu não sou mau perdedor e estaremos tão bem em quarenta anos quanto estamos agora.

No dia nove eu a flagro usando minha escova de dente e você ruboriza. De início enxágua a boca e diz que foi por engano, mas vejo através de você, conheço seus olhos, e você morde o lábio e esconde os olhos.

— Eu vou dizer e não posso estar olhando para você. Gosto de usar sua escova porque gosto de ter você dentro de mim, e desculpe se isso é esquisito e grosseiro.

Eu não digo uma palavra. Coloco a mão sobre a sua mão, tiro sua calcinha e me dou a você bem aqui, no meu banheiro.

No dia dez você me diz que nunca se sentiu menos solteira em sua vida.

No dia onze eu lhe digo que me flagrei cantando uma música de *A escolha perfeita* na loja e não parei nem quando as pessoas começaram a rir.

— Você está dentro de mim — digo, e de repente você está de joelhos, faminta.

No dia catorze eu me dou conta de que devo ter perdido a noção do tempo, porque não estou certo se é dia catorze ou dia quinze e você aperta minha mão enquanto andamos pela rua.

— É porque todo dia é o mesmo dia — você diz. — Eu nunca estive tão presente em minha vida.

Eu beijo o alto de sua cabeça, e você é meu coelhinho articulado.

— Eu nunca perco a noção do tempo, Beck. Acho que eu posso estar dentro de você.

No dia dezessete chove, estamos nos nossos roupões em sua cama e você destaca os trechos preferidos de *No lago dos bosques* e os lê para mim. Quando vou trabalhar quase não consigo fazer nada porque você não me deixa em paz cinco minutos sem escrever. Algumas vezes quer conversar sobre nada:

"Já notou que os dedos da minha mão direita são tortos? É. Dá para ver que eu estou muito ocupada aqui. Então... Como está o trabalho?"

E algumas vezes não há palavras, apenas imagens, closes de meus pontos preferidos em seu corpo, que são muitos. Você nunca me deixa especular, me responde enquanto eu estou respondendo, e nunca ficamos sem ter o que dizer. Ninguém nunca me conheceu tão bem. Ninguém nunca se importou. Quando eu lhe conto uma história você faz perguntas. Fica cativada.

"Quantos anos você tem? Vamos lá, eu não vou sentir ciúmes se você me contar sobre sua primeira vez. Joe, por favor. Me conta, me conta!"

E eu "lhe conto, lhe conto, lhe conto"! Ethan diz que os primeiros dias de qualquer relacionamento são intensos, mas Ethan não entende que isto não é um *relacionamento*. Você diz que é um *tudocionamento*. E o que eu faço com essa palavra adorável depois que você se saiu com ela? Compro uma caixa de mistura de bolo, uma travessa de alumínio descartável, uma lata de recheio e três tubos de cobertura. Eu asso um bolo para você e escrevo em cima:

"Tudocionamento(s): um encontro de mentes, corpos e almas."

E carrego esse bolo pelo quarteirão, descendo para o metrô e pelo metrô e subindo a escada, e subindo a rua e até sua porta, e você guincha e tira um milhão de fotos do bolo, então vamos para a cama, comemos o bolo, fazemos sexo, assistimos a velhos filmes caseiros de sua família em Nantucket, comemos mais bolo, fazemos mais sexo, e esse é o único *tudocionamento* que já tive.

Estou na escada no trabalho, Ethan me passa livros nada populares para esconder nas prateleiras altas e diz que não posso esperar que continue bom assim, e eu respondo rápido, confiante, afirmativo.

— Eu sei que não vai ficar bom assim.
— Ufa — ele diz.
— Só vai ficar melhor.

Ele vai ajudar um cliente e os "e se" rastejam até meu ouvido, saindo diretamente de Shell Silverstein em poesia. Eu lhe mando uma mensagem:

"Oi."

E tremo e suo. E se Ethan estiver certo? E se você não responder? E se você não sentir mais minha falta? Mas você me escreve imediatamente:

"Eu amo você."

Eu poderia cair da escada, quebrar o crânio e não importaria. Como Elliot diz em *Hannah*, "eu tenho a minha resposta".

Minha resposta é você.

43

FOI bom eu ter tirado uma foto de sua mensagem "Eu amo você". Algo muda depois daquela noite, e é como se eu estivesse tão perto de uma pintura pontilhista que só visse os pontos, não a pintura. Você ainda é minha namorada — você é. Mas...

Você não responde e-mails imediatamente, o que não seria problema caso não estivesse inventando desculpas.

"Desculpe, estava em aula."

"Desculpe, estava ao telefone com Chana."

"Desculpe, você me odeia?"

Eu tento todo tipo de resposta:

"Sem problema, B. Quer jantar?"

"Não são permitidas desculpas. A não ser, claro, que você não esteja vestindo seu roupão."

"Odiar você? B., eu amo você."

Mas nenhuma resposta é a certa, porque assim que eu aperto enviar a espera recomeça. Meus pensamentos se tornam soturnos e minha mente vaga para o abrigo bege de rock 'n' roll e lascívia de Nicky. Mas você não o está vendo. Fosse esse o caso você diria a alguém ou escreveria para ele, e não está fazendo isso. Ainda tenho o seu velho telefone e ainda verifico seu e-mail e seu Facebook. Você me ama. E um dia desses vou descobrir um jeito de fazer você admitir que sua mãe ainda paga a conta de um telefone que você perdeu há meses. Estamos chegando lá. Mas eu a amo tanto que não posso espontaneamente fechar meu portal para suas comunicações. Quando me preocupo que você esteja derivando — e me preocupo — eu seguro seu telefone e a desejo de volta. Isso parece maluco, mas acho que funciona. Precisamos de toda ajuda que podemos ter agora mesmo. Relacionamentos são assim; sei disso. Mas eu me permito ficar frustrado. Sua palavra é *desculpe*, minha palavra é *não*, e o que aconteceu com o tempo em que nossa palavra era *tudocionamento*? Ethan diz para não me preocupar.

— Ela é louca por você, Joe! Blythe diz que está praticamente escrevendo pornô na aula, sabe?

Apenas Ethan poderia chamar isso de pornô, e Ethan não tem de imaginar onde jantar e quando; Blythe está morando com ele, e desde quando aquele *relacionamento* parece mais forte que o nosso *tudocionamento*?

Minha escova de dentes está seca. Você não a está usando mais, e posso identificar o momento em que parou. Quando quero assistir a *A escolha perfeita* você está cansada ou acabou de ver parte dele no trem. Quando quero sair para jantar uma pizza, você almoçou pizza — um dia eu soube o que você comera no seu almoço! — e quando quero transar você quer esperar só um pouquinho mais.

— Vou só terminar de escrever este parágrafo. Estou muito atrasada. Ruim, eu sei.

— Só mais uns minutos. Eu comi falafel, e acho que não foi uma boa ideia.

— Espere só um pouquinho. Coloquei nossos roupões para lavar na lavanderia, e prefiro pegar mais cedo que mais tarde.

Eu trago para você *A River Runs Through It* e *The Things They Carried* porque você nunca soube que os dois livros têm mais que os contos dos títulos. Eu faço inscrições em cada um e não lhe conto. Quatro dias se passam e os dois livros ainda estão no balcão. Não há marcas amorosas de chocolate, nada de parágrafos destacados, páginas marcadas. Você não os ama, você não os conhece, e às vezes eu me sinto um intruso.

Eu: "Estava olhando a foto daquele ponto em sua coxa."

Você: "Irc, espere. Sinal ruim."

Eu: "Cuide das suas coisas. Eu falo depois."

E depois você não escreve de volta e eu lentamente mergulho na insanidade, porque

Que

Porra?

Você não está falando indecências sobre mim com Lynn e Chana. Não está me traindo; você nunca conseguiria fazer isso com meu acesso ao seu e-mail. Eu sei. Sei que você não tem muito trabalho na faculdade, e juntar Ethan e Blythe realmente foi uma ideia ruim, pois ele vem para o trabalho me falando sobre a diversão que foi na noite passada no campo de golfe — eu não falo mal de você — e nem sequer consigo uma resposta sua quando escrevo para discutir o estranho casal Ethan e Blythe.

Dói, Beck. Não sei o que fazer com a sua ausência. Você não está puta comigo. Conheço você o suficiente para saber quando sua cauda começa a bater no chão, e você também não está feliz comigo. Eu pergunto se você quer entrar nos roupões, você me beija e diz que estamos além dos roupões. Você se enrola em mim, se aferra a mim, mas o que isso significa exatamente?

"Além dos roupões."

Ainda temos um *tudocionamento* porque você ainda faz coisas. Eu acordo com meu pau na sua boca pelo menos uma vez por semana, você ainda me conta quando apareço em sua cabeça sem motivo:

"Pensamento solipsístico ☺ em você e seu corpo quente."

E você fala sobre mim quando escreve à sua mãe.

Isto é diferente, mãe. Ele está no meu nível. E ainda assim tecnicamente não deveria estar, porque nossas vidas são muito diferentes. Mas quando acontece... Acontece. Entende?

Sua mãe mal pode esperar para me conhecer, e eu fecho os olhos e nos vejo em Nantucket, apaixonados. Eu até pergunto isso a você uma noite quando está deitada com cólicas.

— Então, acha que vamos à Nantucket este verão?

Você ri, e eu sinto vergonha. Não deveria ser engraçado, e você se sente mal.

— Joe, querido, não, não. Eu não estava rindo disso. Claro que podemos ir a Nantucket. É só que você não diz à Nantucket. Você diz em Nantucket.

Eu não consigo pensar em uma resposta esperta, e eu costumava ser muito bom nisso com você, mas talvez Ethan esteja certo, e você me pede para ir à farmácia comprar Advil e vou. As cortinas estão abertas e vejo você abrir o computador e começar a responder a um e-mail. Sei que não deveria olhar tanto seus e-mails, agora que estamos juntos, mas é uma noite fria e uma longa caminhada, então atualizo sua caixa de saída.

Nada.

Eu procuro em rascunhos.

Nada.

E isso não é possível, pois eu a vi escrever um e-mail com meus próprios olhos. Compro o Advil, começo a voltar para casa e decido confrontá-la, mas quando entro — você me deu uma chave há duas semanas — você não está no apartamento. Chamo seu nome, mas você foi embora e entro em pânico. Mas então ouço a água escorrer, entro no banheiro e você está molhada e quente, minha.

— Bem, entre aqui logo — você diz. E eu entro. Você me fode como um animal, entramos em nossos roupões e não penso no e-mail, e talvez eu estivesse errado, talvez você tenha deletado. Estamos próximos nessa noite, no dia seguinte eu acordo, você já partiu, e eu mando um texto.

Eu: "Aquilo foi fantástico. Acordei pensando em você no chuveiro."

Você: "Bom, bom."

Eu: "Avise quando for para eu voltar. Tenho a sensação de que você vai precisar de outro."

E então acontece, a resposta mais temida do mundo, mais seca que qualquer palavra, mais contida que um não, um diminutivo de "ok" que entrega desapontamento ou cansaço, e estritamente *verboten* para alguém apaixonada pela linguagem e por mim como você alega ser.

Você: "K."

Eu recebo o temível *K* e peço a Ethan para me cobrir o resto do dia, mas ele não pode. O dia não passa, estou surtando, estou olhando fotos suas, perdendo a paciência com os fregueses, fecho mais cedo e ligo para você, mas cai na secretária e deixo uma mensagem perguntando quando você vai aparecer. Estou em casa quando você finalmente responde, e no final há algo pior que o temido *K*.

Você: "Longa história, querido, mas tenho de ir. Ligo para você amanhã. Bjs."

Eu choro, assisto a *A escolha perfeita* e canto junto com as Barden Bellas. Não quero ser uma pessoa que sabe o nome de um grupo ficcional de canto a capela em um filme de mulherzinha, mas foi o que o amor fez comigo. Quando termina eu gozo no chuveiro como um monte de homens casados infelizes no mundo. Mas choro mais porque nem sequer sou casado com você. Ainda.

44

HÁ um limite para o quanto você pode dizer a uma pessoa que está feliz por ela. Tenho ficado muito feliz por Ethan ultimamente, e está começando a ficar um pouco repetitivo. Todo dia ele tem algum tipo de boa notícia, e hoje não é diferente.

— Você não vai acreditar nisso, Joe.

— Tente.

— Blythe quer que moremos formalmente juntos.

Ele se ilumina, e eu sorrio.

— Isso é ótimo, E.

Ele vai sentir falta de Murray Hill. É a única pessoa na Terra que sente uma ligação com a porra de Murray Hill, e eu digo minha fala.

— Estou feliz por você, garoto.

E estou mesmo.

Mas acho que sua competitividade está começando a me contaminar, Beck, porque de repente sinto como se a vida fosse uma corrida que estou perdendo para Ethan e Blythe. Quero que a vida seja como um jogo de tabuleiro. Estou começando a ser um cretino, e lanço um dardo no balão de ar dele.

— Tem certeza de que quer se mudar para Carroll Gardens?

— Blythe não gosta de Murray Hill — conta, dando de ombros. — Nada demais.

— Entendo — digo, e não resisto a mais um. — Não lembro da última vez em que passei a noite em casa. É West Village o tempo todo.

É uma coisa perigosa essa de lançar no universo, porque, naturalmente, você me manda um e-mail minutos depois.

"Podemos ficar na sua casa em vez da minha esta noite? Tive um dia louco, e meu apartamento está um horror."

Digo a Ethan que tenho de sair. Ligo para você. Você não atende. Você nunca mais atende. Ando de um lado para o outro. Há pedaços de você em casa, pedaços que colecionei pelo caminho, lembranças de minha jornada. Ligo novamente. Correio de voz. Apoio na vitrine e me dou conta: estou com medo de nós, Beck. Quando morarmos juntos, algo que faremos, terei de escolher entre você e os pedaços de você atualmente guardados em uma caixa, no buraco na parede que fiz por sua causa. As paredes do prédio são péssimas (surpresa, surpresa), a massa está rachando, o buraco é maior e eu continuo querendo dizer ao zelador, mas não quero dizer ao zelador, porque quero suas coisas no meu buraco. Estou sendo lunático. Você teria de escalar a parede para chegar à caixa, e nenhuma garota do mundo faria isso. Respire, Joe.

Meu telefone toca. Eu respondo.

— Oi.

— Joe, escute, não posso falar porque estou muito atrasada.

— Onde você está?

— Aqui — você diz, eu me viro, lá está você, sorrindo.

Gosto quando você me surpreende na loja. Não há nada como jogar meus braços sobre você quando menos espero. Eu a recompenso com um beijo. Você me beija, sem língua. Estamos em modo faculdade.

— Não posso ficar.

— Tem certeza? Estou com Ethan aqui. Podemos tomar um café.

Você estica a mão, palma para cima.

— Posso pegar suas chaves?

Isso é um *tudocionamento*. Eu não deveria hesitar, mas hesito.

— Joe, pense bem. Vou chegar em casa antes de você.

Você chamou meu apartamento de *casa*, e eu lhe dou as chaves. Você me beija. Novamente, sem língua.

— Você não tem aula?

— Sim — você diz, me abraça e até logo. — Vejo você mais tarde!

Você vai, juntamente com minhas chaves, e Ethan está rindo quando volto à loja.

— Então, cara ou coroa?

— O que quer dizer?

— Bem, Blythe acabou de ligar dizendo que as meninas estão de folga da faculdade por causa da ameaça de bomba.

— É — digo, mas isso é novidade para mim.

— Vamos tirar no palitinho?

— Não precisa — digo. — Beck está com uma amiga de fora. Saia daqui, divirta-se.

Ele vai e eu escrevo para você:

"Ei. Tem um segundo?"

Dez minutos se passam, e nenhuma resposta. Eu coloco um cartaz na vitrine: "Volto em dez". Desço para a gaiola. Ando em círculos. Por que você não me disse que as aulas tinham sido canceladas? Por que a ameaça da bomba não nos aproximou? Nunca senti tanto medo na vida, e gostaria que Nicky não fosse um cara mau, porque eu realmente poderia conversar neste instante. Subo a escada, quebrado, ignorante, triste. Arranco o cartaz da vitrine e destranco a porta. Ainda nenhuma resposta sua, e estou perdendo a cabeça. Eu me jogo na cadeira junto à registradora e minha cabeça é uma bomba que poderia explodir. Mas é quando ela passa pela porta. Uma garota. Uma freguesa. Seus olhos são castanhas gigantes, e ela veste um pulôver da Suny Purchase, saia curta, meias até os joelhos e tênis; animada. Eu confiro o telefone; ainda sem resposta.

Ela acena, eu faço a coisa certa e respondo. Confiro o telefone; ainda sem resposta. Coloco umas músicas, Robert Plant e Alison Krauss. Em pouco tempo ela está cantando junto, *"somebody said they saw me swinging the world by the tail, bouncing over a white cloud, killing the blues"*, e eu confiro o telefone; ainda sem resposta. Baixo o volume e ela reage cantando ainda mais alto. Ela é tão boa quanto qualquer das Barden Bellas, se não melhor. Tira a cabeça de detrás das pilhas e eu aperto *pause*.

— Eu estava cantando alto?

— Tudo bem.

— Vocês já vão fechar?

— Não.

Ela sorri.

— Obrigada.

Ela desaparece e eu confiro o telefone; ainda sem resposta. Vou para o outro lado do balcão para poder ver melhor aquelas pernas, e começa a "Señorita" de Justin Timberlake. Maldito Ethan, maldito programa aleatório. Eu me apresso a voltar para trás do balcão e mudar a música.

Ela ri.

— Pode deixar.

Ela atravessa o corredor segurando um Bukowski e eu engulo em seco. Confiro o telefone; ainda sem resposta. Ela se aproxima da registradora com uma pilha de livros, relaxada como alguém indo à loja da esquina comprar leite. Não posso conferir o telefone; ela é uma freguesa, merece toda a minha atenção. Coloca seus romances no balcão. Charles Bukowski está bem no alto: *O capitão saiu para o almoço e os marinheiros tomaram conta do navio.*

— Não sou uma dessas garotas que compram Bukowski para poder ser uma garota que compra Bukowski. Sabe o que quero dizer?

— Estranhamente, sim — digo. — Mas pode relaxar. Eu nunca julgo ninguém.

— Então todo o meu trabalho duro não adiantou nada — diz, e quem é que está flertando?

Eu escaneio o Bukowski e olho para ela.

— Perdoe minha linguagem, mas este é do cacete.

Ela concorda.

— Perdi o meu exemplar em uma mudança. E sei que é idiota, mas não consigo dormir ou funcionar se não tiver a porra do livro, sabe?

— Estranhamente, sim — respondo, e desde quando eu falo estranhamente? Baixo o volume da festa de Ethan e escaneio *Meus dias de Escritor*, de Tobias Wolff. Eu nunca li o livro, e digo isso a ela.

Ela não perde um segundo.

— Bem, depois que eu terminar quem sabe volto e lhe conto sobre ele.

— Estarei aqui.

Você ainda nem tocou em *The Things They Carried* e ela aplaude quando passo a última compra: *Grandes esperanças*.

O universo tem senso de humor, e eu tenho de partilhar.

— Sabe, há um Festival Dickens em Port Jefferson todo ano, em dezembro.

— O que acontece em um Festival Dickens? — ela pergunta, e seus olhos se abrem como a xoxota de Minty.

Ah, não. Eu estou flertando. Eu sorrio.

— O que seria de esperar. Pintura de rosto e flautas, fantasias e cupcakes.

Ela saca, concorda.

— Por isso os terroristas nos odeiam.

Eu não estou me censurando. Sou seco.

— Por isso Deus fez os terroristas.

— Você acha que Deus existe? — pergunta. Ela também é "diferente. Um tesão". É decisiva. — Tem de haver um Deus. Só Deus criaria coisas impressionantes como Marky Mark e Funky Bunch.

Eu nem sequer ouço "Good Vibrations", e ela pega a carteira e me dá um Visa coberto de filhotinhos. Eu passo a polpa do dedo sobre as letras plásticas em relevo. Você me odiaria agora.

— Então seu nome é... John Haviland?

As bochechas dela ficam vermelhas.

— Espero que não precise da minha identidade, porque perdi. Quero dizer, coloquei no lugar errado.

Eu passo o cartão. Ela expira.

— Você é ótimo.

Eu não deveria ligar; tenho você. Mas pergunto.

— Em que ano você está em Purchase?

Ela balança a cabeça, não.

— Eu vou a brechós e compro camisetas de universidades ao acaso — ela diz, orgulhosa. — É uma espécie de experiência social em desenvolvimento. Sabe, eu vejo como o mundo me trata com base em qual faculdade represento.

Eu puxo o recibo e ela assina, rápido, bagunçado. Nunca embalei livros tão lentamente em minha vida, e mando:

— Sou Joe.

Ela engole em seco.

— Eu sou, ahn, sou Amy Adam.

— Amy Adams.

— Sem s! — ela diz, agarra a bolsa e sai rápido. — Obrigada, Joe. Aproveite!

Quero correr para fora e levá-la para casa para você. Quero que você saiba que ela foi até mim, que conversou comigo sobre Deus. Corro para a porta, mas ela sumiu. O telefone da loja toca. Eu atendo. É ela? Não. É um banco. Querem saber de uma transação recente. Aparentemente o cartão que ela usou foi roubado. Eu não a entrego, mas o telefonema corta o meu barato; é o que recebo por flertar. Confiro o telefone; ainda sem resposta sua. E de algum modo a ausência de uma resposta sua é uma permissão assinada para ser mau. Eu procuro Amy Adam na internet, quase como um desafio a você, para que volte para mim.

É virtualmente impossível encontrar alguma coisa por causa da atriz, Amy Adams, e Ethan me envia uma foto dele e de Blythe em Coney Island. Eu não respondo. Não me apresso a ir para casa e não preciso conferir o telefone em busca da sua resposta, porque se você fosse responder sua resposta iria interromper uma das minhas buscas infrutíferas:

"Amy Adam Nova York"

"Amy Adam não atriz"

"Amy Adam suéter"

"Amy Adam Facebook"

"Amy Adam SUNY Purchase" (Nunca se sabe...)

VOCÊ

Caminho para casa, subo a escada e confiro o telefone; ainda sem resposta. Ouço algo dentro do meu apartamento; você está aqui. Sinto cheiro de abóbora saindo do meu apartamento; você esteve cozinhando. Ouço canto vindo do meu apartamento e sorrio. Você não é Amy Adam. Adoro você por ser desafinada. Eu estava errado de duvidar de você e bato na porta duas vezes. Há uma resposta, você grita para que eu espere.

Você abre a porta, e uau. Este deve ser seu segundo lar, porque você trouxe os roupões. Você está no seu (nua por baixo) e assou uma torta (abóbora por baixo). Você me diz que eu tenho vinte e cinco segundos para ficar nu ou entrar no roupão. Eu pego você, minha pequena maravilha maliciosa, e você me beija; responde. Você está muito orgulhosa de sua surpresa espontânea. Admite que seu prédio estava interditado por causa de baratas e os exterminadores. Decidiu transformar uma coisa ruim em uma coisa boa, uma surpresa. Eu como sua torta, como sua xoxota e, quando levanto no meio da noite para escovar os dentes, minha escova está molhada com sua saliva.

— Lamento — eu digo em voz baixa. E lamento mesmo.

45

NÃO sei o que você colocou naquela torta de abóbora, e você ri e diz que ela saiu de uma lata. Mas a torta e os roupões fizeram algo a nós, por nós. Na manhã seguinte eu acordo você com um beijo e você me abraça. Você brilha.

— Lembra de quando assei uma torta para você?

— Eu lembro de quando assei uma torta para você — digo, e você adora quando a imito. Você me beija, brincamos um com o outro e você está cheia de ideias novas para minhas mãos. Adoro você não ser tímida. Adoro você me dizer o que quer. Sua imaginação devia ser engarrafada, estocada e estudada, e eu nunca tive você assim. Você tão empertigada, e suas pernas trançadas nas minhas. Bom Deus, que encaixe, que foda, e desabamos.

— Uau — eu digo.

— É — você diz, rola sobre mim, me pergunta se quero resto de torta e eu pergunto onde você aprendeu a foder assim. Você enrubesce. Você é recatada, perfeita. Passa uma camiseta pela cabeça e quando está com metade do corpo fora do quarto volta correndo e me cobre de beijos e toques.

Eu sou o homem mais sortudo do mundo e enquanto você coloca torta no micro-ondas apago meu histórico de busca no telefone. Você nunca olharia meu telefone; respeita minha privacidade e confia em mim. Mas não quero meu telefone conspurcado por Amy Adam, Amy Adams ou qualquer outra garota do mundo. Você fala da cozinha:

— Estou sempre esquecendo. Comecei a ler um dos contos de *A River Runs Through It*.

E você afinal está lendo meus livros, e gosto tanto do som de você na minha cozinha que mal posso esperar que volte. Eu saio da cama nu. Vou até a cozinha, pego você, a coloco no balcão, abro suas pernas e nada a impede de louvar as virtudes de minha língua, meus lábios, não o barulho da rua, não o zumbido do micro-ondas, não a briga no andar de cima, não o apito do micro-ondas. Quando eu a tenho na boca você é minha e só minha. Você nunca gozou tanto assim na sua vida; eu sei, eu sinto. Algo feroz e distante dentro de você finalmente me deixou entrar. Você acaricia minhas orelhas com os dedos e me agradece, eu a tiro do balcão, e nos acomodamos no sofá com nossa torta e *A River Runs Through It*. Você me lê uma frase de que gosta e eu a interrompo.

— Quer ficar aqui novamente esta noite?

Você hesita, mas só por um segundo. Depois sorri.

— Claro!

Tomamos banho juntos por trás da fita policial amarela, eu lavo seus cabelos e você beija meu peito. Nós nos vestimos juntos e o futuro é agora, aqui.

— Ei, Beck.

— Ei, Joe.

— O que acha de se mudar para cá?

Você sorri para mim. Para de abotoar a blusa de seda, cruza o quarto e o Sol a segue porque todas as plantas se inclinam para o Sol, você. Você olha para mim, eu a beijo e você sussurra:

— É só meu primeiro ano, Joe. Tenho que terminar meu mestrado, sabe? Preciso me concentrar nisso.

Não é a resposta que eu queria, mas serve para mim. Acabamos de nos vestir, eu vou à cozinha, e se Karen Minty estivesse aqui saberia fazer sanduíches de ovo para nós, mas se Karen Minty estivesse aqui eu não teria você. Você se enfia no casaco. Eu lhe digo que entendi que você não está pronta para se mudar, mas que é bem-vinda para trazer seu computador e escrever sempre que quiser.

Você fica comovida. Você me abraça.

— Isso é muito bonito, Joe. Mas meu computador é muito velho e pesadão.

— Gostaria de poder lhe dar um novo. Um daqueles MacBook Air.

— Você não precisa me dar nada — você diz. Você não é gananciosa. Você está contente. — E aqueles MacBook Air são uma loucura de caros, Joe. Ademais, quando estou aqui a última coisa que quero no mundo é escrever, então tudo funciona com meu velho computador pesadão.

Eu a beijo. Sei deixar você sair sozinha, e você se vira e me sopra um beijo. Duas vezes. Quando você vai embora eu me jogo no sofá e procuro em meu computador. Procuro MacBook Airs e cursos universitários. Vamos encarar. Você é escritora. Essa é a sua vida. Eu adoro a livraria, mas meu negócio nunca será o que foi. Eu queria comprar um MacBook Air para você e estou esmagado no bom sentido. Eu mando um e-mail. Eu me sinto próximo de você.

"Você já está voltando?"

Você não responde, mas não estou mais preocupado ou com medo. Eu a conheço bem demais. Sei que está anotando ideias no aplicativo de notas do telefone. Sei que não está me ignorando. Você está escrevendo porque está inspirada, porque está contente, por causa de mim.

É um dia fraco na loja, e para mim, tudo bem. Tenho tempo de fazer planos, plantar sementes. Marco uma entrevista na NYU sobre estudar por meio período. Ligo para o Bemelmans e faço uma reserva para nós na semana que vem. Você provavelmente não se dá conta, mas são quase seis meses desde que nos conhecemos, e vou apostar tudo. Vamos começar aqui. Vou colocar uma mesa na gaiola e teremos um jantar à luz de velas. Nós iremos foder lá dentro, fazer direito, e você vai receber seu presente — um vestido que acabei de comprar na Victoria's Secret pela internet. Eles continuam lhe mandando e-mails lembrando-a sobre seu carrinho ainda cheio, e consegui encontrar o número do item e buscar no estoque on-line. É sexy; você o mostrou a Chana e Lynn, você acha que é sensual demais.

Chana: "Compre. Por que não?"

Lynn: "Apenas não em vermelho. E use meias."

Chana: "Está brincando? A única razão de um vestido de vadia é ser um vestido de vadia."

Você: "Senhoras, senhoras. Calma. Sei que eu nunca conseguiria fazer isso."

Mas você pode, fará, e o vestido chega amanhã. Será difícil escondê-lo de você, esperar, porque sei que você vai ficar ótima nele, Beck. Mas se ficar tímida demais para vestir para ir ao Bemelmans eu entenderei, claro.

A FedEx chega e há um novo James Patterson — vai ficar movimentado aqui, amanhã — e também há algo para mim. Eu quase esqueci que tinha encomendado um DVD de *A escolha perfeita*; você só vê o arquivo baixado, mas deve ter o que ama, simples assim. Eu deveria esperar para lhe dar em nosso aniversário, mas ao mesmo tempo você vai aparecer esta noite, e me fez uma torta. Não há como esperar, e eu coloco o DVD em minha bolsa e abro a caixa dos Patterson. Coloco algumas músicas — pela primeira vez estou no clima da música de Ethan e talvez isso seja o que significa estar feliz — e faço ajustes em Ficção Popular para abrir espaço para Patterson, do mesmo modo como vou abrir espaço para você quando for morar comigo. Estou feliz, Beck, as coisas estão fluindo e acabei de ter outra ideia para nosso aniversário! Antes de irmos ao Bemelmans iremos à Macy's no centro, de volta ao nosso provador. Você não vai acreditar no trabalho que tive por você, e talvez depois do Bemelmans possamos ir a um ateliê de tatuagem fazer tatuagens que só nós podemos ver. *Tudocionamento* ficaria legal em pequenas letras pretas na face interna de sua coxa, e é melhor eu me acalmar ou terei de pendurar um cartaz e tocar uma na gaiola lá embaixo.

O dia se transforma em noite e mal posso acreditar quando chega a hora de fechar a loja. Meus sentidos estão despertos; você faz isso comigo, não a porra do Nicky. Eu passo por este quarteirão todo dia, mas hoje ele parece diferente, recém-lavado, embora não esteja; as ruas são limpas às terças, e hoje é sexta. Muitos adolescentes, fazendo planos para o fim de semana, e eu era solitário no secundário, mas não mais. Não consigo resistir, e mando uma mensagem:

"Em casa logo."

Você responde imediatamente.

"K."

E nem mesmo o temível *K* me assusta. Já não há nada com que me preocupar. Nunca me senti tão em paz com onde estou, agora, em um trem, indo para minha casa, para você. Subo a escada sem pressa e chego à rua. Quero que a vida se mova lentamente pois quero esperar você com todo o meu coração, receber você com todo o meu coração, foder você com todo o meu coração e sentir sua falta com todo o meu coração. Tenho de rir, pois pareço um cartão de cumprimentos, mas eu mereço isso: você, alegria.

Minha vida inteira eu nunca me senti em casa, minha vida toda pensei em por que as outras pessoas pareciam conseguir dar a si mesmas um emprego, uma família, amigos. Todo ano meu pai levava uma árvore de Natal para casa, minha mãe ficava com raiva e a arrastava para a calçada. Todos na escola sabiam; éramos os esquisitões que jogavam a árvore na rua antes do Natal. Eu fazia planos para o Hanukkah, mas meu pai gritava com minha mãe: "Você nem sequer tem uma menorá! Desde quando é tão judia assim?" Eu sobrevivi a invernos sem presentes em vermelho e verde ou azul e prata. Passei dias de Ação de Graças sem peru; meu pai preferia carne. Eu esperei, Beck. Chego aos meus degraus. A espera terminou. Destranco a porta da frente e a chave prende porque lhe dei minhas chaves, e a reserva que estou usando está enferrujada. Pego a correspondência, apenas contas e cupons para J. Goldberg. O de sempre. Subo a escada e lembro de como era subir esses degraus quando eles levavam a Karen Minty, e penso em algo que amo em você a cada passo e faço meu dever de casa mesmo não precisando mais de terapia:

Número um: Beck vê além da minha formação e sabe que não é preciso ir à universidade para ser inteligente.

Número dois: Beck me ama do seu jeito, com uma escova de dentes, um roupão.

Número três: Beck não tem medo de me dizer o quanto adora estar comigo.
Número quatro: Beck acorda feliz quando acorda comigo.
Número cinco: Beck não sabe cozinhar, nem eu, e diz que isso é bom porque significa que temos de aprender, juntos.
Número seis: Beck procurou solipsístico no dicionário naquela noite. E agora seu dicionário está marcado com todo tipo de palavras que saem de minha boca e entram em seu mundo.
Número sete: Quando ela chega ao orgasmo se agarra a mim com o corpo inteiro. Seus peitos reagem ao meu toque. Reagem. Seu corpo inteiro é uma resposta.
Número oito: Ela tem a capacidade de ficar genuinamente feliz por outras pessoas. Ela se orgulha do fato de que juntou Ethan e Blythe. Ela é doce.
Número nove: Ela lembra de tudo que eu disse ou de nada que eu disse e é sempre bom como é. Algumas vezes diz que é tão louca por mim que fica surda quando eu falo.

Não consigo mais esperar. Eu quero você agora, subo correndo os últimos degraus, abro a porta, estou duro como uma pedra e tenho na mão *A escolha perfeita*, mas não importa. Nada importa. A tapeçaria que cobre o buraco está no chão. E você me olha com novos olhos quando me vê. Você segura uma calcinha sua. Você estremece de medo, como se eu fosse um filme de terror, como se fosse um rottweiler ou uma carta de rejeição, e eu não sou nenhuma dessas coisas, e dou um passo na sua direção.

— Beck — eu tento.

— Não — você diz. — Não.

46

FOI você quem foi espiar em minha parede, mas é quem age como se eu fosse o único com problemas neste apartamento. Você quer me deixar, claro. Está com medo da Caixa de Beck. Você julga, é nojenta. Está em pé diante do buraco na parede atrás do meu sofá — meu lugar especial e particular — e minha caixa está no sofá, parcialmente rasgada porque você a atacou como uma ratazana de esgoto. Só há uma coisa boa nisto tudo. Em sua pressa de espiar minhas coisas você deixou o telefone na mesinha de centro. Eu o agarro enquanto você vasculha a caixa.

— Isto é um absorvente interno usado?

— Está no plástico.

— Não se mexa, cacete — você ordena.

Muitos caras ficariam putos, mas não eu. Sei que você está fora de si neste instante, Beck. Que inferno, está com raiva por eu ter roubado seus colares de Mardi Gras, mas nem sequer sabia que estavam faltando até agora. Você está louca por eu ter ajudado a revirar seu apartamento em busca de seus óculos de sol Channel semana passada quando eu claramente sabia que estavam nesta caixa. Mas honestamente, você está melhor sem a porra daqueles óculos horrendos. Eles são para pessoas como Peach; você parece boba com eles, e agora muda de assunto.

— Bem, e quanto a isso? — diz com raiva. — Este é *meu anuário*, Joe.

— E é perfeitamente bom.

— É *meu*, seu doente. Você não frequentou a Nantucket High School. Este é *meu* livro da minha vida, *meus* amigos e *minha* casa.

— Beck — digo. Você nunca soou mais egoísta, mas terei paciência. Você aponta para mim.

— *Não*.

Você não pode ser responsabilizada pelas suas ações. Você continua olhando para a saída de incêndio como se fosse possível. Você está dizendo loucuras, como se fosse me abandonar depois de toda aquela torta, toda aquela conversa sobre morarmos juntos. Eu tento chegar a você.

— Beck, acalme-se. Você não vai sair pela janela e não vai descer a escada correndo quando está tão fora de si assim.

Nós damos voltas. Em um minuto você está com medo, no outro vai me matar, no outro acha que eu vou matar você, no outro você é vítima de minhas malfeitorias (risos), no outro eu sou a vítima porque você vai me matar (risos). Você rosna e me chama de *maldito doente*. Sei que não fala sério. Se realmente estivesse com medo faria uma tentativa séria de escapar. Mas o fato é que eu a conheço. Sei como está contente com sua descoberta. Você gosta de atenção e devoção, e a caixa é prova de que sou atento e devoto. Se aquela caixa contivesse as coisas de Candace, você teria quebrado o pescoço tentando sair da minha casa. Você ficará ao meu lado, mas tenho de ser paciente. Você está em choque. Grita novamente. Minha cabeça começa a latejar, eu me preocupo com os vizinhos e surto.

— Quer, por favor, calar a porra da boca? Você está me ouvindo xingar? Como acha que me sinto quando entro aqui e encontro você mexendo nas minhas coisas? Acha que é bom? Acha que gosto de ser espionado?

— Você tem uma caixa de porcarias minhas — diz, com desprezo.
— Estou indo embora.

— Ninguém vai tomar decisões agora. E vamos ser honestos, Beck. Eu poderia muito bem dizer que estou farto de você espiando as minhas coisas.

— E-eu não consigo acreditar — você diz, gaguejando. — Você é louco. Louco.

E aí vem você novamente, com os dentes batendo, e puxando os cabelos.

— Não consigo acreditar que isso está acontecendo comigo.

Você nunca se cansa do drama?

— Calma, Beck — eu apelo. — Por que não se senta no sofá?

Suas bochechas ficam vermelhas, você fica na ponta dos pés e me xinga — "malucoloucodoidoesquisitobabacadoentiodoente" —, e tudo bem. Sei que não fala sério.

— Ah, eu falo sério, Joe — diz, me olhando de boca aberta e brandindo meu boné Figawi. — Não quero saber de onde isto veio.

— É uma longa história.

— Claro que é. Maldito doente.

Lembro de que mês passado nesta época você ficou violenta e gritou comigo por ter jogado fora um burrito de três dias que estava fedendo em sua geladeira. No dia seguinte você menstruou e me beijou na face.

"Não sou maluca", você disse. "Desculpe."

"Eu sei, Beck."

"Eu prometo. Quando fico horrível assim é como se estivesse fora de mim, sei que estou sendo terrível e irracional, mas não há nada que possa fazer a respeito. Eu às vezes tenho uma TPM terrível."

Eu a perdoei, e não tinha pensado naquele momento até agora porque sei como viver um *tudocionamento*. Qualquer um que entrasse aqui agora acharia que você é maluca, Beck. Qualquer um tentaria me proteger, pediria que você baixasse a voz enquanto me agride com acusações. Eu sou um *pervertido*, um *doente*, um *acumulador* e um *psicopata*, e não reajo.

— Você é surdo, Joe?

— Você sabe que não sou surdo.

Você está gritando de novo, e eu grito com você? Nunca. Quando mando mensagens e você não responde de imediato eu deixo para lá. E agora é sua vez de deixar para lá. Não é como se eu tivesse roubado alguma coisa de que você precisa. Quem olha para o anuário do secundário? Você está seguindo com a vida; eu nunca a vi olhar para aquela coisa *uma só vez*. Você não sente falta daquelas pessoas. E muitas garotas se desculpariam por invadir minha privacidade. Você está sendo ingrata agora. Ainda está me xingando: *depravado, doente pervertido acumulador de calcinhas*.

    Você vai se acalmar, vamos superar isto e eu finjo que você é um leão no zoológico. Eu sou o tratador, tomo conta da porta e rezo para não ter que usar meu punho em você, mas se o fizer, você vai se recuperar, provavelmente. Por hora meu trabalho como tratador é ficar de prontidão e esperar. Você logo se cansará, assim como se cansa em meu pau.

    — Há quanto tempo isso acontece?

    — Você não precisa erguer a voz.

    — Há quanto tempo? — você diz, e obedece. Usa uma voz de interiores.

    — Como sabe, fiquei muito entusiasmado quando nos conhecemos — digo, e talvez haja esperança. — Você flertou comigo, estabelecemos uma ligação e eu não queria me jogar sobre você, entende, pedir ali mesmo. Então esperei.

    — Hã-hã — você diz, cruza os braços e bate o pé.

    — Então eu aprendi sobre você, Beck — digo, me sinto como o cara em *A princesa prometida*, e você é tão teimosa quanto Buttercup. — Eu fiquei encantado, Beck. Ainda estou. Não há naquela caixa nada de que você deva ter medo.

    Você olha para caixa e olha para mim. Não sei o que fazer e me sinto inadequadamente preparado para meu trabalho de tratador. Quero que você veja tudo, quero que saiba a profundidade de minha paixão, o poder da minha força e a certeza do meu amor. Mas, novamente, você está "TPMando", provavelmente ainda assustada por estar na parede, e de tempos em tempos murmura algo sobre sentir falta da babaca da Peach.

    — Vá em frente — digo, porque não há como voltar atrás. Você não pode colocar sua calcinha de volta na caixa. Literal e figurativamente a caixa está arranhada e rasgada; você a destruiu. Isto não é o que eu tinha imaginado. Eu queria afastar você da caixa arrombada, mas como tratador sei que preciso manter uma distância segura do animal, para segurança dele e minha. Você abriu caminho pelas minhas coisas que considera suas coisas e agora encontra minha *pièce de résistance*, *O livro de Beck*. É bonito. Você deveria se sentir lisonjeada por um cara corajoso como eu, que é *mais inteligente que a maioria dos caras*, estar criando um tributo a você.

— Não está pronto. Vou mandar encadernar.

— Meus contos — você diz, e é você novamente.

— Estão todos aí — digo. Estamos bem agora, estamos.

A qualquer segundo agora você vai atravessar a sala correndo e me abraçar. Estou errado. Sua boca se contorce. Você rosna:

— Isto é meu e-mail.

— Beck, por favor — digo. — É um tributo.

— Você hackeou a porra do meu e-mail.

— Eu não hackeei nada — corto, porque você novamente me decepcionou. E você poderia ter dito à sua mãe para cancelar a porra do telefone. A culpa é sua.

Você fecha o livro e o joga na caixa. O Sol está se pondo e é quase hora de acender as luzes. Eu avanço na sua direção. Você se encolhe, está com ódio, e lá vamos nós novamente. Agora você tem novos nomes feios para mim como *assassino*, *criminoso* e *mentiroso*. Eu permaneço firme, como um tratador tem de ficar quando os animais se tornam violentos.

— Você não acha isso — digo, calmo.

— Você é a porra de um perseguidor depravado e não sabe o que eu acho.

— Não, não sou. Não, não sou.

Eu a persigo. Eu driblo suas ofensas e a bloqueio quando você me ataca. É muito fácil agarrar seus dois pulsos porque você é tão pequena, sou forte e não tenho dificuldade para forçá-la a se sentar no sofá. Você não consegue lutar, e, quando promete ser boa, o que sempre faz, eu a solto e retorno ao meu posto junto à porta.

Você ofega.

— O que há de errado com você?

— Eu amo você.

— Isto não é amor. Isto é *doentio*.

— Isto é nosso *tudocionamento* — digo. Nossa palavra.

— Você precisa de ajuda — retruca. Está surda. — Você é doente.

Eu gostaria de ser uma pessoa maior, mas você me xinga e então penso nos *seus* crimes.

— Você deveria estar internado, Joe. Certo? Você entende isto? Isto é muito ruim.

Você não fecha a geladeira até o fim e duas vezes em sua casa tivemos de jogar fora toda a comida.

— Você é uma pessoa doente, e pessoas doentes precisam de ajuda, Joe.

Eu sou saudável e você é uma vagabunda; você se jogou em cima de Nicky. É incapaz de admitir que sente ciúmes de Blythe.

— Joe, me deixe chamar os médicos. Por favor, me deixe ajudá-lo.

Eu não preciso de *médicos*, e você mente, mesmo agora está olhando ao redor em busca de uma arma. Você tenta devolver roupas que já usou, e embora seja minha namorada, às vezes deixa cair na secretária quando eu ligo. Você nem sempre toma cuidado com a lâmina e às vezes acho que a senhora que a depila não tem licença para depilar ninguém, pois suas coxas frequentemente estão cobertas de pequenos pontos vermelhos que não dão uma sensação boa em minhas belas pernas limpas.

— Joe, você precisa me deixar ir agora.

E você precisa parar de me julgar. Você é uma pessoa descuidada, e não no sentido em que acha ser. Você deixa absorventes internos usados no lixo, não joga o lixo fora com a frequência certa e mês passado, por uma semana, seu apartamento fedeu a sangue de menstruação. Você ainda se masturba, embora com a honra de ter acesso ao meu pau. A blusa de seda que está usando? Você parece uma vagabunda, Beck. Eu pensei isso esta manhã, mas em um *tudocionamento* você precisa deixar as coisas de lado e se concentrar no positivo.

— Estou indo — você diz. Rá.

— Você não quer fazer isso — digo, e permaneço calmo porque alguém tem de permanecer calmo. — As pessoas sempre se arrependem do que fazem em momentos emocionais como este.

Você nem sequer se dá o trabalho de tentar passar por mim. Você respeita minha força. Mas eu a vejo olhar ao redor. Você é um animal, e corre para meu quarto. *Meu*. Enfia a mão na minha prateleira. *Minha*. Pega o Dan Brown italiano. Joga em mim.

— Onde está meu telefone, Joe?

— Em boas mãos — juro. E eu o tiro do bolso. — Você o deixou na mesa.

Você me chama de *escroto doentio*, rosna, e você é suja, e sujas sofrem.

— Pare de imaginar coisas, Beck.

Eu seria um grande tratador de zoológico. Sou bom nisso, me aproximando lentamente do animal enquanto ele fica nervoso.

— Eu vou gritar. Você não sabe como eu grito. Seus vizinhos vão aparecer. Eles vão saber.

Eu não falo sério, mas digo:

— Eu mato você se gritar.

Então acaba. Você começa a ganir, pula sobre mim e neste instante eu não gosto de você. Você me obriga a fazer coisas terríveis como prendê-la e colocar a mão sobre sua boca. Você me obriga a torcer seus braços e segurar você, e esta é nossa *cama*. Você chuta.

— Se você gritar é o fim.

Você apenas chuta.

— Beck, pare de lutar comigo.

Você se contorce, mas eu sou mais forte. Você é um perigo para si mesma, para o mundo. Você não sabe o que está dizendo, precisa de mim agora mais que nunca, e finalmente sua raiva se transforma em tristeza. Novamente. Seu falatório abafado aquece a palma da minha mão e eu não reduzo a pressão.

— Você vai acabar com calos como sua amiga em *A escolha perfeita* se continuar berrando assim.

Você finalmente para. Eu faço uma proposta.

— Beck, pisque os olhos se prometer parar de berrar. Se prometer eu tirarei a mão.

Você pisca. Sou um homem de palavra, e tiro a mão de sua boca.

— Desculpe — você diz. Está rouca e vira os olhos para mim. — Joe, podemos conversar sobre isto.

Eu não consigo evitar rir. Rá! Você acha que vamos *conversar* enquanto você está no meio de uma explosão de TPM? Não podemos conversar agora. Suas mudanças emocionais são psicóticas! Meu Deus, Beck, acha que sou tão idiota? Mas você suplica.

— Por favor, Joe, por favor.

Eu adoro o som de sua voz, e isso teria sido o meu número dez:

Beck tem uma voz bonita.

Infelizmente você estava mentindo, e chuta novamente, tentando escapar. A pior parte de ser um tratador é o momento em que você tem de salvar o animal de suas emoções, de sua natureza selvagem e ilógica. Você chuta e grita. Você morde. Mas seu corpo modelo Portman não é páreo para o meu, Beck. Eu conto até três. Eu lhe dou a chance de se calar. Mas você não se cala, e depois de três vezes eu pego sua cabecinha na mão — desculpe — e bato com ela contra a parede — desculpe. Você também irá se desculpar quando se acalmar e perceber o que me obrigou a fazer.

Estou sozinho no silêncio e beijo sua testa. Você certamente tem problemas, e seus problemas com o ciclo menstrual são apenas a ponta do iceberg. Que tipo de garota entra em uma parede? Você não consegue aceitar meu amor quando está tão perturbada assim. E você tem um jeito infernal de pedir ajuda. Eu ajo rapidamente. Você não vai dormir muito tempo. Embalo suprimentos, coloco no ombro a bolsa de carteiro, pego-a no colo, carrego-a escada abaixo e chamo um táxi.

O motorista a avalia e quer saber qual hospital. Mas não vamos ao hospital, Beck. Vamos para a minha livraria. Aqui é Nova York. O motorista não faz perguntas. E animais sabem que não devem sacanear o tratador.

47

VOCÊ não ficará feliz de acordar sozinha na gaiola. Mas fiz o melhor. Deixei para você uma garrafa plástica de refrigerante, uma garrafa plástica de água, um saco de pretzels, alguns lápis de cor que achei em uma gaveta e um bloco. Você não pode dizer que um dia a fiz passar fome ou a privei de algo. Você está segura. Eu até mesmo levei para baixo o laptop da loja e liguei o DVD, em uma cadeira do lado de fora da gaiola, com *A escolha perfeita* com som. Você viu o filme o suficiente para saber que Beca faz coisas terríveis com Jesse. Ela recusa suas investidas, debocha do seu interesse, reage com raiva e não o deixa chegar perto. Mas no final faz uma corajosa declaração de amor na forma de uma canção e ele a perdoa por todas as coisas terríveis que fez. E eu vou perdoá-la, Beck. Eu lhe dou um beijo de despedida, tranco as portas do porão e mando uma mensagem de texto para Ethan.

"Ei, camarada, não precisa vir amanhã. Cano estourado. Vai demorar alguns dias!"

O milagre sobre o amor é que ainda não estou com raiva de você. Eu lamento por você. Deve ser muito duro carregar toda essa raiva. Não tenho esse tipo de raiva em mim. Você foi muito agressiva, e eu gostaria de poder entrar dentro de você e sugar o veneno.

Destranco a porta da sua casa e provo meu perdão: jogo o lixo fora. Fede a banana e mulher. Tudo isso pode ser seu modo de me punir pelos erros que cometi, por minhas mãos em Karen Minty, meus pensamentos sobre Amy Adam.

Eu me jogo no sofá de sua sala. Algo acerta meu traseiro, eu levanto, enfio a mão entre as almofadas, e é meu exemplar de *Love Story*. Não me lembro de você ter pedido emprestado. Está sujo de café com leite, restos de fumo dos cigarros que você fuma sem motivo, um papel de chiclete, manchas de tinta, areia. Como foi parar areia aqui, cacete? *Areia*.

Ainda não estou com raiva de você. Eu a amo, minha porquinha. Folheio *Love Story* e fico pensando em por que o roubou de mim, por que o contaminou com um número 0800 de uma panela de arroz que nunca irá comprar. Eu lhe teria dado o meu *Love Story*. Teria lhe dado qualquer coisa. Olho para o televisor apagado e fico pensando em se foi minha culpa. Eu fui mesquinho com você? Não notei uma dica que você deu sobre *Love Story*? Não consigo mais ficar sentado aqui, e vou à cozinha limpar meu livro. Mas é claro que você não tem toalha de papel, e me lembro de uma de minhas noites preferidas nesta cozinha, semanas atrás, eras atrás.

Tivemos um grande dia juntos embora você tivesse ficado ocupada com a faculdade e eu trancado na loja. Brinquei dizendo que chegaria à sua casa às sete em ponto e que esperava que o jantar estivesse na mesa, sendo a brincadeira o fato de que você não cozinha. Mas quando subi aqueles degraus que levam a você, você me viu pela janela e não tive de tocar a campainha. Você correu para a porta, agarrou minha mão e me disse para fechar os olhos. E eu fechei.

Você me levou para dentro do apartamento, me guiou até o sofá, eu não espiei, me disse para abrir os olhos e eu abri. Lá estava você, de roupão, segurando um prato de papel com uma batata-doce que você tinha cortado ao meio e moldado na forma de um coração. Ergui os olhos para você, sorri, e você provocou: "De nada, querido."

Eu a fodi como o animal glorioso que você gosta e você me contou uma história palavrosa sobre como comprou uma batata-doce — a primeira estava podre e você teve de voltar! — fez furos nela, a estripou e abriu a pele, do modo como um secundarista da décima série abre o abdômen de um sapo na aula de biologia.

Eu ri da batata-doce ainda intocada.

"Agora só consigo ver um sapo."

Você ficou séria e suave.

"Não, Joe. Esse é o meu *coração*."

Então pedimos comida chinesa porque uma batata-doce nunca seria suficiente, e eu a amo. Mas agora estou aqui sozinho.

Uso uma de suas camisetinhas para limpar *Love Story*, você não vai ficar tanto tempo apagada, e é hora de trabalhar. Vou precisar do seu computador, então volto ao seu quarto e o pego da mesinha de cabeceira onde ele mora, vou até o pé da cama que construí, sento e imediatamente estou em pé. Sob os lençóis embolados há algo duro e plano: um MacBook Air. Você não tem um MacBook Air, eu não gosto do MacBook Air e o tiro do seu quarto porque não quero aquela coisa na cama que eu construí.

Preciso de uma bebida, abro o congelador e lá está nossa vodca, mas há mais uma coisa lá, gim. Desde quando você bebe gim e tem um MacBook Air? Levo a vodca para a sala e sento em seu sofá imundo. Tomo um gole. Talvez seu pai lhe tenha dado. Talvez sua mãe lhe tenha dado. Talvez Chana tenha deixado aqui, talvez tenha havido um invasor e talvez eu devesse tomar coragem e abrir. Que mal pode haver?

Sou um cara imaginativo e penso em vários cenários, mas o que eu encontro no MacBook Air mexe com a minha cabeça: um protetor de tela que é uma foto sua e do dr. Nicky tirando uma daquelas fotos escrotas que chamam de selfie. Estão ambos nus em minha cama, aquela que eu trouxe no *ferry*, a cama que construí para você, para nós. Está na porra da nossa cama, e vou à cozinha, pego o gim no congelador e o viro na pia sobre todos os pratos sujos. Foda-se você, computador. Foda-se você, Nicky.

Mas quando retorno à sua sala o MacBook babaca ainda está na mesinha, e se computadores pudessem sorrir esse computadorzinho de merda estaria sorrindo para mim. Tenho de me acalmar, e quem sabe? Talvez esteja me precipitando. Talvez este MacBook babaca seja velho e você tenha cometido este erro há muito tempo. Mas a página inicial deste MacBook Babaca é uma conta do Gmail para Beckliciosa1027@gmail.com. Você abriu a conta há duas semanas, pouco antes de eu conhecer Amy Adam, quando começou a se afastar de mim, quando comecei a ficar desconfiado. Você a abriu para Nicky. Você é uma vagabunda e disse a ele que eu poderia estar lendo seus e-mails. *Vaca*. Eu leio.

Nicky: "Eu não estava certo? Seu namorado não pode ler o que ele não sabe que existe."

Você: "Você é terrível, mas também está certo."

Nicky: "Gostou do novo brinquedinho?"

Você: "Um computador inteiro é demais kkkkk"

Nicky: "Pare."

Você: "Me obrigue."

Isso é tudo o que eu preciso ver. Há mais de 437 e-mails entre você e Nicky, e não sou maluco. Aquele corcunda de meia-idade tem estado corrompendo você, tirando vantagem de você, deixando você pagar a ele para comer você. Quando senti que você estava se afastando, você de fato estava se afastando. Você foi reduzida a e-mails secretos no que diz respeito a Nicky. Todas aquelas vezes em que se desculpou comigo por estar atrasada, cansada, sobrecarregada de trabalho, ocupada, na aula, cheia, ou estava dormindo com Nicky, falando sobre dormir com Nicky ou escrevendo para Nicky. Abro as fotos e há um Thumbnail de especial interesse. Nicky em pé acima de minha cama segurando sua canela nua. Está rindo e usa meu chapéu de Holden Caulfield que você ia levar de volta à Macy's.

Tenho de admitir, Beck. Isso dói. Mas não posso culpar apenas você. Fui eu que fodi tudo e a decepcionei. Eu *sabia* que havia algo errado. Tenho instintos, ignorei-os e agora você está trancada em uma gaiola por minha causa. Tive a oportunidade de tirar o rato de sua casa e não o fiz. Não espanta que você não parasse de gritar comigo. Você tem todo direito de estar puta comigo por ter falhado em protegê-la desse semi-doutor lascivo que calça Vans. Eu mando a Lynn e Chana um bilhete da sua conta secreta:

"Coisas ficaram feias com Nicky. Estou com muito medo de Joe descobrir e também muuuiiito atrasada com meus textos. Vou me afastar de tudo para escrever por alguns dias. Adoro vocês, meninas, bj Beck"

Não podemos ter suas colegas de faculdade se preocupando com seu paradeiro, então troco para sua conta de e-mail legítima e escrevo a Blythe de um modo que garanta que ela não tentará rastrear você:

"Blythe, aimeudeus grande segredo, sabe meu conto da empregada? Seus comentários foram incríveis, eu o mandei para você-sabe-onde e... eles o querem! Tenho muito a escrever (eles são brilhantes nos comentários, você deveria estagiar com eles). Boa sorte com a oficina, e quando eu voltar vamos todos jantar juntos. Você escolhe, eu pago. ☺ Bj B"

Eu pego seu telefone e abro o aplicativo do Twitter:

"#FeriasdeMidiaSocial começam agora. Bj B"

48

ACHO que já decorei os e-mails traiçoeiros entre você e o dr. Nicky. Eu tinha de lê-los porque precisava preparar uma prova para você. Estou frio, calmo; deixei de lado minha própria fúria egoísta e escrevo as perguntas em um bloco amarelo que comprei na delicatessen a caminho da loja. Estou pronto e carrego minha pesada bolsa de carteiro com computadores para a base da escada e tento acalmar você. Você está berrando. Deveria poupar suas energias.

— Certo, Beck, já chega.

Você parece péssima, pobre coisinha. Seu cabelo está um horror, e você esteve chorando.

— O que está tentando fazer comigo, Joe?

— Estou aqui, está tudo certo.

Você olha para o computador que instalei, guincha novamente e cobre os ouvidos com as mãos. Eu não entendo, porque *A escolha perfeita* é seu favorito, mas fodi tudo e esqueci de apertar play. A tela de introdução está se repetindo desde que você acordou, que parece ter sido há um longo tempo. Eu aperto o botão de mudo.

— Pronto agora. Que tal isso, Beck?

Você soluça, geme e está um lixo, mas anui, acho, e eu lhe digo para ir até a gaveta deslizante onde coloco dois cartões.

Você olha ao redor.

— Que porra é esta?

— A gaveta, Beck.

Eu dou um tapinha na gaveta onde o sr. Mooney me deu pizza, onde dei club soda a Benji. Algumas vezes as pessoas mudam, e quero que você pegue os cartões.

Eu explico.

— Você precisa pegar os dois cartões. Depois começaremos. Um diz sim, o outro diz não.

— Joe... — você diz, e não está andando, não está escutando.

Eu aponto para a gaveta na gaiola, você obedece e suplica:

— Joe, veja, eu exagerei.

— Beck, pegue os cartões — digo, e você me olha como se eu fosse louco. — Pegue. Quanto mais cedo começarmos, mais cedo você receberá comida.

Você os pega e adora uma prova. Senta no banco e me encara. Vejo que comeu algumas das batatas e bebeu a maior parte da água. Boa menina.

— É uma prova oral — começo, e você ri. Estou torcendo para que você passe, então olho para o outro lado. — Cada pergunta é verdadeira ou falsa. Depois de cada pergunta você terá a oportunidade de justificar sua resposta.

— Você está brincando, certo?

Eu a ignoro, e você está choramingando. Não posso ficar puto. Se eu tivesse de ver e ouvir o menu do DVD de *A escolha perfeita* por mais de cinco horas também estaria um lixo. Baixo os olhos para meu bloco amarelo e começo.

— Verdadeiro ou falso? Você está tendo um caso com seu terapeuta, Nick Angevine.

— Falso — você manda.

Eu quero que você passe na prova, então pressiono.

— Novamente. Verdadeiro ou falso? Você está tendo um caso com seu terapeuta, Nicholas Angevine.

Eu deliberadamente não incluí a palavra *doutor* e você fica envergonhada.

— Falso.

Eu suspiro.

— Tem certeza disso?

Finalmente você se abre para mim "pétala a pétala, com a chegada da primavera". Prende os cabelos atrás da orelha.

— É complicado.

— Isto não é Facebook, Beck. Nada é complicado. Ou é ou não é.

Você está em pé sacudindo, puxando os cabelos, rosnando, berrando socorro, temendo pela vida, suas pobres cordas vocais, que desperdício. Eu largo meu bloco. Ando até a gaiola.

— Eu amo você, Beck. A última coisa no mundo que quero é matar você.

— Então me solte.

— Logo — digo, retorno a meu posto e pego o bloco. — Verdadeiro ou falso? Você está tendo um caso com Nick Angevine.

Você geme e chuta, mas acerta o ar com o cartão de sim. Sim!

— Correto. — Faço uma marca junto à pergunta.

— Joe — você diz, e está em pé novamente, depois caindo de joelhos, como uma órfã. Você implora, suplica. — Por favor, não surte por causa do dr. Nicky. Foi um erro, certo? Eu estava maluca, e terminou. Quero dizer, dormimos juntos uma vez. Não foi nada. Uma noite idiota.

Não foi "uma noite idiota", e é hora de prosseguir.

— Próxima pergunta — anuncio, e isto é duro, Beck. Isto é duro para mim. — Verdadeiro ou falso? Joe Goldberg tem muito a seu favor.

Você dá uma gargalhada e responde, segura e rápido.

— Verdadeiro. Você está brincando? Você tem *muito* a seu favor. Estou sempre dizendo como você é inteligente, como é muito mais inteligente que qualquer um que eu conheço. Você é impressionante, engraçado, inteligente e *real*.

Eu estava com medo de que você dissesse algo assim. Enfio a mão na bolsa de mensageiro e pego o MacBook Babaca. Você vê e rosna. Você chuta, pisa e soca. Está agindo como uma criança de 5 anos de idade, e espero que o chilique termine. Sei que você me ama e sei que não acredita nessas coisas, mas não podemos avançar sem honestidade completa. Foi você quem entrou na *minha* parede. Eu não tive escolha a não ser entrar na *sua*.

Leio um e-mail que você enviou ontem para Nicky do Beckliciosa1027.

"Nicky, querido, estou tentando terminar as coisas com Joe, mas ele tem tão pouco, sou decididamente a melhor coisa que já aconteceu a ele, e é duro. E sinceramente, Nicky, algumas vezes, no meio da noite eu acordo e penso que não quero ser uma madrasta. Ah! Pode trazer de volta *The Things They Carried*? Obrigada!"

Eu fecho o MacBook Babaca. Não lhe revelo qualquer emoção. Sendo que eu administro a prova, preciso manter minha distância emocional profissional. Há um silêncio denso. É como se os livros raros estivessem nos escutando, respirando, esperando.

— Certo — você diz, e estamos em um novo ponto. — Eu sou uma *merda*, Joe. Clássico produto estragado. E você sempre me olha como se eu fosse tão impressionante, e não sei. Não sei por que faz isso, porque não sou. E eu ia pegar seu livro de volta, ia mesmo.

Eu quero beijar você, dizer que amo e abraçar você, mas não. Eu falo.

— Verdadeiro ou falso? Você não quer mais estar com Nicky.

— Verdadeiro, Joe — você diz, se senta na cadeira, abre as pernas e deixa a cabeça cair entre elas. Levanta a cabeça. — Cem por cento, totalmente, verdadeiro.

Eu abro o MacBook Babaca e você suspira fundo.

— Vamos passar para compreensão de texto. Vou ler para você uma coisa que Nicky escreveu. E então você vai me dizer o que isso significa.

Você me encara. Sem dizer nada. Eu considero seu silêncio compreensão, e tusso. E leio em voz alta o e-mail de Nicky para você:

"É isso o que você quer, Beck? Bem, acho que acabei de contar à minha esposa sobre você. É um pouco tarde para dizer que reluta em ser uma madrasta. Isso não é um jogo, Beck. Isto é vida. Estou indo. Não tenho para onde ir. Ela quer que eu saia, Beck. Tudo isto acontecendo e você me pergunta sobre um livro."

Eu fecho o MacBook Babaca.

— Você tem dois minutos para me dizer o que esta carta significa para você.

Eu quero muito lhe dar a resposta, mas não posso. Eu inicio o cronômetro em meu telefone. A resposta é tão óbvia, Beck. Você deveria me dizer que quer denunciar Nicky às autoridades para que eles cassem sua licença. Deveria me dizer que deseja que a esposa dele o chute e que ele morra sem teto, sozinho com uma maleta de discos arranhados e nenhum lugar onde tocá-los. E depois você deve se dar conta de que não quer realmente que isso aconteça. Você já deveria ter se dado conta de que não sente nada por ele, deveria saber que tudo o que quer sou eu, mas cinquenta e nove segundos do seu tempo se passaram e você não disse uma palavra. Você junta as mãos.

— Certo, Joe, jogo encerrado — você diz, cantarolando. — Eu me apaixonei por um cara casado. Sou uma pessoa horrível. Não vou ficar aqui, culpar meus pais ou qualquer outra coisa, porque tenho 24 anos de idade. Muitas garotas têm pais de merda. Isso não é desculpa.

Você deu a resposta errada. Nicky realmente fez mal a você, e é física e emocionalmente exaustivo sair da armadilha que ele montou para você, um porco em seu poço. Você está tentando. Eu vejo isso. Abro o MacBook Babaca e anuncio:

— Próxima pergunta. Compreensão de texto do último diálogo entre você e Nicky. Você escreveu: "Lamento muuuito, Nicky, realmente acredito que nunca irei amar alguém como amo você."

Você pá um pulo, protesta.

— Joe, pare. Por favor.

Eu ergo a mão. Pare. Leio o que você escreveu:

"Fico molhada só de pensar em você, e isso nunca me aconteceu."

Você protesta em voz alta.

— Eu sempre disse isso para todos os caras, Joe. É o que eles gostam de ouvir. Você não pode achar que é verdade.

Eu perco a concentração e reajo.

— Bem, você nunca me disse isso.

— Porque você é diferente — você diz, *diferente. Um tesão.* — Você não acreditaria nessa besteira.

Você é encantadora, mas tenho uma prova para aplicar. Ademais, você não quer vencer com sua boa aparência, seu ritmo sensual. Você quer passar na prova com sua inteligência. Eu baixo os olhos para o MacBook Babaca e continuo a ler sua carta a Nicky:

"Sinto que você ama sua esposa mais do que sabe. Eu sinto que poderia amar Joe."

Você interrompe novamente.

— Eu amo você, Joe. *Mesmo.*

Eu a ignoro. Ainda é minha vez de falar.

— Agora vou ler a resposta de Nicky: "Você quer saber como me sinto, Beck? Sinto que você é uma maldita piranha egoísta. Boa sorte para você, Beck. Você vai precisar, já que não tem nenhuma moral."

Eu fecho o MacBook Babaca e o devolvo à bolsa de carteiro. Pego meu bloco amarelo.

— Você tem três minutos para transmitir o significado de seu último diálogo com Nicky.

Eu lhe dou tempo extra porque você é uma boa ouvinte e passou por um inferno. Nicky deveria queimar pelo que fez a você. E eu falhei com você quando o deixei ir. Ele abusou de você no sagrado espaço seguro de almofadas bege, rock clássico e babaquice. Eu lamento por você, Beck. Não surpreende que estivesse tão enlouquecida que mentisse e me dissesse que seu lugar estava sendo "desinsetizado". Você precisava se afastar do seu MacBook Babaca e do babaca que lhe deu o MacBook Babaca. Claro que você estava subindo pelas paredes na minha casa, literalmente, pobre coisinha.

Você ainda está pensando, andando em círculos, e eu rezo. Quero que dê a resposta certa. Quero que me diga que não se reconhece nesses e-mails. Quero que me diga que depois de menos de oito horas na gaiola você se sente renascida. Quero que diga que nunca ficou molhada ao ver aquele corcunda megalomaníaco, que diga que me ama e implore meu perdão. Tudo o que eu quero é perdoar você.

Já se passaram trinta e quatro segundos e dois minutos desde que eu liguei o cronômetro, e você olha para mim e responde:

— A coisa engraçada é que na primeira vez em que fui ver Nicky ele quis saber o que havia de errado comigo. Ele foi meio que: "Bem, Beck, vamos descobrir que porra há de errado com você."

Você dá um risinho, e Nicky usou a mesma frase comigo. Desgraçado. Você continua:

— E eu disse a ele que sentia que minha cabeça era uma casa. Ele não sacou, mas eu disse que minha cabeça é como uma casa, e há um rato nela. Por isso sou tão ansiosa o tempo todo.

Você que criou isso, e ele é um ladrão, desprezível.

— Ah — digo, e eu deveria ter matado Nicky no primeiro dia em que entrei no seu consultório.

— Ele não sacou até eu contar a ele que a única coisa que me fazia esquecer o rato era ter um caso com alguém.

Eu olho para o menu silencioso de *A escolha perfeita*. Você não é nada como Beca.

— De qualquer forma — você diz, e continua a partir meu coração —, eu disse a ele que adoro ser desejada. Disse a ele que adoro coisas novas. E também lhe disse isso, Joe.

— Eu pensei que você falava em merdas da IKEA — digo, e você desvia os olhos.

Você tenta se explicar e fala sobre seus problemas como se falasse sobre um filme que viu no meio da noite. É clínica, distante, e você é assim há algum tempo, desde muito antes de nos conhecermos. Você chama a si mesma de *caçadora*. Diz que imaginou o mesmo casamento — a música é "My Sweet Lord" — com um milhão de caras diferentes, "incluindo você, Joe".

— Então você quis se casar comigo — digo. Você é meu amor, "*my sweet lord*".

Você dá um grunhido.

— Você não sacou, Joe. Eu não sou assim.

Acho que está errada, e você diz que terapia é uma piada. Você continua.

— Você *não pode* tirar um rato de uma casa. A não ser explodindo a porra da casa.

Você está exausta, faminta e incoerente, eu coloco meu bloco em minha bolsa e ponho duas barras de cereais de cereja Lärabars na gaveta para você. Você adora falar sobre si mesma, mesmo em uma gaiola. Eu ligo *A escolha perfeita*, subo a escada e ignoro seus pedidos para que fique. Não posso ficar. Tenho de preparar a segunda parte da prova.

Eu corro até Ficção Popular e pego dois exemplares de *O código da Vinci*. Desço a escada correndo e encontro você devorando uma Lärabar com os olhos grudados nos Treblemakers fazendo música com as bocas. Eu fiz bem! Puxo a gaveta e jogo dentro um exemplar do livro.

— Está brincando? — você diz, a boca cheia de comida de mulher sabor cereja.

Eu aponto para o meu exemplar.

— Eu também vou ler.

— Por quê?

— Porque este é o único livro em que posso pensar que você e eu nunca lemos.

Precisamos partilhar uma experiência de modo a avançar. Você folheia o livro, e tem uma enorme confiança, uma fortaleza sexual, um teimoso orgulho no ímã macio e sedento que incha entre suas pernas. Você não tem medo de mim, de ninguém. Os homens a amam. Você sabe disso. Nenhum homem pode ser um rato em sua casa porque você sempre terá alguém — um funcionário tesudo de uma livraria, um analista safado, uma garota rica no armário. Alguém sempre cuidará de você, e você acredita ser especial. Na gaiola você se sente amada, não presa. Assim como eu.

49

HÁ um rato em nossa casa, e seu nome é Dan Brown, senhor de nossa mansão, criador do professor Robert Langdon e da esplêndida e hipnotizante criptologista Sophie Neveu. Somos fisgados quase imediatamente, e viajamos bem juntos. Vamos ao Louvre, seguimos as pistas, você deita de barriga para baixo e chuta quando algo excitante acontece, o que é frequente. Estou de lado, do outro lado da gaiola, tão fisgado quanto você.

Fazemos pausas para conversar sobre a Opus Dei e o Priorado de Sião, e ambos desejamos que Robert Langdon fosse real, e eu encontro na internet segmentos da adaptação para o cinema para devorar quando precisamos descansar os olhos e os dedos. Você nunca se sentiu tão compelida a ler, e admito que o mesmo vale para mim.

— Quero dizer, eu adoro os livros de Stephen King — você diz. — Mas isso é diferente, porque a obra dele é muito bem construída. *O iluminado* é literatura, sabe?

Eu sei e lembro de Benji e de sua recusa a admitir que adorou *Doutor Sono*. Lemos até tarde da noite e você me acorda no dia seguinte deslizando a gaveta para frente e para trás, para frente e para trás.

— Vamos lá! — você guincha. — Estou morrendo aqui.

Começamos a ler, mas precisamos de café, e subo a escada correndo, passo pela loja, desço a rua, e você não está apenas passando na prova, está tirando dez. Há uma fila comprida no Starbucks, mas você merece aquela coisa de caramelo salgado que bebe sempre, e nosso clube do livro é o melhor.

"É uma perversão eu conseguir me relacionar com Silas?", você me perguntou noite passada. "Isso vai parecer doentio, mas quando descobri que Peach estava morta senti mais raiva de mim que tristeza por ela. Ela era a melhor amiga do mundo porque eu era o mundo para ela. Ela era obcecada por mim, e eu não conseguia sequer lembrar do dia do aniversário dela."

"Você era a igreja", eu disse.

"E ela era Silas", você disse.

Eu lembrei a você da primeira conversa que tivemos na livraria, quando me provocou dizendo que eu era um pregador e eu respondi que era uma igreja.

"Uau", você disse. "Uau."

Eu sorrio para nada e tudo ao caminhar de volta para a loja carregando seu caramelo salgado. Somos um casal dos sonhos, somos o que acontece depois que Meg Ryan e Tom Hanks finalmente se beijam, depois que Joe Gordon-Levitt, livre do câncer, e a doce analista em formação, Anna Kendrick, comem a pizza meio a meio. Somos Winona Ryder e Ethan Hawke depois que o U2 acaba de cantar "All I Want Is You". Quando chego ao pé da escada você aplaude, mas fica confusa.

— Joe — você diz. — O copo alto é alto demais para a gaveta.

— Eu sei — digo, e a amo por estar vivendo aqui, por não brigar.

— Então como vai me passar isso?

Eu sorrio e lhe mostro a caneca baixa e larga que comprei com esse objetivo específico, e você diz novamente:

— Uau.

Você disse essa palavra mais nas últimas vinte e quatro horas do que nas últimas vinte e quatro semanas, me chama de *gênio* e pede para contar novamente como fiz Benji ir à loja. Tomamos café juntos em lados opostos da gaiola, e quando acabo de contar a história você balança a cabeça e aí vem novamente:

— Uau.

— Que nada.

— Mas uma coisa — você diz, e pousa seu café no chão. — Naquele último tuíte de Benji você disse *na* Nantucket. E eu lembro de ler aquele tuíte e pensar que ele deveria estar muito fodido, porque ele sabe que é *em* Nantucket.

— Belo trabalho, Sophie — digo, sorrio, não há lamento e não há guerra porque estamos unidos, somos Unicef. Nós damos.

— Obrigada, professor — você diz, brilha e pisca.

— Pausa? — pergunto.

— Perfeito — você responde, e estamos muito bem aqui, eu toco "We Are The World", você ri, pergunta porque escolhi essa música e eu lhe conto sobre como sinto que melhoramos o mundo neste porão, você fica séria e sabe o que eu quero dizer, concorda e nunca em minha vida estive tão ligado assim a outro ser humano. Você sabe como meus sentidos funcionam, como meu cérebro funciona. Você gosta de estar lá, estar aqui.

As horas voam e algo em *O código da Vinci* leva a uma conversa sobre o Festival Dickens, e fantasias levam a chapéus, eu enrubesço e você se dá conta de que sei sobre o chapéu de Holden Caulfield. Você fecha seu exemplar. Abraça os joelhos como faz quando está verdadeiramente, totalmente triste.

— Aquilo deve ter sido horrível para você — diz.

— Também não ficou bem nele — comento, e sou tão furtivo quanto Robert Langdon. Mas você ainda se sente mal.

— Sou uma impostora.

— Beck, você não é.

— Você é como este nobre do Priorado de Sião circulando e me entendendo, e sou tão incompetente que nem sequer escondo direito um chapéu de caça, quanto mais um caso lamentável, pobre e de merda.

Caso! Lamentável! Pobre! De merda! É um alívio ouvir você falar assim, e sorrio.

— Você deu de tudo, Beck. Só precisa ter mais cuidado com a quem você dá.

— Você está certo. Ninguém é mais dedicado, mais intenso que você, Joe.

— A não ser você — digo e você sorri, pisca.

Nós lemos. Quando nos dedicamos a isso ficamos em silêncio. Somos sugados para um livro da mesma forma, e em algum momento ambos adormecemos. Eu acordo primeiro — Isso! — e deixo você descansar. Subo para a loja e me espreguiço. Ethan escreveu para mim.

"Joey, meu homem. Parabéns para Beck. Blythe me diz que ela vai ser publicada pela *New Yorker*! É impressionante. Vamos tomar um drinque de comemoração semana que vem. Por minha conta. Ou de boas vindas, me mudando para a casa de Blythe enquanto falamos!!!!!!"

Ethan Ponto de Exclamação finalmente tem motivo para usar pontos de exclamação e fico feliz por ele. Vou para Ficção A-D, encontro *Grandes esperanças*, de Charles Dickens, e estou tonto. Eu antecipo nosso futuro, o dia em que lhe contarei sobre segui-la até Bridgeport, ao Festival Dickens em Port Jeff. Você dirá *uau*. De novo.

E menos de uma hora depois minha previsão se mostra precisa. Você folheia *Grandes esperanças*.

— Uau — você diz. — Então você realmente sabe como são meus meio-irmãos.

— É. Eu comprei uma barba, sabe, só por garantia.

Você joga *Grandes esperanças* na gaveta.

— Acho você genial.

Eu puxo a gaveta e tiro o Dickens.

— Pronta?

Você sorri.

— Achei que nunca iria perguntar.

Nós nos acomodamos em nossos lugares e parece que estamos dando as mãos, correndo do cais, prendendo a respiração enquanto saltamos de volta para as águas profundas e ardentes de *O código da Vinci*. São os momentos mais felizes da minha vida, olhar para você e esperar que sinta meus olhos e me dê o que quero.

— Duzentos e quarenta e três. Você?

— Estou na 251.

— Bem, faça uma pausa para eu alcançar você — você diz e comenta novamente que sou ao mesmo tempo um leitor rápido e atento, o que é especial, pois a maioria das pessoas, especialmente homens, é um ou outro.

Choramos quando Robert e Sophie chegam ao cálice. Sabemos o que é quando eles cruzam a paisagem e entram na igreja. Você coloca a mão na gaveta, eu coloco a mão na gaveta, e a gaveta é projetada para manter nossas mãos afastadas, mas sinto sua pulsação. Sinto mesmo. Você funga.

— Não quero que acabe.

— É como o fim de *As correções* — digo, e o problema dos livros é que eles acabam. Eles seduzem você. Esticam as pernas até você e o puxam para dentro. E você mergulha fundo, deixa à porta seus bens e seus laços com o mundo, gosta do lado de dentro, não quer seus bens e seus laços, e então o livro se evapora. Você vira a página e não há nada, e estamos ambos chorando. Estamos felizes por Sophie e Robert, e com *jet lag* da viagem. Nós viajamos. Em certos momentos estávamos tão no livro que você era Sophie, descendente de Cristo, eu era Langdon, salvador de Sophie, e estamos voltando a nossos corpos, nossas mentes. Você boceja, eu bocejo, e suas costas estalam. Rimos. Você me pergunta quanto tempo durou.

— Três dias, quase quatro.

— Uau.

— Eu sei.

— Deveríamos celebrar.

— Como?

— Não sei — você mente, sua ninfa. — Eu poderia ir comprar sorvete.

O código da Vinci é o maior livro do mundo, e um dia quando morarmos juntos teremos uma prateleira — nova em folha, não usada, eu conheço você e suas *coisas novas* — e não haverá nada na prateleira a não ser nossos exemplares, aninhados, fundidos para sempre pela força sobrenatural que é o nosso amor.

50

EU corro para comprar sorvete, ouço Bobby Short cantando na minha cabeça — eu sou seu príncipe — e estou flutuando a caminho da delicatessen, e de volta. Desço correndo a escada, não há como chegar rápido demais, com o sorvete que você queria, baunilha. Você está novamente simples; há três semanas você ia querer alguma porra de um *gelato* sobre o qual lera em *Sunday Styles*. Quero lhe contar sobre o cara engraçado na fila da delicatessen, mas quando chego ao pé da escada você está diferente. Está nua. Fico imóvel.
— Beck.
— Venha aqui — você ordena. — Traga o sorvete.
Eu faço como ordenado, sua mão direita sobe até a clavícula, depois o seio e você tem outra exigência.
— Dê minha sobremesa.
Eu rasgo o saco e a colher cai no chão, mas foda-se, rasgo a tampa, assim como a embalagem plástica. O sorvete é macio, meu pau está duro e sei por que Bobby Short se sentia um cavalo de corrida; eu sou um cavalo de corrida.
— Um segundo — digo.
— Tique-taque — você diz, você ronrona.
Coloco a música no computador. Você gosta.

— Coloque em repetir — ordena.

Eu obedeço, retorno à gaveta e você se ajoelha diante da gaiola, mamilos duros. Quer saber se eu consigo tirar a gaveta e criar uma janela aberta. Eu consigo. Você me manda tirar a calça. Eu tiro. Você estica as duas mãos através do novo espaço aberto onde costumava ficar a gaveta, eu pego o sorvete e me aproximo da gaiola. Você se toca e os dedos saem molhados, brilhando, e sei que devo aproximar a embalagem. O sorvete está mais quente por causa de nosso calor, derretendo. Você mergulha sua outra mão no ímã entre as pernas e não desvia os olhos dos meus. Suas duas mãos estão cobertas por seu suco e você enfia esses dedos molhados na baunilha que derrete. Você me provoca. Você me diz que quer minha boca, eu lhe dou minha boca e seus dedos enchem minha boca e seus outros dedos "estão tocando, habilidosamente, misteriosamente, sua primeira rosa". Meu pau. Suas mãos são *O código da Vinci* e meu corpo é seu. Eu sugo a vida de seus dedos e você os tira de minha boca. Baixo os olhos para você, e você está na baunilha. Você cava, fundo. Sua mão de baunilha se junta à outra mão em meu pau duro e eu estou fresco e quente e duro para sua maciez. Suas mãos dançam e me levam à sua boca e você me engole e eu gemo e "nós somos o mundo" e mal há espaço para nós três — meu pau e suas mãos. Eu pertenço à sua boca, e quando abro os olhos você me encara, grande, inteira. Eu preciso de você, você toda. Você quer tudo de mim. Você conhece todos os meus segredos e sua boca tem dentes. Você me tira de sua boca, me segura nas mãos. Ergue os olhos para mim, suplicando.

— Me fode.

Eu não decido, conscientemente, confiar em você. Meu corpo assume e não consigo destrancar a gaiola rápido o bastante. Você esfrega as mãos sobre o corpo e você espera. Enfio a chave na fechadura, sinto falta do seu toque e entro em seu espaço, em *você*. Você não corre para fora; você corre para mim, lasciva. Eu aperto a mão em seu pescoço, enfio a língua em sua boca e você aceita. Você me arranha. Eu poderia matar você, você sabe disso, seus mamilos estão mais duros que nunca e sua xoxota nunca foi tão doce, tão apertada — "apenas baunilha" — e poderíamos ficar assim para sempre. Você goza de verdade, você está explodindo, e é um exorcismo e um ponto de exclamação. Está falando em línguas, eu tenho você, estou em você, relaxo o aperto e explodo, e você me tem, tem mesmo. Suas costas arqueiam, *uau*. Eu levei você a lugares melhores que o Upper West Side, superiores a Turks e Caicos e a sala bege de Nicky. Eu a levei à França, ao cálice, à Lua, você para de se mover e um sorriso se desenrola sobre todo o seu corpo, você é a folha de uma ninfeia, banhada de sol e flutuando, enraizada ao fundo do lago, eu, escuro, acima de você.

A porta da gaiola está escancarada, estou seminu e nunca conseguiria pegar você caso subisse a escada correndo. Se você agarrasse meu pau vazio, o chutasse e tentasse correr, conseguiria. As portas do porão estão destrancadas, então você teoricamente poderia fugir para cima. Mas a porta da frente está trancada; você não ficou aqui por tempo suficiente para saber onde guardo a chave. Ainda assim, se quisesse poderia arriscar tudo, correr nua para a loja e gritar por socorro. Alguém a ajudaria, alguém me pegaria, mas nada disso está acontecendo. Seu corpo não sabe mentir e seus pelos arrepiados dizem a verdade. Você lambe os lábios e olha para mim acima. Ronrona.

— Joe. Uau.

51

EM certo momento paro de fingir que estou dormindo e me permito observá-la no sono. Vivemos em um mundo novo, eu a beijo e espreguiço. Preciso me lavar, e saio da gaiola. Não tranco você; não precisamos trancar portas neste novo mundo. Deixo a porta da gaiola entreaberta e faço o mesmo com a porta à prova de som do portão, bem como a porta do vestíbulo que dá para a loja. Estamos livres e eu levo os exemplares de *O código da Vinci* comigo, como um garoto com um brinquedo novo. Quando chego ao alto, fico verdadeiramente surpreso de descobrir que os livros estão onde estavam antes de começarmos a ler. Eles sobreviveram ao terremoto de nosso orgasmo, a placa de fechado está onde estava quando viajamos para dentro de *O código da Vinci*, e o banheiro fica exatamente onde ficava hoje mais cedo antes de eu foder você para a vida.

Acendo o interruptor e o pequeno banheiro é tomado por luz halógena e pelo ruidoso exaustor de merda que você me atormentou para trocar. Mesmo o exaustor me faz sorrir por causa de você, e eu o trocarei, Beck. Você está certa; é barulhento demais. E é tão velho que não pode servir de nada. Também é um risco de segurança quando estou sozinho na loja, porque o mesmo interruptor controla a luz e o exaustor.

Não é possível ter luz sem barulho, e não é possível ouvir nada acima do zumbido do exaustor. E você está certa, Beck. É perigoso.

Dou descarga, ligo a água e me olho no espalho. Eu pareço bem, feliz, e fico pensando em se deveria entrar para o Facebook para você poder relacionar seu perfil ao meu. Li em algum lugar que os garotos agora são tão desonestos que há um jogo chamado "Verdade". Você vai à página de alguém — que babaquice a linguagem — e escreve "A verdade é...", e revela algo surpreendente e verdadeiro. É triste e grotesco que você e seus amigos tenham se acostumado tanto a mentiras que a verdade precise ser prefaciada por ser inerentemente surpreendente, uma variação chocante das mentiras que formam suas vidas.

Mas você, agora, acabou com isso e talvez antes de encerrar seu perfil no Facebook, você faça uma última atualização de status:

A verdade é que eu gosto pra cacete de O código da Vinci.

Temos de tomar grandes decisões, Beck. Você vai se mudar para minha casa? Eu me mudarei para a sua? Vamos ficar em Nova York? Certo, eu tenho este trabalho, mas acho que você se sairia bem na Califórnia — você não sabe o bastante para circular entre os escritores de Nova York. Mas agora que temos um ao outro, podemos circular. Olho para o meu *O código da Vinci* em cima do seu. Eles parecem bem juntos, Beck. Isto é certo.

Pego o sabonete e faço uma boa espuma. Fico triste de lavar você e o sorvete de baunilha. Mas fico excitado de pensar em me sujar de novo com seu suor e seu gozo, seus sucos e sua saliva. O exaustor está barulhento, meu pau está duro e sei o que vou fazer agora. Vou acordar você com minha boca. Vou comer você viva. É uma coisa boa manter uma escova de dentes à mão, está seca e eu sorrio porque da próxima vez em que escovar meus dentes a escova estará molhada pois você a terá usado. Eu me sinto sagrado e consagrado como Silas enquanto escovo os dentes, molho as axilas e jogo a colônia que comprei para ter o cheiro do bartender. Deus, eu *conheço* você. Jogo um pouco de água nos cabelos, deveria fazer a barba, mas sinto demais a sua falta. Preciso comer você, e preciso comer agora.

Aperto o interruptor. As luzes se apagam, o exaustor desacelera e eu não abro a porta. Há algo errado. O silêncio é rompido por sons terríveis, pés espancando as tábuas do piso, suas cordas vocais irritadas — "Socorro!" — e a porta da frente resistindo enquanto você puxa. Agarro nossos livros e me esgueiro para fora do banheiro, você continua na frente, esmurrando e felizmente são quatro horas da manhã e não há ninguém por perto para ouvir. Quem chamou Nova York de a cidade que nunca dorme não trabalhou em Mooney Rare and Used. Caminho até o centro da loja e a vejo, seu cabelo alucinado, membros alucinados, usando a camiseta do Nirvana de minha mãe, puxando a porta com as duas mãos, tão perdida em sua missão que não me ouve chegar. Sou silencioso como um gato. Eu dou passos macios e objetivos, coloco nossos *O código da Vinci* no balcão. Você não me sente e está tão perto da porta de vidro que não consegue ver meu reflexo. Eu estava certo; você não conseguiu achar a chave. Eu passo os braços ao redor de você, e você chuta.

— Não! Me solte, seu escroto doente!

Eu a seguro com firmeza, e é uma vergonha que você esteja furiosa, porque eu realmente poderia lhe dar a chave agora mesmo. Mas você é um animal — chute, chute — e um monstro com deficiência. Por que perde tempo agitando os braços, pequenina? Não consegue me alcançar; eu a carrego pelo corredor, arrasto para o chão atrás do balcão. Deslizo para o chão, estico as pernas e a seguro no colo. Mesmo que alguém passasse, não seríamos notados, protegidos que estamos pelo balcão. Você luta para escapar, mas eu posso segurar você pelo resto da vida caso precise.

Como sempre, sua raiva finalmente esfria. Seus músculos relaxam e você é minha boneca nova: Triste Beck. Não fala. Apenas chora. Não briga comigo, e há esperança. Beijo seu pescoço; você não gosta. Não é hora de beijos, entendo. Há muito para absorver, muito para mudar, o Sol não nascerá por algum tempo, eu a embalo e olho para suas pernas nuas em cima das minhas. É assim que o amor parece. Eu sei. Você não tenta mais enfiar as garras em mim. Ficamos sentados em silêncio por tanto tempo que você deve estar pronta para ser boazinha. Eu começo, testo você.

— Então, o que vamos fazer com você?

A resposta certa: você deveria suplicar meu perdão, admitir que surtou quando acordou sozinha. Pensou que eu a tinha abandonado, assim como seu pai a abandonou, como todos os homens em sua vida a abandonaram. E então eu prometeria ficar com você para sempre, você acariciaria minhas mãos, eu a perdoaria e deixaria que guiasse minhas mãos para seu centro, seu ímã. Eu matei por você. Eu mereço você. Eu gostaria de poder olhar seu rosto, você não respondeu, então refaço a pergunta:

— O que acontece agora, Beck?

A resposta certa: amor.

Você responde, com uma voz tão embotada que não a reconheço.

— Eu desapareço.

— Não.

Não.

— Escute, Joe — você diz, apertando as mãos nas minhas de um modo totalmente despido de sexo, de paixão. — Não me interessa o que você fez a Benji ou Peach. Eu entendo. Benji realmente *tinha* um problema com drogas. E Peach realmente *tinha* problemas.

— Ela era uma mentirosa, Beck. Até inventou aquela babaquice sobre sua *bexiga*.

— Eu sei — você diz, e você perdoa fácil demais. — Eu simplesmente adorava que ela me adorasse.

— E o que você quer agora?

A resposta certa: eu!

Você suspira. Você me diz que não quer ser escritora. Quer ir para Los Angeles e ser atriz.

— E talvez, se não conseguir trabalho, bem, talvez escreva alguma coisa para mim mesma, sabe?

E piora. Você me diz que é uma "garota muito preguiçosa". Eu a seguro e você analisa suas falhas.

— Blythe está certa. Metade do tempo meus contos realmente são apenas anotações de diário. Metade do tempo eu tenho de pesquisar e trocar os nomes para transformar as páginas em ficção. É o quão ruim eu sou.

— Na-na — digo, não solto e essas são as respostas erradas.

— Você não me quer, Joe — você diz, e eu olho para os seus pés, os dedos que Peach molestou em Little Compton. — Você acha que sou essa garota escritora sonhadora, mas não sou. Nicky tem todo direito de me odiar. Eu admito isso. Eu realmente não o queria. Queria apenas que ele largasse a esposa por mim. Queria foder com os filhos dele, e sim, Joe, sei como isso parece doentio.

Não.

— Você não é doentia.

Você manda.

— Vi você na minha leitura naquela noite no Brooklyn. Eu sabia que tinha me seguido.

Eu seguro você e beijo sua cabeça porque realmente somos iguais, somos a casa e o rato e você sabe. Sabe mesmo.

— Eu achava que sim — digo. — Esperava que sim.

Você aperta os dedos dos pés na minha calça.

— Então sabe que eu nunca iria me submeter a você, Joe. Eu sou a conexão nisto tudo. Eu sou o elemento tóxico. Sei que esta bagunça é culpa minha, e nunca iria procurar a polícia, Joe. Você me deixa sair daqui e eu sumo. Para sempre.

Eu lhe dou outra chance.

— Não quero que suma, para sempre.

— Ah, vamos lá — você diz como amiga, sem sexo entre nós. — Acho que pode encontrar outra garota para ler *O código da Vinci* com você.

— Beck, pare.

Diga que me quer.

— Vou sair desta loja e nunca olhar para trás. Juro por Deus, Joe.

— Beck, pare.

Mas você não para.

— Joe, me escute. Eu juro a você. Vou desaparecer e será como se eu existisse. Deixe que eu vá, e prometo que você nunca mais me verá novamente. Eu juro. Joe?

Você foi reprovada, não vai ganhar uma estrela dourada e eu aperto seu pescoço para fazer sumirem as respostas erradas. Elas se alimentam de seus olhos arregalados, elas tornam suas bochechas num vermelho Nantucket e eu aperto, mais forte. As respostas erradas precisam ser expulsas das bolhas de saliva que saem dos cantos de sua boca retorcida. Você é uma porra de uma idiota por achar que eu a quero fora da minha vida, depois de tudo que fiz por você, isto não é *Caindo na real*, você não me quer mais que os outros cretinos de sua vida e eu estava errado sobre você.

Você engasga.

— Joe.

Eu não serei enganado.

— Não, Beck.

Você sussurra.

— Socorro.

E eu a estou socorrendo, pois você precisa de um exorcismo, um renascimento. Você pecou e *realmente* manipulou Nicky, e *realmente* conduziu Peach e *realmente* espreitou Benji. Você é um monstro, mortal, solipsístico até a medula, e é blasfema porque *tudo* o que você quer é.

Você.

Eu apertei forte demais. Você ficou quieta. Eu solto.

— Beck.

Quero ouvir sua voz. Chamo novamente.

— Beck. Beck.

Nada vem de você, e cacete. O que eu fiz? Sacudo seu corpo e não consigo ouvir sua respiração, e preciso ouvir sua respiração porque *Caindo na real* é um filme idiota e você *realmente* afastou Peach e Benji *realmente* conduziu você e Nicky *realmente* quebrou as regras. Então você disse algumas coisas idiotas — eu também faço isso às vezes, e a perdoo. Eu a passo do meu colo para o chão. Você está muito imóvel, e tudo de bom em você está em você, sob essas pálpebras, latente. Eu a amo por ser tão amável. Eu lamento, Beck. Não posso considerá-la responsável pelo fato de que as pessoas enlouquecem por você, e você tem de acordar porque eu quero lhe dar "amor, amor, amor, amor, louco amor".

Empurro minhas mãos sobre seu pequeno peito. Você está respirando, acho. Você tem de estar respirando. Não pode haver *nada* dentro de alguém tão adorável e iluminada como você; nós tínhamos um *tudocionamento*. Você é robusta demais, e cheia demais de vida e tem regras de roupões e orgasmos demais, e tortas, e maças carameladas demais, para partir. Eu me odeio, eu a amo, e a beijo, e você não beija de volta, e imploro que você volte, e seguro suas mãozinhas, olho em seus olhinhos, e no final da peça *Closer* na qual o filme foi baseado, o personagem de Natalie Portman é atropelado por um carro. Ela morre. No filme você não vê Natalie Portman morrer, e eu prefiro assim, você não pode estar morta, Beck. Você não tem sequer 25, não usa drogas, é segura, doce e estudiosa, e me inclino sobre você para que minha orelha toque seus lábios. Quando você respirar eu vou querer ouvir, e provar, e espero. Espero por "dezesseis séculos e oito anos-luz" e me afasto.

Você se foi.

Eu me levanto, agarro os cabelos e quero arrancá-los porque você não pode mais correr os dedos por eles e talvez eu esteja errado, e volto para o chão, enfio a cabeça em sua mão e espero que você me toque. *Por favor, Beck, por favor.* Mas seus dedos não se movem, e quando ergo a cabeça o silêncio parece oficial. É odioso e pessoal, diferente do silêncio pacífico do porão. Você não se levanta para me perdoar e afastar o silêncio malvado que pesa mais sobre mim a cada segundo em que permanece muda.

Eu olho para você. Você não olha para mim. Seu corpo agora são apenas partes. Você não pode me ajudar porque me deixou, porque queria *sumir, para sempre*. Seus crimes são muitos, você roubou meu *Love Story*, e pego seu *O código da Vinci*. Estou chocado porque algumas das páginas nunca foram viradas; eu sei percorrer um livro. Acho que pulou trechos inteiros, sua falsificação descerebrada. Quando me perguntou onde eu estava no livro, você estava enganando. O momento mais romântico da minha vida foi uma farsa, e estou tão preocupado em explorar seu *O código da Vinci* que não a vejo voltar à vida.

Mas você volta.

Você me enganou, piranha. Você agarra meu tornozelo, puxa, eu caio, largo seu exemplar, viro de lado e dói, *maldição*, você me chuta no saco e isso dói, *maldição*. Você não *sumiu, para sempre*, está possuída e sem palavras e minha virilha dói, o lado do corpo lateja e você não é minha salvadora, você torna as coisas *piores*. Você está viva, desonesta, me chutando caído, eu grito de agonia e você é tóxica e satânica porque há apenas um minuto:

— Você estava morta, maldita piranha.

Você não diz nada. Você chuta. Mas não sou tóxico, sou maior e mais corajoso, e Deus dá a mim a força para me recuperar de seus golpes sujos. Eu acerto suas pernas e agora você desaba, de costas. Eu monto em você. Você tenta me morder mas não consegue, tenta me chutar mas não consegue, tenta me unhar mas seus punhos estão presos em minhas mãos. Você não pode fazer nada quando eu a prendo no chão. Você cospe no meu rosto; você é uma babaca de Massachusetts. E é mais fraca agora, eu solto seus braços e coloco as mãos ao redor do seu pescoço de verdade desta vez. Você tenta me acertar, mas seus punhos pequenos não são o que um dia foram. O ruim em você supera o bom e suas bochechas ficam brancas, meu pau lateja de dor, meu quadril pulsa e seus olhos se arregalam. Você é repulsiva. A camiseta do Nirvana que eu vestia no dia em que você me *caçou* até em casa, aquela de que eu cuidei a vida inteira, está um nojo de gozo e baunilha. Está danificada além da possibilidade de conserto, piranha.

— Você estava certa, Beck — digo a você. — Você mata pessoas. Mata mesmo.

Eu aperto seu pescoço e agradeço por ter chutado meu pau, tento piscar e tirar sua saliva dos meus cílios. Agradeço por você provar além de dúvida razoável que *é* ruim. Você não quer amor ou vida, e nunca tivemos uma chance, você é comum e sem graça, arfando e gargarejando. Solipsística com suas digitais meladas descuidadas arruinando meus livros, meu coração, minha *vida*.

— Como é, Beck?

Só resta uma palavra em você:

— Socorro.

E eu a socorro. Estico a mão direita e pego seu *O código da Vinci*. Enfio o livro em minha boca e mordo algumas páginas. Arranco o livro, jogo fora, tiro as páginas rasgadas da boca, molhadas com minha saliva que você tanto queria.

Minhas últimas palavras para você.

— Abra, Guinevere.

Enfio as páginas em sua boca, suas pupilas deslizam e suas costas arqueiam. Este é o som de você morrendo. Há ossos partindo — onde, não sei — e canais lacrimais em modo de emergência — a lágrima da morte escorrega de seu olho esquerdo para sua bochecha de porcelana, e seus olhos estão fixos em "algum lugar para o qual eu nunca viajei, alegremente além de qualquer experiência; seus olhos têm seu silêncio". Você agora não é melhor que uma boneca, e você não reage quando as páginas em sua boca recebem o sangue que sobe pela sua garganta.

E imediatamente eu sinto sua falta, você sentiu a minha, eu chamo você e pego seus pequenos ombros.

Você não reage. Você é tão falha quanto todos os livros na loja; você terminou, me deixou e sumiu, para sempre. Nunca mais vai me deixar no escuro e eu nunca mais vou esperar uma resposta sua. Sua luz se apagou definitivamente agora, e eu a tomo nos braços.

Quero me jogar na frente do *engine engine number nine*. Como pude fazer isto? Nunca fiz panquecas para você. Que porra há de errado comigo? Não consigo respirar e você é *my sweet lord*, Beck, *diferente*. *Um tesão*. Você é. Era.

Eu choro.

52

NO final dos seus dias você alegou que não era escritora. Mas acho que você apreciaria a simetria poética de seu enterro. Foi uma longa e solitária viagem rumo ao norte, mais de quatro horas fora da cidade. Foi difícil ir no Buick, com você na mala com seu travesseiro verde, silenciosa como Little Compton no inverno. Passei pela Nicky's Pizza, segui em frente e cheguei a essa lanchonete. As casas de campo de Nicky e de seu irmão ficam aninhadas em Forrest Lake, ali perto, uma área particular na periferia de Chestertown. É uma cidadezinha, Beck, antiquada e agradavelmente ancorada em um modo de vida antiquado. Comi um queijo quente porque precisava, porque enterrar você na floresta fria será um esforço, embora todos que entrem na lanchonete não resistam a comentar sobre o inverno suave. Tão agradável que eu nem sequer precisaria de um boné de caça vermelho de Holden Caulfield da Macy's mesmo que ainda tivesse um. Não vou chorar. Não aqui.

A maioria daqueles, na lanchonete, é de nativos, e os que não são vieram para uma exposição de carros. A garçonete pergunta se estou aqui por causa da exposição de carros, digo que sim, confiro o telefone e tenho de ir ao banheiro novamente, porque sempre que confiro o telefone é como se você morresse novamente. *Ninguém, nem mesmo a chuva tem mãos tão pequenas*, e eu choro, silenciosamente, para não chamar atenção. Sua morte é uma música em repetição, eu jogo água fria no rosto e tento não pensar no fato de que nunca terei notícias suas novamente. Não terei, Beck. Você está morta.

    Sei que Nicky não é idiota. Ele não a enterraria em sua propriedade. Mas ele iria para a floresta próxima saindo da Forrest Lake Drive, como faço agora uma hora após o pôr do sol. Vejo uma placa rosa e branca. Há um acontecimento. "Casamento de Chet e Rose", esta noite no acampamento no final da estrada. Mas eu não serei detido. Saio da estrada para a escuridão que é mais pura que as praias de LC e mais escura que as profundezas de sua alma solipsística. Não há oceano aqui para amaciar o sopro sem estrelas da eternidade. Eu freio, lentamente. São Chet e Rose aqueles com noção equivocada do tempo, maldição.

    A noite é tão vazia que consigo ouvir o casamento quando desligo o Buick. Coloco meus óculos de visão noturna, agarro minha pá e saio para a escuridão. Tento não prestar atenção no casamento enquanto cavo. Mas é difícil. Chet e Rose começam a primeira dança — "Wonderful Tonight", de Clapton —, enquanto amigos e parentes aplaudem. Fico pensando em qual teria sido a música do nosso casamento, pergunto, mas você não responde. Você está morta.

    Eu cavo. Nunca estive e nunca estarei tão solitário quanto estou enquanto cavo. O norte de Nova York se aferra ao frio como nenhum outro lugar. Apenas aqui eu poderia escutar Eric Clapton apagando as luzes e louvando sua bela e leal namorada enquanto eu, sozinho, suo, estremeço e me preparo para colocar você na terra. Olho para você, enrolada em um cobertor felpudo de Bed Bath & Beyond, silenciada na mala aberta. Estou respirando normalmente agora, os festeiros dançam a Electric Slide, e será que teríamos tido um casamento assim? Imagino que teria sido em Nantucket, pois é você quem tem família. Eu teria convidado Ethan, Blythe e o sr. Mooney. O sr. Mooney não teria vindo. Mas teria transferido o título da loja para nós dois. Eu sei. Eu quero que o casamento termine, eu gostaria de gritar a plenos pulmões, mas não quero assustar você. Mas não posso assustar você. Você está morta.

    Eu cavo e a festa continua. Há brindes, aplausos e Stevie Wonder canta sobre sua preciosa filha — "*Isn't she lovely made from love?*" — nunca teremos uma filha, eu perco a paciência e arremesso minha pá. Eu me enfio na terra e deixo a música acabar comigo. Não posso mais lutar contra isso, e a alegria na extremidade oposta da floresta se tornou monótona — eu não sou uma daquelas pessoas que um dia acharam que "Get Lucky" fosse tão especial, cacete. Quase posso sentir o gosto da vodca deles, e eu sou o convidado não convidado, fora de vista, sozinho. O que me consola, o que me permite continuar cavando, é a probabilidade de que Chet e Rose tenham um site na internet, um registro. Saber que serei capaz de encontrá-los, vê-los, é de algum modo um consolo. Neil Young canta para Chet and Rose — "Harvest Moon", isso dói —, Neil Young nunca tocará para você e para mim em nosso casamento, e você não o ouve agora. Você está morta.

Eu ergo seu corpo da mala e desenrolo o tapete que a envolve. Você ainda é bonita, eu descanso minha cabeça sobre seu peito e lhe conto sobre Chet e Rose. Eu provavelmente morrerei sozinho, sob uma lua insignificante, e você não estará lá para chorar. Você dispara para o céu e tenho de reunir a força para colocar seu precioso cadáver no chão. Chet e Rose estão cercados de amigos e parentes, mas eu, sozinho, ergo seu corpo pequeno e "te faço deitar em verdes pastos". Seria bom ter um momento de silêncio; Chet e Rose são deselegantes por fazer tanto barulho. Mas não posso culpá-los; eles não podem me ver, não podem me ouvir. Estão em seu próprio mundo, onde coisas boas acontecem, a 400 metros e um milhão de anos-luz de distância. Eu ajoelho no chão e recito o "Salmo 23". Eu o decorei para esta ocasião. Você está morta.

Não há como saber o que acontece anos depois do casamento que não teremos, depois da vida. Eu caminho para a floresta e olho para o mundo com uma visão noturna artificial e vejo tudo o que o homem não poderia ver. Não sei se você "irá para sempre morar na casa do Senhor", mas deito de costas e escuto a festa para Chet e Rose ficar tão silenciosa quanto a noite, quanto a morte. Eles ficarão cansados, sua festa vai terminar e se alguém for, um dia, viver eternamente na luz, acho que será você.

Eu a cubro de terra, pedras, galhos e folhas e você é muito mais que um corpo. A caminhada de volta ao carro é curta. A viagem para longe de Chet, Rose e de seu corpo é longa na escuridão da noite. Não sei se um dia chegarei em casa, e mesmo que chegue ao meu apartamento, permaneço inseguro sobre se terei ou não um dia um verdadeiro lar. Eu nunca terei você. Você está enterrada em Forrest Lake, perto de Chet and Rose, "algum lugar para o qual eu nunca viajei, alegremente além de qualquer experiência".

Eu não abro a loja no dia seguinte. Não posso. Você está morta.

53

O correio que costumo receber é tedioso e financeiro, contas, cupons, lixo. Mas hoje, quase três meses após seu falecimento, recebo o primeiro convite de casamento da minha vida, pelo Serviço Postal dos Estados Unidos. O envelope é tão grande que o carteiro teve de subir e apoiá-lo na minha porta. Sei que não sou um especialista, mas é uma beleza, Beck, e estou com ele aqui na loja. Estou apaixonado pelo triunfante romance do papel grosso gravado justaposto à delicada cursiva dourada em itálico. Quem diria que Ethan e Blythe eram realeza? Muita coisa acontece em três meses. Ethan Exclamação e Blythe ficaram noivos e me convidaram para seu casamento em Austin, Texas. Muita coisa não acontece em três meses. O aviso de "Precisamos de funcionário" ainda está na vitrine; Ethan conseguiu um emprego formal, casar é caro.

Mas este convite mudou minha perspectiva. Não me sinto tão esperançoso desde que deixei o consultório do dr. Nicky, desde que entrei em você. O futuro existe novamente por causa deste convite. Este convite necessita que eu marque datas no meu calendário. E é boa a sensação de avançar no calendário em meu telefone. Antes que o convite chegasse — endereçado *ao sr. Joe Goldberg e Acompanhante!* — eu estava apenas folheando meses passados, inventando aniversários para nossa vida que acabou. Você, acima de todos, sabe a importância de seguir em frente; você gosta de coisas novas, você *gostava* de coisas novas. A vida não é um livro de Dan Brown; você está morta e não vai voltar. Mas a vida é melhor que um livro de Dan Brown porque finalmente tenho algo pelo que esperar, um *casamento*. Tenho de decidir entre carne e peixe, estou realmente dividido sobre a decisão, e tenho de tomar essa decisão nos próximos quarenta e um dias, segundo as regras no cartão de resposta.

O sino toca neste dia fraco que não é nem verão nem outono. Um homem comum de short pergunta sobre *Doutor Sono*. Indico a ele Ficção G-K e penso em quando vi você em Ficção F-K e em como fiquei bobo nos dias seguintes. Rearrumei a loja; não conseguia mais olhar para F-K. Realmente acreditei que mudar as estantes tornaria mais fácil viver no mundo sem você, o mundo que construí com minhas duas mãos, o mundo que não me permite lhe dizer que sei que você roubou de Peach seus roupões do Ritz. Ainda tenho lembranças. Ainda me encolho. Estou comendo novamente, mas só porque detesto desmaiar. Tudo tem sido um exercício até agora. Sempre me sinto em dívida para com o Serviço Postal dos Estados Unidos, para com Ethan, para com Blythe. E nunca subestimarei novamente o poder da ansiedade. Não há melhor ânimo no presente do que um convite para o futuro.

O solitário compra o King, sai com o King, e vou precisar comprar um terno. É maravilhoso ter um projeto, e celebro visitando o ninho de amor de Chet e Rose na internet. Sinto como se os tivesse conhecido muito bem desde aquela noite medonha na floresta. Quero contar a eles sobre o convite. Eu fiquei obcecado com Chet e Rose, mas como poderia não ficar? Eles se reuniram na floresta para se casar de modo a que eu ainda pudesse acreditar no amor. Eu os amo. Eu vi o *slide show* da lua de mel centenas de vezes. Eles estavam lá por mim. Que noção de tempo. Eu costumava passar o *slide show* e fingir que éramos nós em lua de mel em Cabo San Lucas. Mas hoje em dia estou menos amargo. Sei que nem todos somos Chet e Rose. É um fato indiscutível: algumas pessoas na Terra recebem amor, se casam e passam a lua de mel em Cabo. Outras não. Algumas pessoas leem sozinhas no sofá e algumas pessoas leem juntas, na cama. É a vida.

Eu provavelmente morrerei só. Karen Minty provavelmente morrerá casada; muitas pessoas adoram *O rei do bairro*. E eu estou bem com meu destino. Foi decisão minha poupar você da dor da vida. Eu abri mão de você. Eu a perdoo. Não é culpa sua ter carregado seus demônios desajeitadamente naquela grande bolsa Prada, naqueles roupões gigantes e usados do Ritz, de Peach. Você era tóxica, não cruel, e os homens que a largaram estão prosperando; aquele Hesher tem um programa de televisão que não é uma bosta. Um registro na internet da lista de presentes em Babies "R" Us mostra que seu pai está prestes a ser pai novamente. Algumas pessoas têm tudo, têm mesmo.

Acho que você ficaria feliz de saber que sua voz permanece. Eu sou o único leitor de *O livro de Beck*. Mandei encadernar seus contos na FedEx. Mas milhões de pessoas devoraram a história de sua vida. Todos sabem sobre o psicólogo perturbado que a assassinou. Você nunca foi publicada pela *New Yorker*, mas chegou ao *New York Post*.

Você me mudou, Beck. Não vou ficar solitário como o sr. Mooney. Eu tenho Ethan e Blythe. Tenho as garotas que eles periodicamente empurram para mim. As garotas são sempre terríveis, melancólicas, condescendentes e simples. Sou como Hugh Grant em *Simplesmente amor*, sem o amor, o que não é tão ruim quando você se dá conta de que na vida real Hugh Grant é solteiro, como eu. Mais uma vez, nem todos os animais são destinados a formar casais. Sim, eu entendo que somos feitos para a companhia; Deus nos deu vocabulário. Precisamos falar. Precisamos escutar. Eu transo eventualmente, garotas da internet, garotas da livraria. Mas basicamente fico na minha. Já não me abro "pétala a pétala", e você estava certa, Beck. Você não era a garota que eu achava que era, e Barbara Hershey não era para Elliot em *Hannah e suas irmãs*. O sino da porta toca, eu ergo os olhos de uma foto de Chet e Rose em prancha de surfe e vejo uma garota, uma garota que eu conheço, meio que. Veste uma camiseta da universidade de Pittsburgh e jeans. Ela se encolhe. Ela acena. Gostaria que houvesse música tocando neste instante. Ela gostou da minha música da última vez.

— Vi o cartaz na vitrine — ela diz. Engole em seco. — Ainda estão contratando? Algumas vezes esquecem de tirar o cartaz. Algumas vezes é babaquice. Desculpe. Estou xingando.

Eu esqueci do cartaz, mas não esqueci de Amy Adam, seu cartão de crédito roubado, seus trajes acadêmicos fraudulentos e seus grandes olhos castanhos. Ainda estamos contratando. Ela se aproxima. Olha para meu convite de casamento e concorda.

— Eu adoro Austin.

— Então, como tem estado? — pergunto, e é uma manobra sedosa de minha parte. Eu sou o cavalheiro, assumindo o papel de quem se lembra de modo que ela possa ser a dama, lembrada. Ela tenta agradar, quase faz uma mesura. Está lisonjeada e feliz. Olha para mim, cai bem aos olhos dela, e me dá um currículo.

— Eu *costumava* trabalhar em uma livraria pequena em Williamsburg, mas digamos que não deu certo por causa das políticas míopes deles sobre o que chamam de *roubar* — ela diz, resmungando. — Como se eu *não devesse* levar livros para casa e ler. E exatamente como você lê um livro sem marcá-lo?

Ela fala alto.

— Desculpe se não sou uma dessas pessoas Kindle ultramodernas, eu gosto de canetas, papel, páginas de verdade que possa rasgar e tocar — diz, balançando a cabeça. — E se você comprou um livro e encontrou anotações nas margens, quero dizer, quem não iria adorar isso? É um bônus.

Ela não quer que eu responda. Ela pisca.

— Desculpe. Estou exagerando. Mas isso tinha de ser dito.

Ela precisa da minha aceitação. Eu sorrio.

— Não precisa se desculpar.

Agora é a vez dela, e ela concorda, brincalhona.

— Eu provavelmente pareço lunática. Vocês contratam lunáticas?

Digo a ela que só contratamos lunáticas, e ela acha que sou engraçado. Tem um riso cadenciado e gosta de estar aqui comigo. Ela será minha caixa e minha namorada, e na próxima vez em que for convidado para um casamento, estará endereçado a *Joe Goldberg & Amy Adam*, e não terei de me preocupar com encontrar uma acompanhante. Você *sumiu, para sempre*, e ela está aqui, agora.

AGRADECIMENTOS

Quero agradecer a Joe Goldberg por exigir ser ouvido. Bom trabalho, Joe.

E agora, às pessoas reais que deram vida a este livro. Obrigada a todos em Emily Bestler Books, Atria e Simon & Schuster. Acertei na loteria editorial com Emily Bestler. Emily, sou muito grata por seu entusiasmo, sua inteligência e sua sensibilidade precisa. E não seja ameaçadora. Judith Curr, Ben Lee, Paul Olsewski, David Brown, Mellony Torres, Hillary Tisman, LeeAnna Woodcock, Jeanne Lee, Kristen Lemire e Kate Cetrulo — obrigada por me deixarem tão à vontade. Megan Reid, obrigada pelos melhores cartões do mundo. Liga, ah, liga. Josh Bank, Lanie Davis e Sara Shandler, seus cérebros e corações são perfeitos. Joe concorda. Josh, sua voz é mais poderosa que a agulhada de Karen Minty. Lanie, você sempre sabe, e sou grata por sua orientação (e sua concha!). Sara, você é assustadoramente articulada e desenha os melhores corações. Obrigada a todos por se importarem tanto com o mundo deste livro. Jeniffer Rudolph Walsh, Claudia Ballard e Laura Bonner, da WME, obrigada por acreditarem em *Você* e saberem o que fazer com ele. Natalie Sousa, você leu minha mente quando criou a capa. Obrigada por isso.

Inúmeros alunos da Barnstable High School concordarão que temos os melhores professores do mundo. Mick Carlon e Ed O'Toole, seu estímulo teve um profundo impacto em mim. Linda Friedman, Meredith Steinbach, obrigada por serem mentoras maravilhosas. Matt DiGangi, obrigada por dominar o jargão dos ladrões. Lauren Acampora Doyle, você é uma *pollo* maravilhosa e sábia, e obrigada por me apresentar à deusa da liga Sara Shepard. Obrigada, primo Tommi Hurme, por picklebacks, e obrigada, prima Kristiina Hurme, por seu apoio. Essas coisas ajudam quando você está escrevendo um livro sobre um perseguidor.

Eu comecei *Você* depois de perder meu pai para o câncer. Meus amigos, estou devendo a vocês: Amy Sanborn, muita sorte por conhecê-la desde que estava no útero. Lauren Heller, você é uma dádiva. Sarah Tatting-Kinzy, uma verdadeira ouvinte, uma amiga incrível. Matt Donnelly (e Corky e Pinky), sou muito grata por nosso tempo inspirador em Splendorea. June Hurme, Kathleen Kelly, obrigada por querer saber o que acontece depois. Lorena David Esguerra, George Esguerra, a suíte de convidados Roald Dahl, de Dylan, foi divina. Lia e Todd Haberman, obrigada pelos donuts. Crispin Struthers, obrigada por estar lá. Nicholas Fonseca, você me levanta. Sharon e Paul Swartz, sou grata por meu retiro de escritora (e panquecas!) no Cape Point Hotel. Sophia Macheras, significou muito para mim quando você adorou *Owen*. Michael Wyman, você é o melhor; amo você, querido, não mude. Obrigada e amor a Eric Scott Cooper, Frank Medrano, Beverly Leiberman, Karen e Howie Onik, Erin Penner, Jen e Jon Sackett, Korbi Ghosh, Josh Wyman, tia Carole e tio Den. Macherases, Swartzes, Wymans, primos, família, amo vocês. Eu poderia encher um livro com mais nomes, e depois mais um. Sorte de conhecer tantas almas esplêndidas.

Amor e abraços para meu corajoso irmão, Alex, minha irmã de Xanadu, Beth, e meus maravilhosos sobrinhos, Jonathan e Joshua. E agora, meus pais, Monica e Harold Kepnes, obrigada por criarem um lar em que Led Zeppelin e riso dominavam. Pai, gostaria que estivesse aqui para festejar. Você e mamãe acreditaram em mim desde que comecei a escrever sobre machados roubados em meu diário da Hello Kitty e a acumular livros da série Sweet Valley High. Isso significa tudo. Vocês me inspiram, sempre.

Finalmente, obrigada aos artistas cujas obras são citadas neste livro. Vocês são demais.

Impressão e Acabamento:
GRÁFICA GRAFILAR